Ödön von Horváth
Gesammelte Werke

*Kommentierte Werkausgabe in Einzelbänden
Herausgegeben von Traugott Krischke
unter Mitarbeit von Susanna Foral-Krischke*

Band 7

Ödön von Horváth
Eine Unbekannte aus der Seine
und andere Stücke

Suhrkamp

suhrkamp taschenbuch 1057
Erste Auflage 1988
Alle Aufführungs-, Sende- und Übersetzungsrechte liegen
ausschließlich beim Thomas Sessler Verlag, Wien und München
© für diese Ausgabe Suhrkamp Verlag Frankfurt am Main 1986
Suhrkamp Taschenbuch Verlag
Alle Rechte vorbehalten, insbesondere das
des öffentlichen Vortrags, der Übertragung
durch Rundfunk und Fernsehen
sowie der Übersetzung, auch einzelner Teile.
Satz: LibroSatz, Kriftel
Druck: Nomos Verlagsgesellschaft, Baden-Baden
Printed in Germany
Umschlag nach Entwürfen von
Willy Fleckhaus und Rolf Staudt

1 2 3 4 5 6 – 93 92 91 90 89 88

Inhalt

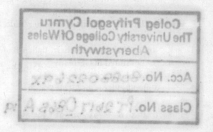

Eine Unbekannte aus der Seine

Komödie in drei Akten und einem Epilog

Personen: Albert · Silberling · Nicolo · Irene · Emil, ein Bräutigam · Ernst · Theodor, der Leidtragende · Die Unbekannte · Der Uhrmacher · Hausmeisterin · Klara, die Hausmeisterstochter · Ein Polizist · Der Student aus dem zweiten Stock rechts · Die Gattin des Ingenieurs aus dem dritten Stock links. Die Mordkommission: Der Herr im Frack · Der Doktor · Der Kommissar · Der Gerichtsphotograph. Mathilde, die Zimmervermieterin · Lilly, ein Mädchen · Lucille · Der kleine Albert

Schauplatz: Dieses Stück spielt in einer großen Stadt, durch die ein Fluß fließt.

Erster Akt

Seitengasse. Altes hohes Haus. Neben dem Haustor ein Uhrmacherladen und eine kleine Blumenhandlung mit Rosen, Tulpen, Hyazinthen, Kakteen und Flieder – bis auf die Gasse hinaus. Darunter auch eine Stechpalme.
Die Besitzerin der Blumenhandlung ist blond, ledig und Mitte der Zwanziger. Mit dem Vornamen heißt sie Irene.
In der Auslage des Uhrmacherladens hängen lauter Uhren – große und kleine, alte und neue. Auch Kuckucksuhren. Und ein Barometer.
Es geht bereits gegen Abend. Ende Mai.

1. Szene

Albert, ein junger Mensch und ehemaliger Beamter einer Speditionsfirma, kommt mit Silberling und Nicolo langsam vorbei. Silberling, ein älterer Herr, macht auf den ersten Blick einen durchaus soliden Eindruck, aber auf den zweiten Blick wieder weniger. Und auch Nicolo sieht nicht gerade vertrauenerweckend aus, schon auf den ersten Blick nicht. Aber gekleidet ist er wie ein Gent.

SILBERLING Also das ist Nummer neun. Ein schönes Haus.

ALBERT Alt.

SILBERLING Wahrscheinlich. Und die Wohnung über den Uhren ist zu vermieten?

ALBERT Sie steht leer.

Stille.

ALBERT Es ist das ein kleiner Laden, dieser Uhrmacherladen. Gleich rechts steht der Schrank und schlafen tut er hinten hinaus.

NICOLO Und dort ist das Kellerfenster.

ALBERT Ja.
Stille.

SILBERLING Wieviel sagst du? Dreitausend?

ALBERT Garantiert.

NICOLO Ich habe ein gutes Gefühl.
Stille.

ALBERT Aber ich tu nicht mit.

SILBERLING Was heißt das?

NICOLO *scharf:* So plötzlich?
Stille.

ALBERT Ich hab euch hierher geführt und zeig euch Chancen, aber ich tu nicht mit.

NICOLO *ironisch:* Willst ein neues Leben beginnen?

SILBERLING Also nur keine Unüberlegtheiten!
Stille.

ALBERT Ein neues Leben – – hm. Das geht natürlich nicht nach Wunsch.

SILBERLING *grinst:* Wahrscheinlich.

ALBERT Aber es dreht sich da um einen Menschen – – – Nicht um mich!

NICOLO Sondern?

ALBERT *schweigt.*

SILBERLING Sicher um eine Madonna. Die wird oder will ihn verlassen oder sie hat ihn schon verlassen – – –

ALBERT *grinst:* Erraten.

NICOLO Kunststück!

SILBERLING Und jetzt hat sie schon längst einen anderen, nicht?

ALBERT Sie hat keinen anderen.

SILBERLING Wetten?

ALBERT Ich wette nicht.

NICOLO Er ist kein Hasardeur.

ALBERT Gut. Jetzt wette ich! Hundert gegen eins!

SILBERLING Abgemacht! Auch hundert gegen zwei!

NICOLO Zu gewagt!

ALBERT *braust auf:* Was versteht denn ihr schon davon!
Wütend ab.

2. Szene

Die beiden Herren sehen ihm verdutzt nach.

NICOLO Er muß. Wir zwei allein sind zu wenig.

SILBERLING Der kommt auch wieder – – da wachsen mir
keine grauen Haare.

NICOLO Aber die Finger eines Weibes im Spiele – – – das
kann mir nicht gefallen. An Hand meiner reichen persönlichen Erfahrungen – – –

SILBERLING *unterbricht ihn väterlich:* Nanana! Nur nicht
gar so von oben herab, Herr Casanova!

NICOLO *fixiert ihn:* Was weißt denn du schon von mir,
junger Mann?

SILBERLING Nichts.

NICOLO Eben. *Ab mit Silberling.*

3. Szene

*Jetzt verläßt Irene mit Emil, einem Bräutigam, ihre Blu-
menhandlung. Der will sich gerade ein Brautbouquet kaufen, ist aber immer noch unschlüssig. Er hat einen melan-
cholischen Charakter und beriecht die Blumen auf der
Straße.*

IRENE Auch Hyazinthen riechen gut.

EMIL Zu streng.

IRENE Dann bleiben wir doch bei den Rosen, Herr Emil.
Das ideale Brautbouquet. Rosen bringen Glück.

EMIL *schmerzlich:* Glück?

IRENE Sicher. Das ist nämlich so ein Aberglaube und ich glaub daran. Sie nicht?

EMIL Zur Not.

IRENE Sie sehen aber schon gar nicht aus, als hätten Sie einen Freudentag vor sich – – –

EMIL Ich bin halt kein leichter Mensch – – und Heiraten ist doch kein Kinderspiel. Sie waren doch auch schon mal verlobt. Man erfährt doch so manches, wenn man im selben Haus wohnt.

IRENE *fixiert ihn:* Wie meinen Sie das jetzt?

EMIL Ich meine halt nur, daß man sein Herz unter Umständen leicht an einen unwürdigen Partner verschwenden kann – –

IRENE Sie sind eigentlich ein boshafter Mensch, Herr Emil.

EMIL Sie verkennen mich grausam. Schade. Wenn ich nicht schon eine Braut hätte, würde ich Sie heiraten – – glatt. Sie haben einen schönen Charakter und Blumen sind eine angenehme Branche.

IRENE Sehr aufmerksam.

EMIL Was kostet diese Stechpalme?

IRENE Die ist sehr preiswert.

EMIL Übrigens: hätten wir nicht doch lieber Flieder – – –

IRENE *unterbricht ihn:* Nein. Rosen bringen Glück.

4. Szene

Ernst, ein Vertreter, kommt mit seiner Tasche. Er hat ein sicheres Auftreten und kann äußerst zungenfertig sein.

ERNST *grüßt:* Servus Emil, guten Abend – *Er gibt Irene rasch einen Kuß auf die Wange.* Na was macht die Hochzeit?

EMIL Wir debattieren gerade über das Brautbouquet –

ERNST Rosen bringen Glück!

IRENE *zu Emil:* Sehen Sie!

EMIL Ich höre. Also dann bleiben wir halt dabei – *Zu Ernst.* Du kommst doch heut zu meinem Polterabend?

ERNST Ehrensache!

EMIL Wiedersehen –

IRENE *boshaft:* Alles Gute zur Hochzeit. Und viele Kinder.

EMIL Kinder bringen Glück. – *Ab durch das Haustor in seine Wohnung.*

5. Szene

ERNST *sieht ihm nach:* Ein armer Pessimist. Ein Kretin.

IRENE Ernst. Wie oft hab ich dich schon gebeten, du sollst mich nicht vor fremden Leuten auf die Wange küssen –

ERNST Aber Maus! Meinst denn, die Leut sind blind? Glaubst, die wissen es nicht genau, wie oft ich hier in der Nacht – – alles wird einem registriert, das ist nun mal Menschenart. Gott, bin ich müd und wieder kaum etwas verkauft! – – – Und du gefällst mir übrigens auch nicht. Das heißt: wir kennen uns ja erst seit drei Wochen, aber du hast mir zuviel depressive Zuständ– – – Ich sorge mich um dich, Irene.

IRENE Du bist lieb. Aber es ist halt keine Kleinigkeit, sich so plötzlich von einem Manne trennen zu müssen, mit dem man über zwei Jahre – – – das geht eben nicht spurlos, da bleibt einem eine offene Wunde zurück, Albert.

ERNST Ich heiße nicht Albert. Ich heiße Ernst.

IRENE Verzeih mir, bitte.

Stille.

ERNST So nimm doch nur Vernunft an. Als alleinstehende Geschäftsfrau mußt du peinlichst auf deinen präzisen

15

Ruf achten! Kannst doch nicht mit einem solchen Manne zusammen, einem ehemaligen Speditionsbeamten, der unterschlagen hat – bedenk!

IRENE Ja, unterschlagen. So nennt man das offiziell. Trotzdem.

ERNST Nur Mut – – *Er will ihr wieder einen Kuß auf die Wange geben, doch sie wehrt ab.* Wieso? Jetzt ist doch hier kein Fremder – –

IRENE Trotzdem –.

Stille.

ERNST Darf ich mir nun die Hände waschen?

IRENE Geh nur hinein. Ich muß nur noch die Blumen – –

ERNST *ab.*

6. Szene

Irene begießt die Blumen. Albert erscheint – – sie erblickt ihn, zuckt etwas zusammen und möchte in die Blumenhandlung.

ALBERT Halt!

IRENE Aber ich hab doch zu tun!

ALBERT Dann geh ich mit.

IRENE Du bleibst draußen.

ALBERT Wo hast du dein Herz, Irene?

Stille.

IRENE Daß du immer wieder kommst – – So quäl mich doch nicht!

ALBERT Egal!

7. Szene

Theodor, ein Leidtragender, kommt in tiefer Trauer rasch vorbei. Er ist sehr lustig.

THEODOR Guten Abend, schöne Frau! Ich wollt Sie nur mal rasch erinnern, daß Sie den Kranz nicht vergessen, das wär nämlich sonst eine schlimme Blamage!

IRENE Der Kranz ist schon längst geliefert.

THEODOR In die Wohnung oder gleich hinaus?

IRENE Gleich ins Krematorium, mein Herr.

THEODOR Dann ists schon gut. Und auf der Schleife steht?

IRENE »Letzte Grüße«.

THEODOR Bravo! Sehr schön, sehr brav! Das klappt ja alles prima! Na was macht denn die liebe Frau für ein trauriges Gesicht? Ihnen ist doch niemand gestorben, sondern mir! Aber sehens, ich laß mir meinen Humor nicht nehmen! Man lebt nur einmal! In diesem Sinne – – *Er grüßt und ab*.

8. Szene

ALBERT *sieht dem Leidtragenden nach:* Es gibt noch lustige Menschen.

IRENE *wie zu sich selbst:* Unlängst bin ich sehr erschrocken. Da hat mich nämlich ein Bekannter in einen Zirkel eingeführt, wo man sich mit dem Einfluß der Gestirne auf unser menschliches Leben beschäftigt hat – –

ALBERT Was war denn das für ein Bekannter?

IRENE Du kennst ihn nicht. Es hat alles gestimmt. Auch die Zukunft.

Stille.

ALBERT Ist er auch lustig?

IRENE Wer?

ALBERT Dein neuer Bekannter mit den Sternen.

Stille.

IRENE Du sollst mich nicht so anschaun, denn es hat keinen Sinn.

ALBERT Ich schau nur deine Brosche an – – meine Brosche aus Venedig.

IRENE Soll ich sie dir zurückgeben?

ALBERT Nein.

IRENE Danke.

9. Szene

Ernst erscheint nun etwas ungeduldig in der Türe der Blumenhandlung.

ERNST Irene, wo bleibst denn so lang? *Er erblickt Albert.* Ach! Schon wieder?!

IRENE Reg dich nur nicht auf, bitte! Denk an dein Herz!

ERNST Nein laß mal!

IRENE Ernst!

ERNST *nähert sich Albert und hält dicht vor ihm:* Ich liebe das offene Wort. Sie wissen, wer ich bin.

ALBERT Nein.

ERNST Wie Sie wünschen! Ich weiß alles.

ALBERT *zu Irene:* Alles?

ERNST Irene und ich, wir haben keine Geheimnisse voreinander.

ALBERT Richtig. So soll es sein.

ERNST Es dreht sich hier nur um Irene. Im Interesse aller Beteiligten bitte ich Sie um etwas Einsicht. Es gibt bekanntlich Dinge, die irreparabel sind – – Irene hatte Ihretwegen sozusagen fast einen korrekten Nervenzusammenbruch und wenn ich nicht gewesen wäre, wäre

18

sie vielleicht nun nicht mehr, höchstwahrscheinlich – –
und da ich ihr eben damals meine Kraft gegeben habe,
habe ich folglich auch ein gewisses Recht zu weiteren
Eingriffen in ihr Leben – – *Er stockt.* Was ist denn los?

ALBERT *starrte immer nur auf seine Lippen:* Sie sprechen
so fließend – –

ERNST *perplex:* Fließend. Wieso fließend?

ALBERT Sie heißen Ernst?

ERNST Immer schon.

ALBERT *lächelt blöd:* Ein ernster Name.

ERNST Sie belieben zu scherzen?

ALBERT Nein.

ERNST Sie zwingen mich deutlich zu werden?

ALBERT Ich hab Sie mir eigentlich anders vorgestellt – –

ERNST *wieder perplex:* Was? Wen?

ALBERT Sie. Ich hab Sie mir anders gedacht. Hm. Komisch, daß sich Irene für Sie interessiert – –

ERNST Finden Sie komisch?

ALBERT Ich finde, sie wird halt nur irgend einen Menschen
gebraucht haben – – *Er grinst; zu Irene.* Nicht?

ERNST *faßt sich ans Herz.*

IRENE *fährt ihn an:* So begreif es doch endlich, daß es
folgerichtig aus sein muß!

ALBERT *schreit:* Laß doch diese Redensarten! Hier dreht
es sich nicht um deinen Ruf, hier dreht es sich darum,
daß ich keinen Ausweg mehr hab, hörst du?! Ich kann
nicht mehr bremsen und man kann es sich ja direkt
ausrechnen, wann der Zug entgleisen wird – – Du
könntest mich noch retten, wenn du wolltest, sonst
bleibt mir nämlich nichts anderes übrig – – automatisch
und logischerweise!
Stille.

ERNST Komm, Maus!

ALBERT Wo habt ihr euch denn kennengelernt? Im Café?

ERNST Sie sind geschmacklos.

ALBERT Bin ich auch! Also los! Es interessiert mich! Wo habt ihr euch denn kennengelernt?!

IRENE Hier! Hier drinnen zu Haus!

ERNST Nein also dieser Krach – – toll! So komm doch schon!

Ab mit Irene in die Blumenhandlung.

10. Szene

Die Unbekannte kommt und betrachtet die Blumen. Albert bemerkt sie nicht, denn er ist mit sich selbst beschäftigt.

UNBEKANNTE *plötzlich:* Verzeihen Sie – –

ALBERT *dreht sich ruckartig um:* Was los?

UNBEKANNTE *lächelt:* Hab ich Sie erschreckt?

ALBERT Erschreckt – – *Er grinst.*

UNBEKANNTE Das sind da nämlich so schöne Rosen, aber ich habe kein Geld.

ALBERT Mir gehört hier zwar nichts, aber auf meine Verantwortung. Was Sie wollen – –

UNBEKANNTE Nur eine. Danke.
Stille.

UNBEKANNTE *betrachtet ihre Rose:* – – bei uns draußen wächst das überall, besonders ist da so ein schmaler Weg, der etwas ansteigt. Und dann kommt der Friedhof, wo die weißen Blumen blühen. Manchmal sehne ich mich zurück.

ALBERT Nach dem Friedhof?

DIE BEIDEN *fixieren sich.*

UNBEKANNTE Sie sind anscheinend auch fremd hier?

ALBERT Auch.
Stille.

UNBEKANNTE Es ist nicht viel Aussicht vorhanden. Man geht so herum – – – auf Wiedersehen – –

ALBERT Wiedersehen.

DIE UNBEKANNTE *ab.*

11. Szene

IRENE *erscheint wieder; leise:* Albert. Jetzt hat er sich drinnen hinlegen müssen, weil er vor lauter Aufregung eine Herzattacke – – Bitte werde vernünftig und geh.

ALBERT Ich werde nicht vernünftig.

IRENE Geh. Bitte.

ALBERT *grinst:* Wie oft du das Wort »Bitte« sagst. Bist so höflich geworden, das ist ein fremder Einfluß – – ein besserer.

IRENE Vielleicht.

ALBERT Sicher. Und ich dachte – – – ja was dacht ich denn? Hm.

IRENE So geh doch und laß mich allein.

ALBERT Allein?

DIE BEIDEN *fixieren sich.*

ALBERT Vielleicht wird es noch anders.

IRENE *nickt nein:* Kaum.

ALBERT Gut. Also dann fort. Aber wohin?

IRENE *hält die Hand vor die Augen.*

ALBERT Was denkst du jetzt?

12. Szene

Ernst kommt wieder aus der Blumenhandlung mit einem feuchten Umschlag auf der Stirne. Irene bemerkt ihn erst, als er zu sprechen beginnt.

ERNST Herr, auf ein letztes Wort – – –

IRENE Aber Ernst, sollst doch liegen!

ERNST Laß mich! Reg dich nicht auf und geh hinein, das sind Männerdinge – – – also geh schon bitte!

IRENE *langsam ab in die Blumenhandlung.*

13. Szene

ERNST *sieht Irene nach, bis sie verschwindet:* So. Und jetzt appelliere ich an Ihr besseres Ich. Von Mann zu Mann. Bitte lassen Sie sich hier nicht wieder sehen.

ALBERT Jetzt sagen Sie mir nur noch, daß ich ein neues Leben beginnen soll – – *Er grinst.*

ERNST Nein. Das sage ich nicht.

ALBERT *starrt ihn an.*

ERNST Ich sage es nicht. Im Gegenteil.

ALBERT Aha. Sie meinen – – –

ERNST Ja. Die Welt ist schlecht.

Stille.

ALBERT Hm . . . *Er sieht sich um.* Es ist alles noch da und dann ist man nicht mehr dabei . . . *Er deutet in die Blumenhandlung.* Dort drinnen ist ein Zimmer. Ob die Möbel noch alle so stehen?

ERNST Die Möbel ja.

ALBERT Also . . . *Er läßt ihn stehen.*

ERNST Wiedersehen . . . wollte sagen: alles Gute! *Wieder ab in die Blumenhandlung.*

14. Szene

Albert will fort und begegnet wieder Silberling und Nicolo.

SILBERLING Nun, Herr Geheimrat?

ALBERT Du hast deine Wette gewonnen . . .

SILBERLING Na also!

ALBERT Sie hat einen Anderen und ich hab verspielt.

NICOLO Und?

Stille.

ALBERT Ja. Jetzt jawohl.

SILBERLING Brav!

NICOLO Intelligent.

ALBERT Egal . . . *Er unterdrückt seine Erregung.* Also der Schrank steht gleich rechts, wie gesagt. Und schlafen tut er hinten hinaus, der Herr Uhrmacher . . . aber es ist trotzdem besser, wenn man nicht direkt von vorne, wie gesagt.

NICOLO Und dort ist das Kellerfenster.

ALBERT Ja.

Stille.

SILBERLING Es schaut jemand auf uns herab. Wer ist das?

ALBERT *blickt verstohlen empor:* Nichts. Nur ein Student. Der wohnt im zweiten Stock rechts und studiert Brückenbau. Er hatte mal etwas mit der Hausmeisterstochter, aber dann war es über Nacht aus, weil sie ihn im dritten Stock links bei der Gattin des Ingenieurs überrascht hat.

SILBERLING *grinst:* Du kennst dich aus.

ALBERT *lächelt:* Mit der Zeit . . .

15. Szene

Jetzt schlagen alle Uhren in der Auslage. Der Uhrmacher erscheint in der Ladentür, bleibt stehen und blickt interessiert zum Himmel empor.

ALBERT *leise:* Da ist er.

Stille.

NICOLO Er scheint sich für das Wetter zu interessieren.

UHRMACHER *blickt plötzlich auf die drei Herren und betrachtet sie.*

SILBERLING *sehr leise:* Er kennt dich doch nicht?

ALBERT *ziemlich laut:* Nein.

SILBERLING Weil er so lang herschaut.

ALBERT Er kümmert sich um keinen Menschen. Er ist ein Sonderling.

Stille.

NICOLO Er schaut dich noch immer an.

ALBERT Er ist taub.

UHRMACHER *klopft nun an das Barometer und verschwindet wieder in seinen Laden.*

16. Szene

NICOLO *mißtrauisch:* Albert. Dieser Sonderling hat mir nicht gefallen, keineswegs. Mir scheint, du bist hier bekannt.

SILBERLING Wollens nicht hoffen.

NICOLO Man hätte uns bald am Genick.

ALBERT Es kennt mich hier keine Seele.

17. Szene

Jetzt kommt die Unbekannte wieder – sie ißt eine Semmel – hält wie unabsichtlich vor der Auslage des Uhrmacherladens und betrachtet die Uhren.

SILBERLING Also dann um zwei.

NICOLO Und pünktlich bitte!

ALBERT Sehr pünktlich.

Die drei Herren trennen sich nun – Silberling geht mit Nicolo, während Albert an der Unbekannten vorbei will. DIE UNBEKANNTE *wendet sich ihm plötzlich zu und betrachtet nun ihn.*

ALBERT Was los?

UNBEKANNTE *mit vollem Munde:* Nichts.

ALBERT Versteh kein Wort. Was los ist, hab ich gefragt?

UNBEKANNTE Sie haben mir doch diese Blume geschenkt und das war sehr fein von Ihnen.

ALBERT *erkennt sie erst jetzt wieder:* Blume? Ach so.

UNBEKANNTE Sie dürfen nicht so denken, wie Sie denken.

ALBERT Ich denke überhaupt nichts.

UNBEKANNTE O, das glaub ich Ihnen nicht! Ihnen schon gar nicht!

ALBERT *fixiert sie:* Kennen Sie mich?

UNBEKANNTE O doch.

Stille.

ALBERT *mißtrauisch:* Na, was wissen Sie denn schon von mir?

UNBEKANNTE Eigentlich wollte ich mir nur eine Semmel kaufen, da drüben, neben den Uhren – – und da sagte die Bäckerin: sieh an, dort draußen steht gerade dieser Mensch.

ALBERT Und dann hat sie geschimpft.

UNBEKANNTE Gewiß.

ALBERT Natürlich.

UNBEKANNTE O sie hat nur gesagt, diesem Menschen ist alles zuzutrauen, der könnt einen auch umbringen.

ALBERT Hübsch.

UNBEKANNTE Ja. Aber dann sagte ich, vielleicht ist dieser Mensch nur ein unglückseliger Charakter und dann sagte sie: möglich. Und dann sagte sie noch, man soll überhaupt nicht so rasch den Stab über einen Menschen brechen.

ALBERT Hat sie gesagt?

UNBEKANNTE *schluckt nun den letzten Bissen ihrer Semmel:* Gewiß.

ALBERT Hm.

Stille.

UNBEKANNTE Bitte, tun Sie es nicht.

ALBERT *überrascht:* Was?

Stille.

UNBEKANNTE *etwas verlegen:* Nämlich zuvor, da wir uns mit der Blume trafen, da habe ich es direkt gefühlt, daß Sie sich damit beschäftigen. Ich kenn das nämlich genau, weil mir das auch schon mal durch den Kopf gegangen ist. Sie tun es nicht, ja?

Stille.

ALBERT Sie spionieren mir nach?

UNBEKANNTE Aus Angst. Zum Beispiel ich persönlich würde mir nie etwas antun, so schlecht könnt es mir gar nicht sein.

ALBERT Ach so. Sie dachten, daß ich mich – – – *Er lächelt.*

UNBEKANNTE Gewiß.

ALBERT Sie können beruhigt sein, ich tu mir schon nichts an.

UNBEKANNTE Fein!

ALBERT Warum?

UNBEKANNTE Weil es mich freut. Warum wundert Sie das? Überhaupt ist das Leben nicht so häßlich, mein Herr. Sehen Sie, in der Nacht denke ich oft an die armen Toten. Ihre Hemden sind vermodert, aber keiner deckt sie zu, und niemand erkundigt sich. Und dann regnet es in ihre Finsternis hinab und die armen Toten liegen allein. Und dann schmilzt der Schnee . . .

Stille.

ALBERT Komm.
UNBEKANNTE Wohin?
ALBERT Fort . . . *Ab mit ihr.*

19. Szene

Ernst erscheint nun wieder mit seinem feuchten Um-
schlag, vorsichtig blickt er aus der Türe der Blumenhand-
lung die Gasse entlang – Irene taucht hinter ihm auf, und
zwar ebenfalls mit einem feuchten Umschlag auf der Stirn.
ERNST *atmet auf:* Endlich!
IRENE Ist er fort?
ERNST Er hat es eingesehen.
   Stille.
IRENE Hier fehlt eine Rose. Es waren acht und jetzt sind
   es sieben.
ERNST Er hat sich keine genommen.
IRENE Komisch. Es fehlt . . . *Sie sieht sich scheu um.*
   Glaubst du, daß er wiederkommt?
ERNST Nein.

Dunkel

Zweiter Akt

Es ist inzwischen Nacht geworden, und zwar bereits ziemlich spät. Der Uhrmacher schläft schon längst in seinem Laden, hinten hinaus, und auch in der Blumenhandlung ist alles zu. Still und friedlich scheint das Haus Nummer neun – nur der Student aus dem zweiten Stock rechts befindet sich bei der Gattin des Ingenieurs im dritten Stock links, denn deren Gatte ist zur Zeit beruflich verreist. Er ist weit weg, über dreihundert Kilometer weit, und das Fenster seines Arbeitszimmers ist offen, denn die Nacht ist lind, und der Student spielt nun auf seinem Reisegrammophon einen Tango. Man hört ihn gedämpft bis auf die Gasse herab und nur eine schwache Laterne leuchtet in der Finsternis.

1. Szene

Emil, der Bräutigam, begleitet Ernst aus dem Hause, mit dem er eben Abschied nahm von seiner Junggesellenzeit.

EMIL Also das war jetzt mein Polterabend – und du bist der Letzte. Es fällt mir direkt schwer, dieser Abschied –

ERNST Fürchte dich nicht, ich folge dir bald. Heiraten ist doch das einzig Menschenmögliche, glaub es mir, ich als Geschäftsreisender kann darüber manches Liedlein singen – – – immer nur im Restaurant und in harten Hotelbetten, das vertreibt dir die Laune aus dem Gemüt. Den wahren Frieden gibt uns nur eine Frau, denn das Weib repräsentiert die Natur.

EMIL Das ist richtig. Und wenn ich bei Lucille bin, dann denk ich mir oft, so jetzt möcht ich nicht mehr sein. Man kann sich auch aus einem Hochgefühl heraus umbringen.

ERNST *lauscht:* Wer spielt denn da?

EMIL Das ist der Student vom zweiten Stock rechts, der spielt im dritten Stock links bei der Gattin des Ingenieurs ...

ERNST Tango.

EMIL Der Ingenieur ist nämlich verreist und so betrügt sie ihn halt. Übrigens ein hochanständiger Mensch, dieser Ingenieur.

ERNST Trotzdem wird er betrogen. Man darf eben als Gatte nicht allzu fair sein.

EMIL Stimmt.

ERNST Erinnerst du dich noch, als wir zusammen in der Schule waren, und wie du es mir nicht hast glauben wollen, wie ich es dir beschrieben habe, wie ein Weib formal aussieht ...

EMIL Ja, so vergehen die Lebensabschnitte. Ich werde oft zurückdenken, an unsere schönen Tage von Aranjuez ...

ERNST *sieht auf seine Uhr:* Was? Schon dreiviertel zwei?

EMIL So spät? Und ich muß doch so früh heraus ...

ERNST Und ich versäum noch die letzte Bahn!

EMIL Wohnst du noch draußen?

ERNST Immer schon. Also nochmals alles Gute!

EMIL Du bist so rührend zu mir ... danke, danke!

ERNST Wiedersehen, Emil! Und nur nicht zu fair!

EMIL Nein nein! Pa, lieber Freund! Pa! *Gerührt ab durch das Haustor.*

2. Szene

Ernst geht nun einige Schritte nach rechts, als würde er dort abgehen wollen, hält dann aber, sieht sich um, tritt vorsichtig an die Blumenhandlung und öffnet leise die Tür

mit einem Schlüssel, den er von Irene erhalten hat –
plötzlich stockt er und blickt fasziniert nach links.

ERNST Jetzt lehnt er an der Wand. Ist er allein? – – – Ist er
das überhaupt? . . . Na, wenn schon! *Ab in die Blumen-*
handlung.

3. Szene

Albert kommt mit der Unbekannten langsam von links
und der Tango ist aus.

ALBERT *hält:* Jetzt wird es aber leider Zeit, schon schlägt
die Abschiedsstunde . . . Hättest mich nicht begleiten
müssen.

UNBEKANNTE Ich begleite dich gern.

ALBERT Wir müssen uns trennen. Ich hab noch was zu
erledigen.

UNBEKANNTE Hier im Hause?

ALBERT Wie kommst du darauf?

UNBEKANNTE Nur so. Weil wir halt grad so davorstehen.
Unwillkürlich.
Stille.

ALBERT Ich werde erwartet.

UNBEKANNTE Geschäftlich?

ALBERT *lächelt:* Von der Liebe allein kann keiner leben.

UNBEKANNTE Leider . . . *Sie sucht auf der Erde.* O jetzt hab
ich meine Blume verloren – sicher bei der Bank.

ALBERT Ich werde dir eine neue –

UNBEKANNTE Wann?

ALBERT Bald.

UNBEKANNTE *lächelt:* Du, lüg nicht –

ALBERT Wie heißt du denn eigentlich?

UNBEKANNTE Rat mal!

ALBERT Irene?

UNBEKANNTE Weit gefehlt!

ALBERT Sondern?

UNBEKANNTE Ich hab einen seltenen Namen – überhaupt bin ich nämlich sonst nicht gleich so, hörst du mich?

ALBERT *umarmt sie.*

UNBEKANNTE Bei dir könnt ich alles vergessen, wer ich bin und aus was ich bin –

ALBERT Warum grad bei mir?

UNBEKANNTE Schicksal.

ALBERT *küßt sie.*

UNBEKANNTE O du, so schön wird es nimmer werden –

ALBERT Nimmer?

UNBEKANNTE Komm, wärme mich an dir, mir ist so kalt.

ALBERT *läßt sie zärtlich los:* Es wird Zeit.

UNBEKANNTE Wie still so eine Weltstadt sein kann und droben die vielen Sterne. Wir haben eigentlich viel zuviel Sterne, nicht?

ALBERT Möglich.

UNBEKANNTE So. Und jetzt gib mir deine Adresse.

ALBERT Da – ich schreib sie dir auf. *Er tut es.*

UNBEKANNTE Wie du da schreibst – *Sie fixiert ihn auf einmal.* Was bist du denn?

ALBERT Meinst du beruflich?

UNBEKANNTE Nein. Nur so.

ALBERT Ich bin ein Mann.

UNBEKANNTE Ein Mann – wie dumm das klingt.

ALBERT Sei so gut – *Er übergibt ihr seine Adresse.*

UNBEKANNTE *liest sie:* Zweiter Stock?

ALBERT Stimmt. Aber jetzt mußt du fort, bitte –

UNBEKANNTE Du wohnst doch nicht hier?

ALBERT Nein.

4. Szene

Jetzt schlagen wieder alle Uhren in der Auslage des Uhrmacherladens. Silberling kommt mit Nicolo. Sie erblicken die Unbekannte und sind peinlich berührt.

UNBEKANNTE Du, ich hab so Angst – ich weiß nicht, seit ich dich kenne, hab ich Angst –

ALBERT Verzeih, aber du siehst ja, ich werde erwartet.

SILBERLING *leise zu Albert:* Wer ist denn das?

ALBERT Keine Ahnung – *Zur Unbekannten.* Gute Nacht.

UNBEKANNTE Wiedersehen . . . *Ab.*

5. Szene

NICOLO Wer war denn das?

ALBERT Wir sind zuvor nur so unwillkürlich ins Gespräch gekommen . . .

NICOLO Purer Leichtsinn!

SILBERLING Spricht sich hier mit einem Mädchen . . . und was hernach, wenn das Kind ein Polizeispitzel ist?

ALBERT Ihr seht Gespenster bei der hellichten Nacht!

SILBERLING Ich glaube besonders an solche Gespenster! Man hat schon genügend erlebt und die Herren Polizisten schrecken vor nichts zurück. Sie verkleiden sich selbst als dein eigener Schutzengel!

NICOLO Geschehen ist geschehen und keine dichterischen Bilder, bitte! Los! *Zu Silberling.* Du bleibst da! *Zu Albert.* Du kommst mit! Den Schlüssel?

ALBERT Ich habe den Schlüssel. *Er sperrt das Haustor lautlos auf und verschwindet im Hause mit Nicolo.*

SILBERLING *allein:* Wieso dichterische Bilder?

6. Szene

*Silberling steht nun Schmiere. Und wieder erscheint die
Unbekannte . . . sie hält und wartet.*
Stille.

SILBERLING Es ist eine linde Nacht.

UNBEKANNTE *schweigt.*

SILBERLING Sie wünschen?

UNBEKANNTE Wie bitte?

SILBERLING Was Sie hier wünschen und ob?

UNBEKANNTE Ich warte auf einen Herrn.

SILBERLING Interessant.

UNBEKANNTE *wehrt ab:* O . . .
   Stille.

SILBERLING *immer nervöser:* Ich begreife es nicht, wie Sie
   hier mitten in der Nacht als junges unbescholtenes
   Mädchen aus bester Familie auf irgend einen Herren
   warten können.

UNBEKANNTE Ich warte auf einen bestimmten Herrn.

SILBERLING Er wird lange nicht kommen. Er schläft nämlich hier.

UNBEKANNTE Dann warte ich, bis er wieder aufwacht.
   Stille.

SILBERLING *fährt sie plötzlich unterdrückt an:* Sie, spielen
   Sie sich nicht mit mir! Sie ich bin schon mit anderen
   Subjekten fertig geworden, Sie gemeines Stück Spitzel,
   aber dir werden wir das Maul stopfen, Polizeimensch –

UNBEKANNTE Nicht anfassen!

SILBERLING Schrei nicht, sonst passiert etwas! *Er will nach
   ihr fassen, erstarrt aber entsetzt, denn nun brüllt der
   Uhrmacher hinten in seinem Laden, wimmert und verstummt.*

7. Szene

Albert und Nicolo verlassen rasch das Haustor.

NICOLO Weg! – Wer steht denn da?

SILBERLING *deutet auf Albert:* Dem sein blödes Luder da! Was denn los?

NICOLO Später! Ich nicht!

ALBERT Ich. Er ist aufgewacht –

NICOLO Kusch! Siehst du denn nicht deinen Schutzengel?! *Er deutet auf die Unbekannte.* Ich geh! *Rasch ab.*

SILBERLING Ich komm! *Folgt ihm.*

ALBERT *stiert die Unbekannte an:* Bist noch da?

UNBEKANNTE Ich hatte so Angst –

ALBERT *unterdrückt:* Weg!

UNBEKANNTE *schreit ihn plötzlich entsetzt an:* Was hast du getan?

ALBERT Nichts! *Ab.*

8. Szene

Das Haustor ist offen, und die Unbekannte sieht Albert nach.

HAUSMEISTERIN *brüllt im Hausgang:* Hilfe! Hilfe! *Sie erscheint im Haustor.* Polizei! Polizei! O du heiliger Antonius von Padua!

STIMME DES STUDENTEN VOM ZWEITEN STOCK RECHTS *nun vom dritten Stock links:* Was soll das Gebrüll?!

HAUSMEISTERIN *verzweifelt:* Es ist was passiert –

STIMME EMILS *vom dritten Stock rechts:* Wie bitte?!

STIMME DES STUDENTEN Was ist denn passiert?!

HAUSMEISTERIN Mord –

STIMME EMILS Mord?!

STIMME DER GATTIN DES INGENIEURS AUS DEM DRITTEN STOCK

34

LINKS Jesus Christus!!

HAUSMEISTERIN *kreischt wieder:* Polizei! Polizei!

9. Szene

Das Haus wird lebendig und in der Blumenhandlung wird es licht. Klara, die Hausmeisterstochter, kommt.

KLARA So schrei doch nicht wie auf dem Spieß, Mama – vielleicht ist es ja gar kein Mord, er hat zwar eine klaffende Schädelwunde.

HAUSMEISTERIN Hast du dir das so genau ansehen können?

KLARA Warum denn nicht –

HAUSMEISTERIN Ich könnt das nicht?

KLARA Werd mir nur nicht wieder hysterisch, du – vielleicht lebt er noch, ich glaube zwar nicht. Das viele Blut.

HAUSMEISTERIN Du hast kein Herz.

KLARA Ich bin deine Tochter, Mama.

HAUSMEISTERIN Jetzt versteh ich erst den Herrn Studenten, daß er dich hat sitzen lassen –

KLARA Fangst schon wieder an – *Sie kneift sie in den Arm.*

HAUSMEISTERIN Au! Du Ungeheuer – zwickst deine eigene Mutter –? Wirst sie auch noch erschlagen, was? Wie den da drinnen?!

10. Szene

Ein Polizist kommt rasch herbei.

POLIZIST Was ist denn das hier für ein Geschrei mitten in der Nacht? Ist denn was los, was ist denn los?

HAUSMEISTERIN O wie gut, daß Sie da sind, lieber Herr Kommissar – da wird man noch gezwickt – *Sie weint.*

POLIZIST Gezwickt?

KLARA Meine Mutter ist zu aufgeregt. Sie hat es nämlich
mit dem Herzen. Es ist ein Verbrechen bei uns im Haus
passiert.

HAUSMEISTERIN *weinerlich:* Den guten Herrn Uhrmacher
haben sie erschlagen, Herr Kommissar, er hat gebrüllt
und jetzt liegt er da drinnen in seinem Blute –

KLARA Mit einer klaffenden Schädelwunde.

POLIZIST Klaffend? Sofort! Wo ist das Telefon? *Rasch ab
ins Haus.*

EMIL *ist im Nachthemd und Mantel im Haustor erschienen; ruft dem Polizisten nach:* In der Blumenhandlung!

11. Szene

ERNST *erscheint in Unterhosen und kurzem Überzieher in
der Türe der Blumenhandlung; zur Unbekannten, die
ihm am nächsten steht:* Was ist denn passiert?

UNBEKANNTE Ich weiß es nicht genau. Anscheinend hat
man einen Menschen umgebracht.

ERNST Umgebracht? *Er faßt sich ans Herz.*

UNBEKANNTE Anscheinend den Herrn Inhaber jener Uhren
dort – aber vielleicht lebt er noch, oder es war vielleicht
auch nur ein Selbstmord oder dergleichen.

12. Szene

*Inzwischen haben sich bereits Passanten angesammelt,
und alarmierte Hausbewohner in Unterwäsche und Män-
teln, unter ihnen auch der Student vom zweiten Stock
rechts und die Gattin des Ingenieurs vom dritten Stock
links.*

36

EMIL *zu Klara:* Also ein Verbrechen wider die Person? Was bedeutet denn das, wenn einem am Polterabend ein Mord zustößt?

KLARA *beobachtet gehässig die Gattin des Ingenieurs:* Tote bringen Glück.

EMIL Unberufen!

13. Szene

DER STUDENT *zur Gattin des Ingenieurs:* So ist das Leben. Neben dem Glück das Unglück, und zwar unter einem Dach. Während ich selig war bei dir, wird ein Mensch ausgelöscht.

DIE GATTIN Sprich bitte nicht mit mir. Das Frauenzimmer läßt uns nicht aus den Augen.

STUDENT Wer? Klara?

DIE GATTIN Ja. Und dann gibt es wieder anonyme Briefe.

STUDENT O, wie wird doch alles in den Dreck gezogen, das Höchste und das Reinste . . .

DIE GATTIN Ich bitte dich, nimm Rücksicht auf mich.

14. Szene

EMIL *erblickt Ernst und betrachtet erstaunt seine Unterhosen:* Wo kommst denn du her? Ich dachte, du wohnst noch draußen . . .

ERNST So frag doch nicht so indiskret.

EMIL O pardon! Es ist ja auch das einzig Wahre – durch und durch muß man sich, bevor man an den Altar tritt. Ich und Lucille haben es ja ebenso gemacht und vielleicht sind diese halbheimlichen Stunden die schönsten Sekunden unseres Daseins.

15. Szene

POLIZIST *erscheint wieder im Haustor:* Hausmeisterin!

HAUSMEISTERIN *schrickt zusammen:* Hier bin ich!

POLIZIST Niemand darf da hinein, verstanden? Zweifellos Raubmord. Mir scheint, der Täter muß sich mit der Örtlichkeit genau ausgekannt haben. Es ist das eine ganz ähnliche Situation wie seinerzeit der Fall Haluschka, der wo seine Ehehälfte zerstückelt hat –

HAUSMEISTERIN Maria Joseph! Ist er denn zerstückelt?!

POLIZIST Wer denn?

HAUSMEISTERIN Der Herr Uhrmacher, Maria Joseph!

POLIZIST Aber keine Spur! Wie kommens denn auf so eine perverse Idee? Wo ist das Telefon?

EMIL In der Blumenhandlung.

16. Szene

Der Polizist eilt in die Blumenhandlung, an Irene vorbei, die soeben, nur flüchtig bekleidet, in der Türe erscheint.

IRENE Ernst!

ERNST *auf sie zu:* Erschrick nicht, Maus – etwas Entsetzliches. Eine Gewalttat.

IRENE Um Gottes willen!

ERNST Der arme alte Uhrmacher, dieser Sonderling, liegt hinten drinnen in seinem Blute. Zweifellos Raubmord. Und der Mörder muß sich hier ausgekannt haben. Genau. *Stille.*

IRENE Ernst!

ERNST Bitte?

IRENE Nein, was denkst du jetzt – du?

ERNST Deine Gedanken. *Stille.*

IRENE Weck mich auf!

ERNST Es ist kein Traum. Als ich vorhin zu dir kam, lungerte der hier herum. Ich hab ihn gesehen.

IRENE Ist nicht wahr!

ERNST Ich hab ihn erkannt. Mit diesen meinen Augen.

IRENE Könntest du das beschwören? Bei deinem Augenlicht?

Stille.

ERNST *faßt sich ans Herz:* Ich bin kein Mensch ohne Verantwortungsgefühl. Aber es sah genau so aus –

IRENE Möchtest es, daß es so aussieht?

ERNST Was soll das? Du, mach mich nicht unsicher, denn dann kenne ich mich nicht mehr aus. Und morgen in aller Früh kommt die Brosch zurück, diese Brosch aus Venedig!

IRENE Meine Brosch?

ERNST Seine!

IRENE Nein! Nie.

ERNST Doch.

IRENE Ich will es nicht, hörst du? Ich will es nicht.

17. Szene

POLIZIST *erscheint wieder in der Türe der Blumenhandlung:* Also ein so miserables Telefon hab ich in meinem Leben noch nicht gesehen! Gleich kommt die Mordkommission, in nullkommanull. Hausmeisterin! Keiner betritt das Haus und Sie tragen mir dafür die Verantwortung!

HAUSMEISTERIN Verantwortung? Das halt ich nicht aus.

KLARA So mach uns doch nicht lächerlich! *Zum Polizisten.* Wird besorgt, mein Herr!

DIE GATTIN DES INGENIEURS Also dann warten wir auf die Kommission.

ERNST *zu Irene mit Nachdruck:* Auf die Mordkommission.

IRENE *nickt:* Ich warte.

ALLE *warten.*

Tiefe Stille.

18. Szene

Nun nähert sich Theodor, der Leidtragende. Er ist ziemlich alkoholisiert und man hört ihn schon aus der Ferne singen: »Es war einmal ein Musikus, der spielte im Café, und all die kleinen Mädchen setzten sich in seine Näh«.

DIE GATTIN DES INGENIEURS *summt unwillkürlich etwas mit.*

THEODOR *erscheint und erblickt die vielen Leute:* Na, was gibts denn da? Eine verbotene Versammlung oder wartet ihr hier alle auf die Untergrundbahn, he? Aber ihr habt die letzte schon versäumt – und außerdem ist hier auch keine Haltestelle, hier könnt ihr weder auf- noch absteigen, höchstens aufspringen, aber das kostet manchmal den Kopf, manchmal das Leben – –

POLIZIST Machen Sie keine albernen Witze, ja?

THEODOR Wieso Witze! Grad heute hat man meinen Vetter verbrannt, das ist doch kein Witz! Meinen besten Vetter, der ist auf die fahrende Untergrundbahn aufgesprungen und wurde zerquetscht – – armer Kerl, war doch so ein talentierter Cellist! *Zum Himmel empor.* Prost Gustav! Sollst leben!

POLIZIST Jetzt schaun Sie aber, daß Sie ins Bett kommen!

THEODOR Ich hab kein Bett. Ich hab ein Schlafsofa. Wieviel seid ihr denn da überhaupt? *Er zählt die Leute unsicher.*

POLIZIST *zu den Umstehenden:* Der Bursche gehört natürlich längst auf die Wache – – lautes Singen, nächtliche Ruhestörung, grober Unfug. Aber ich habe hier Wichtigeres zu tun.

THEODOR Wichtigeres? Gibts nicht.

Sirene. Ein Scheinwerfer leuchtet die Hausfront ab. – – Sirene und Scheinwerfer, beides sind Requisiten des Autos der Mordkommission, das in nullkommanull eingetroffen ist und gegenüber dem Haus Nummer neun, unsichtbar für die Zuschauer, parkt.

19. Szene

Die Mordkommission betritt nun den Plan – – es sind mehrere Herren mit Koffern und allerhand Zeug, darunter auch ein Gerichtsphotograph. Einer ist in Zylinder und Frack, er ist auffallend weiß gepudert und trägt ein Monokel, denn er wurde gerade aus der Mitte eines Banketts, auf dem man ein Jubiläum der Daktyloskopie feierte, zu diesem Mordfall abberufen. – – Rasch betreten die Herren das Haus, nur der im Frack wechselt vorher noch einige Worte mit dem Polizisten, dann verschwindet natürlich auch er.

POLIZIST *salutiert:* Sofort! *Er wendet sich an die Leute.* Also weitergehen bitte, weitergehen! Nur keinen Auflauf! *Zu Theodor.* Und Sie gehen erst recht weiter, bitt ich mir aus!

THEODOR Jetzt bleib ich erst recht da! Gesetzlich kann ich überall stehen, so lang ich will, auch in der Nacht! Sogar im Herbst!

EINZELNE *kichern.*

POLIZIST Also werdens mir nur nicht frech, ja?!

THEODOR Ich bin ein Staatsbürger und darf stehen!

POLIZIST Wenn aber ein jeder Staatsbürger grad auf demselben Fleck steht, dann gibt es einen Auflauf und ein Auflauf ist verboten! Gehns seiens nicht renitent und schlafens Ihren Rausch aus, was habens denn hier schon verloren, so interessant ist doch das wirklich nicht, was hier passiert ist!

THEODOR Das überlassens nur mir, Herr General! Oder meinen Sie gar, ich kenn das Vehikel von der Mordkommission nicht?

POLIZIST Gut, es ist jemand ermordet worden, das lesen Sie täglich in der Zeitung.

THEODOR Aber ich lese keine Zeitung, sondern nur Zeitschriften!

VIELE *lachen.*

POLIZIST Ich verstehe nicht, was daran komisch sein soll. Der Herr liest nur Zeitschriften und derweil ist ein Verbrechen verbrochen worden.

EMIL Ein Verbrechen wider die Person.

THEODOR Wider welche Person?

POLIZIST Aber das ist doch nur eine kriminalistische Bezeichnung!

THEODOR Aber wider welche Person bitte? Namen nennen!

POLIZIST Es ist zum Verzweifeln – – *Er brüllt.* Weitergehen!

KLARA *zu Theodor:* Sie haben den Uhrmacher erschlagen. Den da drinnen.

THEODOR So, den Uhrmacher da? Na, um den ist nicht schad. Gute Nacht, meine Herrschaften! *Ab.*

HAUSMEISTERIN Nein so eine Roheit – – so wegwerfend über einen Toten zu reden, wo doch der gute Herr Uhrmacher ein so ein seelenguter Mann war – –

POLIZIST Weitergehen! Weitergehen!

20. Szene

*Während nun alle, außer dem Polizisten, Ernst, Irene und
der Unbekannten, langsam den Platz räumen, betet die
Hausmeisterin um Schutz vor bösen Geistern.*

HAUSMEISTERIN Du lieber Gott, ich bete jetzt für eine arme
Seele – – vierunddreißig Jahr hat er hier gewohnt und
heute ists mir, als wär das erst gestern gewesen – – aber
dann hat er mich dreckig behandelt, er war halt sehr
einsam und ich hab oft gewünscht, daß ihn der Teufel
holt. Geh lieber Teufel, sei mir nicht bös und verzeih
mir meine Sünden – – und du, du bleib im Himmel, du
Uhrmacher, und steh nicht wieder auf der Kellerstiegn,
wenn ich Holz hol oder Kohlen – – *Sie bekreuzigt sich
und verschwindet im Hause.*

21. Szene

POLIZIST *zu Ernst und Irene:* Weitergehen bitte!

ERNST Aber wir wohnen ja hier im Hause.

POLIZIST Das ist allerdings zweierlei. Wenn Sie im
Mordhaus selbst zu Haus sind – – *Er betrachtet interessiert Irenens mangelhafte Kleidung.* Pardon! *Er wendet sich der Unbekannten zu.* Wohnen Sie etwa auch
hier?

UNBEKANNTE Nein. Ich bin hier nur so vorbei. Durch Zufall.

POLIZIST Dann gehens nur weiter mit Ihrem Zufall!

UNBEKANNTE Aber ich bin doch allein und kein Auflauf – – *Sie lächelt etwas gewollt.*

POLIZIST *grinst mild:* Ganz allein? *Er deutet auf ihre Rose.*
So ein rosiges Kind in der Nacht?

UNBEKANNTE Ich hab schon gedacht, daß ich diese Blume

43

verloren habe – aber dann hat sie sich wieder gefunden.
Überraschend.

22. Szene

ERNST *zu Irene:* So komm doch, Maus – – es gibt Menschen, deren Pfade überraschend vorherbestimmt sind und die Welt ist immer wieder schlecht.

IRENE Aber die Brosche gib ich ihm nicht zurück. Nein.

ERNST Werden sehen.

IRENE Nie. Hörst du?

ERNST So komm doch – – heut werden wir da so kein Resultat mehr erfahren, höchstens, daß wir uns noch erkälten. In meinen Armen wirst du die düsteren Bilder vergessen.

IRENE Du bist so kalt.

ERNST Nur Mut, Maus! *Er geleitet sie in die Blumenhandlung und dann erlischt drinnen das Licht.*

23. Szene

Der Polizist ist nun allein mit der Unbekannten. Er hatte sich mit ihr freundschaftlich-väterlich unterhalten.

POLIZIST So, Sie waren also eine der ersten Passantinnen hier am Tatort? Und Sie können nichts aussagen – – ich meine, ob Sie nicht etwas daherschleichen haben sehen, vielleicht mehrere Personen oder auch nur einen, klein, groß oder mittel?

UNBEKANNTE Nein. Ich habe nichts Verdächtiges gesehen.

POLIZIST Und Sie werden erst zwanzig Jahr?

UNBEKANNTE *nickt ja:* Im Juni.

POLIZIST Am wievielten?

UNBEKANNTE Am zweiten.

POLIZIST Und ich am dritten. Komisch! Aber ich werd gerade doppelt so alt und noch etwas darüber – – – Ja, das Arbeitfinden ist nicht so einfach, besonders wenn man so ganz fremd kommt. Gehens mir nur nicht zuviel so in der Nacht allein herum, das endet immer trist.

UNBEKANNTE Heut hat das einen bestimmten Grund – – es ist mir, als müßt ich heut auf etwas warten.

POLIZIST So beginnts!

UNBEKANNTE O Sie denken falsch von mir.

POLIZIST Ist er wenigstens fesch?

UNBEKANNTE Wer?

POLIZIST Na der, auf den Sie hier warten.

UNBEKANNTE *lächelnd:* Mir gefällt er. Zu mir war er freundlich und dann hatte er so ein Licht im Gesicht.

POLIZIST Licht?

UNBEKANNTE Ja. Aber es war weder die Sonne noch der Mond.

POLIZIST *deutet auf seiner Stirn an, daß er sie für närrisch hält.*

UNBEKANNTE Ja, und dann hat er etwas getan, aber das spielt für mich keine Rolle – – nein, es ist ja gar nichts geschehen, denn ich hab ihn getroffen, auf den ich gewartet habe, und es ist nichts geschehen, nie und nirgends.

POLIZIST Sagens mal: schreiben Sie manchmal Gedichte?

UNBEKANNTE Wenn Sie wüßten – – *Sie lacht ihn glücklich an.*

POLIZIST Na was soll ich denn schon wissen? *Er will sie tätscheln.*

UNBEKANNTE *weicht ihm aus:* Wer er ist. Wenn Sie das wüßten! Aber ich sag es nicht.

POLIZIST *etwas verstimmt, weil sie sich nicht hat tätscheln lassen:* Ein Maharadscha vielleicht?

UNBEKANNTE O nein. Na raten Sie nur weiter!

POLIZIST Es fällt mir sonst nichts mehr ein.

UNBEKANNTE Soll ich es Ihnen verraten?

POLIZIST Es interessiert mich nicht.

UNBEKANNTE Vielleicht doch.

POLIZIST Irrtum. Großer Irrtum!

UNBEKANNTE O ich treff ihn wieder!

POLIZIST Ist er denn verschwunden? Soll vorkommen.

UNBEKANNTE Er kommt wieder. Ich weiß es. Ich hab da nämlich etwas zu erledigen. Sicher.

POLIZIST Das klingt alles hübsch mystisch.

UNBEKANNTE Und ist doch ganz einfach.

24. Szene

Nun verläßt die Mordkommission wieder das Haus – – die Herrschaften unterhalten sich angeregt.

DER HERR IM FRACK *sieht auf seine Uhr:* Was? Schon so früh? Rasch-rasch zurück zum Bankett, das Jubiläum der Daktyloskopie – –

DER ARZT *unterbricht ihn:* Moment! Wie gesagt, auf mein medizinisches Ehrenwort, das glaub ich niemals! Es ist doch eine unvorstellbare Vorstellung, meine Herren, was Sie in diesem Falle da für unverantwortliche Ansichten vertreten! Wie kann man denn nur allen Ernstes behaupten, daß das Pilsner beim Schwarz besser ist als das beim Blau! Absurd!

DER KOMMISSAR Und doch ist es so, Herr Doktor! Das Bier ist dort liebevoller gepflegt, nicht zu vergessen die Würstchen – – ein Gedicht!

DER HERR IM FRACK Also los-los, meine Herren!

DER GERICHTSPHOTOGRAPH Die besten Würschtel hab ich mal in Lemberg gegessen – – *Ab mit der ganzen*

Mordkommission und auch der Polizist schließt sich ihr an.

25. Szene

Die Unbekannte bleibt allein zurück und nun schlagen wieder alle Uhren in der Auslage des Uhrmacherladens.

DIE UNBEKANNTE Nein, es ist nichts geschehen – – – so komm doch wieder, du, komm – – –

Dunkel

Dritter Akt

Am nächsten Nachmittag. Möbliertes Zimmer. Hier
wohnt Albert, schon seit jener Zeit, da er noch Angestell-
ter der Speditionsfirma war.
Im Hintergrunde eine Glastüre zu einem kleinen Balkon
und ein geöffnetes Fenster – – aber die Vorhänge sind halb
heruntergelassen, doch wäre es auch sonst nicht hell her-
innen, denn draußen steht ein schwarzes Gewitter am
Himmel.
Rechts das Bett und der Waschtisch. In der Mitte unter der
Lampe ein runder Tisch mit den obligaten Stühlen – – auf
einem dieser Stühle liegt eine halbgepackte Reisetasche.
Der Schrank steht offen, ein Smoking und ein Regenman-
tel hängen drinnen. Links eine Tapetentüre.

1. Szene

Albert liegt total angezogen auf seinem Bett und döst vor
sich hin, während Mathilde, die Zimmervermieterin,
Staub abwischt. Die Lampe brennt mit schwacher Birne,
denn es ist düster, draußen und drinnen.
MATHILDE Gehen Sie denn heut gar nicht aus?
ALBERT Nein.
MATHILDE Und noch gar nichts zu sich genommen – – kein
    Frühstück, kein Mittag.
ALBERT Ich hab heut keinen Appetit.
MATHILDE Mir scheint, Sie sind krank. Daß Sie aber mit
    den Kleidern im Bett liegen – – wann sinds denn heut
    nacht nach Haus gekommen?
ALBERT Bald. Ja. Sehr bald.
MATHILDE Ich hab nichts gehört, weil ich nämlich wieder

mal von meinem Seligen geträumt hab, dann schlaf ich immer so tief. Mir scheint, Sie haben Fieber. Soll ich Ihnen das Barometer –

ALBERT Danke nein.

MATHILDE Mein Gott, ist das eine Finsternis! Künstliches Licht am Nachmittag um vier! Ende Mai! Lauter Gewitter, und was ich heut schon wieder zusammentranspirier – – – Hat es jetzt nicht geläutet?

ALBERT *zuckt etwas zusammen:* Geläutet?

MATHILDE Mir war es doch so.

ALBERT *wieder scheinbar apathisch:* Möglich.

MATHILDE Sicher. *Ab durch die Tapetentüre.*

2. Szene

ALBERT *allein:* – – Ich hätte das damals, als ich acht Jahr alt war, das hätte ich anders machen sollen, dann wäre auch alles anders gekommen. Und dann mit dreizehn – – natürlich, natürlich. – – – Ich halt das nicht aus, ich werd verrückt!

3. Szene

MATHILDE *kommt wieder:* Sehens, es hat geläutet. Ein fremdes Fräulein ist da.

ALBERT Für mich?

MATHILDE So groß ist sie – –

ALBERT *denkt an die Unbekannte:* Hm.

MATHILDE Das Fräulein wünscht Sie unbedingt zu sprechen.

Stille.

ALBERT *leise:* Ich bin nicht zu Haus.

49

MATHILDE Sie ist auch nichts Besonderes, eigentlich un-
scheinbar. Na ich werds ihr gleich sagen – – *Sie will
wieder ab, begegnet aber in der Tapetentüre der Unbekannten. Zu spät – – Ab.*

4. Szene

*Die Unbekannte betritt das möblierte Zimmer. Albert
setzt sich halb empor im Bett und starrt sie an. Legt sich
dann wieder nieder.*

UNBEKANNTE Warum zu spät?

Stille.

ALBERT *erhebt sich und deutet auf einen Stuhl:* Bitte!

UNBEKANNTE *setzt sich.*

ALBERT *geht auf und ab:* Wer gab Ihnen meine Adresse?
Die Polizei?

UNBEKANNTE Sind wir denn per Sie?

ALBERT Jetzt ja. Also wer gab Ihnen meine Adresse? Los!

UNBEKANNTE *starrt ihn an:* Du selbst.

Stille.

ALBERT Schön. *Wird immer nervöser.* Na und? Ich habe es
erwartet, daß wir uns wiedersehen, allerdings nicht
hier, sondern anderswo – – Sie wissen genau, wo. Der
brave Silberling hat ja todrecht gehabt, Sie Schutzengel
Sie – – Still! Sehen Sie den Koffer! Zuerst wollt ich fort
mit den anderen, aber ich steh für meine Tat ein, man
wird ja eh immer gefaßt und erwischt haben wir auch
nichts, der Idiot ist ja aufgewacht, ich hätt mir sonst ein
Lastauto auf Abzahlung, eine Speditionsfirma –, aber
es gibt halt Menschen, denen nichts gelingt! – Tuns nur
nicht so, als wüßten Sie nichts, Sie Polizeispitzel Sie!

UNBEKANNTE Nein.

ALBERT Jawohl! Ich weiß alles!

UNBEKANNTE Ich weiß auch alles!

ALBERT Eben.

UNBEKANNTE Aber ich bin doch kein Spitzel!

ALBERT Sondern vielleicht? Was hättens denn sonst hier zu suchen?

UNBEKANNTE Nein, wie man einen Menschen verkennen kann – – *Sie lächelt.*

ALBERT Jawohl, Fräulein. Sie wollten es einmal nicht haben, daß ich mir das Leben nehme, um mir jetzt manches Jahr meines Lebens zu nehmen – – Na wie hoch ist denn der Finderlohn?! Für drei Jahre Zuchthaus – –

UNBEKANNTE Nur?

ALBERT *perplex:* Wieso?

UNBEKANNTE Ich meinte nur, das wäre zu wenig.

ALBERT Also vier. Oder fünf. Je nachdem ich den alten Mann verletzt hab, aber was kann denn schon ein Schlag mit so einem Wecker – –

UNBEKANNTE *schreit ihn an:* Hör auf!

ALBERT *starrt sie an.*

UNBEKANNTE Sie wissen noch nicht, was Sie getan haben, mein Herr. Ich bin nämlich der einzige Augenzeuge, der einzige – –

ALBERT Ist ja egal!

UNBEKANNTE Oho!

Stille.

ALBERT *lauernd:* Was hab ich denn getan?

UNBEKANNTE Sie tun mir bitter unrecht.

ALBERT Weiter!

UNBEKANNTE *langsam:* Der alte Mann ist heute nacht gestorben.

ALBERT Wer?

UNBEKANNTE Der alte Herr Uhrmacher.

ALBERT Wie bitte?

UNBEKANNTE Gewiß.

Stille.

ALBERT *sehr leise:* Du lüg nicht.

UNBEKANNTE Er ist tot.

Stille.

ALBERT Warum hast denn das nicht gleich gesagt!

UNBEKANNTE Sind wir jetzt per du?

ALBERT Hab ich ›du‹ gesagt?

UNBEKANNTE Ja. Auch zuvor bereits – – *Sie lächelt.* Du, ich hab es doch nicht gleich können, denn du hast mich doch nicht zu Wort kommen lassen. Hast immer nur gesagt »Still!« und »Spitzel« – – und ich bin doch nichts dergleichen und so hoch kann es doch gar keinen Finderlohn geben und übrigens ist auch nichts passiert – –

ALBERT Nichts? Wäre gelacht!

UNBEKANNTE Für mich nichts.

ALBERT Konfuses Zeug – –

UNBEKANNTE Du sei nicht grob zu mir!

Stille.

ALBERT *fängt nun wieder an auf und ab zu gehen und summt ganz in Gedanken einen Gassenhauer vor sich hin; plötzlich:* Weißt denn überhaupt, was du da treibst? Daß du dich mitschuldig machst – –

UNBEKANNTE O von mir erfährt keiner was – – ich hab mir da auch schon einen Plan zurechtgezimmert: wir zwei waren einfach zusammen, nicht nur kurz, sondern lang.

ALBERT Lang?

UNBEKANNTE Bis heute früh. Seit gestern abend.

ALBERT Meinst du?

UNBEKANNTE Immer zusammen. Diese ganze entsetzliche Nacht – – *Sie lächelt.*

Stille.

ALBERT Und wo?

UNBEKANNTE Hier. Ich hab zwar heut nacht mit einem

Polizisten gesprochen, aber der wird mich nicht wieder-
erkennen, es war ja so dunkel wie da bei dir.
Jetzt blitzt und donnert es draußen, aber noch fern.
UNBEKANNTE Jetzt hat es geblitzt.
ALBERT Möglich.
Ein noch schwacher Gewitterwind bewegt die Vor-
hänge.
UNBEKANNTE *sieht sich um:* Ein schönes Zimmer.
ALBERT *ganz in anderen Gedanken:* Wo wohnst denn du?
UNBEKANNTE Nirgends. Nämlich ich mußte fort, weil ich
kein Geld mehr hatte, und den Koffer hat die Zimmervermieterin zurückbehalten, aber in dem Koffer ist
nichts – – *Sie lacht und verstummt plötzlich.* Was
schaust mich denn so fremd an?
ALBERT Wie man nur so glücklich lachen – – *Er fährt sie*
an. Hast denn kein Gefühl?! Nach all dem, was sich
zugetragen hat?!
UNBEKANNTE *schreit:* Fang nicht immer wieder an! Was
soll sich denn schon zugetragen haben?! Wir waren
doch die ganze liebe Nacht zusammen, ich muß es doch
wissen, daß wir zusammen – –
ALBERT *unterbricht sie höhnisch:* Mußt es wissen?!
UNBEKANNTE Und ob! Und jetzt wirst du es mir verspre-
chen, daß sich nichts zugetragen hat.
ALBERT Versprechen?
UNBEKANNTE Gewiß.
Stille.
ALBERT Gut. Dann hab ich es eben geträumt – – *Er grinst.*
UNBEKANNTE So bist du brav.
ALBERT Zu kindisch.
UNBEKANNTE Kusch.
Stille.
ALBERT *stiert sie an:* Wir müssen leise sprechen, denn die
Wände sind dünn.

UNBEKANNTE O ich kann sehr leise sprechen und es wird mich niemand hören, nur du – –

ALBERT *reißt sie an sich und sie fällt ihm um den Hals. Jetzt blitzt und donnert es bedeutend stärker; Sturm.*

UNBEKANNTE *los von Albert:* Hu, jetzt kommt das Wetter! Gehst auch gern im Regen spazieren?

ALBERT *lächelt:* Nein.

UNBEKANNTE Ich aber sehr! – – Nichts hat mich halten können, da bin ich über die Wiesen gelaufen! O dort hinten kommts ganz gelb – – *Sie eilt ans Fenster.* Hu, jetzt hagelts! Wie das trommelt, wie das trommelt! O ist das wunderbar, wenn es so braust! Jetzt wirds ganz dunkel.

Nun schlägt der Blitz in der Nähe ein.

UNBEKANNTE Bummbumm! Fein! Fein! *Rasch ab auf den Balkon.*

5. Szene

ALBERT *allein; er setzt sich und rekapituliert vor sich hin:* – – Wie war denn das nur? Ja, ich bin so groß – – *Er deutet einen Meter hoch* – und sehe die Eisenbahn, und dann ist da noch ein Altar und ein Engel mit einem strengen Blick, ein weiter Platz und Musik – – – und dann stehe ich vor einem Hause und warte, und drinnen wohnt ein Fräulein mit hohen schwarzen Schuhen und einem verschwommenen Gesicht – – aber wie hieß denn nur das Fräulein, wo stand das Haus, wann war diese Zeit – –

Es blitzt ohne zu donnern und rasch wird es wieder heller.

UNBEKANNTE *erscheint wieder:* Jetzt ist es vorbei. Aber der Regen hängt sich ein, garantiert. – – Du. Ich hätt eine große Frage.

ALBERT Bitte?

UNBEKANNTE Hast du nicht etwas Eßbares im Haus?

ALBERT Leider – –

UNBEKANNTE O wie schade.

ALBERT Leergebrannt ist die Stätte. Aber zum Trinken muß noch etwas vorhanden – –

UNBEKANNTE Ich hab aber gleich einen sitzen, ich vertrag nämlich nichts.

ALBERT *hatte zwei Likörgläser gefüllt:* Auf was wollen wir denn trinken?

DIE BEIDEN *fixieren sich.*

ALBERT *leert hastig sein Glas.*

UNBEKANNTE *trinkt es weniger hastig.*

ALBERT *schenkt wieder ein und nun trinken beide immerzu:* – – Und seit wann hast du denn kein Zimmer mehr?

UNBEKANNTE Seit vorgestern.

ALBERT Und wo hast du denn überall geschlafen?

UNBEKANNTE Einmal auf einer Bank und gestern noch überhaupt nicht. Gott, ich werd noch ganz betrunken!

ALBERT *lächelt:* Ein komisches Geschöpf.

UNBEKANNTE Tatsächlich?

ALBERT Sogar sehr.

UNBEKANNTE So ist es recht! *Sie trinkt.*

ALBERT Und wo hast du denn gegessen?

UNBEKANNTE Ich hab halt einfach gebettelt, und dann, aber das ist schon länger her, vorvorgestern mittag, da bin ich einfach in ein Restaurant und hab mir ein ganzes Gedeck bestellt, und hernach, wie gerade niemand hergeschaut hat, bin ich raus und davon. Du, da bin ich aber gelaufen!

ALBERT Leichtsinn! Sowas ist doch schwer strafbar – – *Er stockt.*

UNBEKANNTE Was hast du gesagt? Strafbar? Du? *Sie lacht.*

ALBERT Lach nicht! Ungeheuer!

UNBEKANNTE *hört auf zu lachen; fast gekränkt:* Aber das ist doch humoristisch, wenn du das sagst – – Mein Gott, ich hab einen sitzen! Auf was wollen wir denn trinken?

ALBERT *scharf:* Kein Wort bitte!

UNBEKANNTE Kein Wort – – *Sie nippt.* Was? Du denkst schon wieder dran? *Sie droht ihm mit dem Zeigefinger.* Du – noch ein Wort und es setzt was ab!

ALBERT Halts Maul!

UNBEKANNTE *erhebt sich etwas unsicher:* Apropos strafbar: jetzt werd ich dir etwas vorbetteln, damit du auf andere Gedanken kommst – – – daß wir nämlich kein Geld haben, das schreckt mich nicht, ich kann nämlich fein betteln, du! O, werde ich sagen, helft mir liebe Leute, ich hab einen armen alten Großvater zu Haus, der hat sein Gebiß verloren – – *Sie verbeugt sich vor einem Stuhl.* O gnädigste Frau, ich bin eine achtköpfige Zimmermannsfamilie und wenn ich sie nicht ernähre, dann verprügeln mich meine großen Brüder und werfen mich in das Kellerverlies, wo die Ratten ihr Unwesen treiben – – *Sie verbeugt sich vor dem Schrank.* O gnädiger Herr, ich hab ein gelähmtes Mütterlein zu Hause, das ist jetzt ganz zitronengelb und war doch mal eine anerkannte Schönheit aus Milch und Blut – – *Sie verbeugt sich vor Albert, der sich auf das Bett gesetzt hatte.* O Herr Direktor, helfen Sie mir in meiner grenzenlosen Not, ich habe ein krankes blindes Kindlein zu Haus – –

ALBERT Schweig! »Krankes blindes Kindlein«! So etwas tut man doch nicht!

UNBEKANNTE Aber das war doch nur Spiel.

ALBERT Spiel? Kennst denn keine Grenzen zwischen Spiel und Ernst? Hast denn kein Verantwortungsgefühl?!

UNBEKANNTE *überlegt; nimmt dann etwas schwankend Alberts Mantel aus dem Schrank, zieht ihn an, setzt sich seinen Hut auf und legt sich auf den Boden.*

ALBERT Was soll das?

UNBEKANNTE Kuckuck! Was ist das?

ALBERT Wieso?

UNBEKANNTE Rat mal! Kuckuck!

ALBERT Keine Idee!

UNBEKANNTE Kuckuck ist eine Uhr. Und ich bin jetzt ein toter Uhrmacher.

Stille.

ALBERT *unterdrückt:* Steh auf.

UNBEKANNTE *rührt sich nicht.*

ALBERT *brüllt sie an:* Aufstehen!

UNBEKANNTE *erhebt sich langsam, bleibt aber auf dem Boden sitzen:* Bitte schlag mich nieder.

ALBERT *zündet sich nervös eine Zigarette an.*

UNBEKANNTE Mir auch.

ALBERT Was?

UNBEKANNTE Zigarette.

ALBERT *wirft ihr eine zu.*

UNBEKANNTE Danke – – *Sie fängt an, die Zigarette in lauter Stückchen zu zerreißen.*

ALBERT Mach keinen Mist! Du bist betrunken.

UNBEKANNTE *weint.*

ALBERT Komm, steh auf.

UNBEKANNTE *trocknet sich mit der Hand ihre Tränen:* – – sag mal: sieht man es mir eigentlich an, was ich schon hinter mir habe? Ich hab mal einen geliebt, es hat weh getan und gut. Josef hat er geheißen.

ALBERT Ich dachte schon, du hättest noch niemals.

UNBEKANNTE Josef, wo bist du? *Sie steht schwerfällig auf und betrachtet Albert.* – – Jetzt seh ich dich wie durch Glas. Und ich stehe hinter dem Glas und jetzt hörst du nicht, was ich rede – – – Du bist es? Bist wieder da? Ich hab so lang auf dich gewartet und war so viel allein – – Nein! Komm nicht herein zu mir, bitte nicht – – – laß mich, du, laß mich – – *Sie fällt ihm um den Hals, aber er tut nichts dergleichen; plötzlich ändert sie den Ton.* Sag: kannst du bellen?

ALBERT *perplex:* Bellen?

UNBEKANNTE Ja. Wie ein Hund bellen. Schade, daß du es nicht kannst – – – ich würde mich sonst hier in das Bett legen und du müßtest dich vor die Tür legen und wenn ein schlechter Mensch kommt, dann müßtest du knurren und mich beschützen, und wenn du nicht folgsam knurrst, bekommst du einen Tritt.

ALBERT Was?

UNBEKANNTE Einen Tritt, einen Tritt vor deine Schnauze, du – –

ALBERT *reißt sie wieder an sich und küßt sie.*

UNBEKANNTE Nicht – ja – du – ich fühle dich bis hinauf – –

ALBERT Zieh dich aus.

UNBEKANNTE *lächelt:* Tatsächlich?

ALBERT Wenn du dich nicht ausziehst, wird nicht geknurrt.

UNBEKANNTE O du bist lieb – – *Sie zieht seinen Mantel aus.* Schau mich nicht so schrecklich an!

ALBERT Ich tu dir doch nichts.

UNBEKANNTE Doch. Du schlägst mich – – und ich bin doch eine gefangene Seele – – o was könnt ich allen Menschen antun vor lauter Sehnsucht!

ALBERT Verrückt.

UNBEKANNTE Ich sehe mich in der Geschichte, sehe mich auf den Schlachtfeldern und in den Bergwerken, ich bin

der Säbel und ich bin der Berg, der zusammenbricht – –
Sie will wieder trinken.

ALBERT Du sollst nicht mehr trinken.

UNBEKANNTE Soll ich zu dir kommen – – *Sie umarmt
seinen Kopf.* O warum bist du nicht mein Kind? Ich
würde dich in den Schlaf singen, aber das Fenster müßte
offen sein und wenn du hinausschaust, müßtest du
grüne Augen haben, so große grüne Augen wie ein Fisch
– – und Flossen müßtest du haben und stumm müßtest
du sein.

ALBERT *ganz einfach:* Ich glaub, du bist der Tod.

Es klopft an der Tapetentüre.

ALBERT *leise:* Wer das! – – Es hat geklopft.

UNBEKANNTE *lächelt:* Nein wie du zitterst – –

Stille.

ALBERT Wer ist das?

Es klopft abermals.

ALBERT Herein!

7. Szene

*Ernst tritt durch die Tapetentüre – – Regenmantel, Regen-
schirm. Er ist klatschnaß, denn draußen gießt es ja noch
immer.*

ERNST *erblickt sogleich die Unbekannte:* Pardon! *Er verbeugt sich etwas steif vor Albert.*

ALBERT Was verschafft mir die Ehre?

ERNST Leider. Es ist zwar nicht meine Absicht, als perso-
nifizierte pessimistische Hiobsbotschaft aufzutreten – –
Er lächelt verbindlich. Dürfte ich Sie um vier Augen
bitten –

UNBEKANNTE Soll ich auf den Balkon?

ALBERT Nein.

59

ERNST Meinerseits –! Ich dachte ja nur – – zunächst also
eine Feststellung: wir haben uns gestern spätnachmit-
tags gesprochen und ich habe Ihnen einen Rat erteilt,
von Mann zu Mann. Eine spartanische Lösung. Wie ich
jedoch bemerken muß, haben Sie selbigen Rat konträr
befolgt.

ALBERT Was heißt das?

ERNST Das heißt: vielleicht wäre meine Lösung besser
gewesen, denn dann wäre wahrscheinlich manches un-
terblieben – – und so kommt es nämlich zu guter Letzt
doch wieder vielleicht auf dasselbe hinaus.

ALBERT Versteh kein Wort.

ERNST Was Sie nicht sagen.

ALBERT Drücken Sie sich bitte deutlicher aus.

ERNST Es ist jemand ermordet worden.
   Stille.

ALBERT *wird unsicher:* Wer?

ERNST Das wissen Sie nicht?
   Stille.

ALBERT *nickt nein:* Wieso woher – –

ERNST Der Uhrmacher.

ALBERT *sehr unsicher:* Was für ein Uhrmacher – –

ERNST Jawohl.

UNBEKANNTE Der Uhrmacher? Der arme alte Uhrmacher?
Nein so etwas! Na das tut mir aber leid – – *Zu Albert.*
Du, den hab ich doch auch gekannt, das war doch
dieser Sonderling, nicht?

ERNST Sonderling allerdings.

UNBEKANNTE Und wer hat ihn denn ermordet?

ERNST *etwas weniger selbstbewußt:* Das weiß man eben
noch nicht – –

UNBEKANNTE Na hoffentlich wird man den Mörder bald
fassen, und wenn es einen lieben Gott gibt, dann gehört
der aber exemplarisch bestraft!

ERNST Hoffentlich.

Stille.

ALBERT Und Sie wünschen bitte?

ERNST Ja. Peinlich.

ALBERT Sind Sie denn nur gekommen, um mir mitzuteilen, daß dieser Sonderling nicht mehr existiert?

ERNST Nein. Das wollt ich nur so nebenbei – – ich bin nämlich in einer für mich ungemein peinlichen Angelegenheit hier, betreffs Irene. Also der langen Rede kurzer Sinn: da! *Er überreicht ihm Irenens Brosche aus Venedig.* Irene hat es sich überlegt.

ALBERT Ach so.

ERNST Ihre Brosche aus Venedig.

Stille.

ALBERT Gut.

ERNST Es klingt manchmal hart, aber es ist immer besser – – wenn schon Schluß, dann radikal! Sie verstehen mich?

ALBERT Danke.

8. Szene

IRENE *erscheint in der Tapetentüre – – atemlos und ohne anzuklopfen; sie erblickt sofort Ernst:* Da bist du! Hab ich es doch geahnt! Wo ist die Brosch?

ALBERT Hier.

IRENE Hat er sie dir – – *Zu Ernst.* Wie kommst du denn dazu?! Ich habe doch verboten, daß du sie ihm zurück – – hab ich denn nicht gesagt: nie und nimmer?! Aber das schlägt dem Faß den Boden aus, jetzt merk ich es erst, wie oft daß du mich schon belogen hast!

ERNST Allerdings hab ich höchstens gelogen!

IRENE Besser stehlen als lügen!

ERNST *zu Albert:* So war das meinerseits nicht gemeint. *Zu Irene.* Echt Weib! *Er faßt sich ans Herz.*

IRENE Was weißt denn du schon von dem Innenleben eines Weibes?! Immer hast nur Maus zu mir gesagt, zu einer alleinstehenden Geschäftsfrau!

ERNST Die peinlichst auf ihren Ruf achten sollte!

IRENE Ruf?! Mach nur kein Dromedar aus einer Mücke! Hast mir das auch nur eingeredet, genau wie deine Planeten! *Sie faßt sich an die Stirne.* Die ganze Nacht hab ich nicht einschlafen können, hab immer denken müssen – –

ERNST *unterbricht sie scharf:* An was denn bitte? – – So steck sie dir nur an, die Brosch, und geh spazieren damit! Mit der Bijouterie eines – – *Er stockt und wendet sich Albert zu.* Herr! Oder wagen Sie es etwa zu leugnen, daß Sie gestern nacht dort herumlungerten – – ich habe Sie erkannt! Ich kann es beschwören!

IRENE Heute nacht hast es aber nicht können!

ERNST Was?

IRENE Beschwören!

ERNST Weil ich dich schonen wollte, wie immer! Aber jetzt fängt es mir an, zu bunt zu werden! Ich wußt es genau, daß er es war, aber ich wollt es auf mein Gewissen nehmen und schweigen! Für deine Liebe! Ewig wollte ich schweigen, um dich zu besitzen! So bin ich!

IRENE Albert!

9. Szene

UNBEKANNTE Halt!

IRENE *erblickt erst jetzt die Unbekannte.*

UNBEKANNTE Zunächst bitte reden wir leise, denn die Wände haben Ohren und man kommt gar leicht in

62

einen falschen Verruf – – und dann ist das alles nicht wahr, was dieser Herr hier erzählt. Ich kann es beschwören bei allem, was ich liebe. Tot soll ich umfallen, wenn dem nicht so ist – – Gnädige Frau, ich muß es doch wissen, daß – *Sie deutet auf Albert* – dieser Mann nicht dort gewesen sein konnte, denn wir, er und ich, waren ja die ganze Nacht hier zu Hause zusammen. *Stille.*

IRENE Ist das wahr?

UNBEKANNTE Gewiß.

Stille.

IRENE *sehr leise:* Das freut mich.

ERNST *zu Irene:* Also komm.

IRENE Laß mich.

ERNST Aber Maus – –

IRENE Ich bin keine Maus! – – *Zu Albert.* Du bist auch nicht anders. Gestern um diese Zeit hast noch gesagt, daß nur ich dich retten könnte und daß du so einsam bist – –

ALBERT Und kaum hast mich verlassen, da hast mir jenen Herrn herausgeschickt mit dem freundlichen Rat, ich soll mir eine Kugel vor den Kopf, es bleibt mir nichts anderes übrig!

IRENE Das hat er gesagt – –

ALBERT Unter anderem!

ERNST Auch du hast seinen Tod gewünscht!

IRENE Nein, lüg nicht!

ERNST Welch Abgrund der Verlogenheit! Jetzt kenn ich mich bald selbst nicht mehr! Hast denn nicht vorgestern nacht geweint, warum kann man denn nicht mit einem Revolver, den niemand hört, so ein verpatztes Leben – –

IRENE Lügner! Lügner!

ERNST Das ist die gewaltigste Erschütterung meines Lebens.

Stille.

IRENE Außerdem, Ernst, passen wir auch nicht zusammen.

ERNST *faßt sich ans Herz:* Denk an mein Herz, bitte.

IRENE Denkst du vielleicht an meine Leber? Jetzt ist schon alles egal!

ERNST Zur Kenntnis genommen.

Stille.

IRENE Jetzt bist du bös. Aber ich kann nicht anders.

ERNST Ich habe dich ehrlich geliebt, Irene. Ich sag es vor Zeugen: ich wollte dir nur helfen – –

IRENE Aber ich war nicht ganz ehrlich zu dir und dafür muß ich nun büßen. Ich hab halt nur einen Menschen gebraucht – – seinerzeit.

ERNST Aha! *Zu Albert.* Sie hatten recht, mein Herr!

IRENE Wir haben einen anderen Stern, Ernst.

ERNST Geh laß mich mit den Sternen in Ruh!

IRENE Das sagst du? Der du mich in den Zirkel eingeführt hast?

ERNST Ach laß mich doch mit dem Zirkel in Ruh! *Zu Albert.* Le roi est mort, vive le roi! *Zu Irene.* Was denkst du denn, wer ich bin?! Adieu!

Ab durch die Tapetentüre.

10. Szene

IRENE Ja, jetzt muß ich büßen. Was ist auch eine kleine Unterschlagung gegen einen verdorbenen Lebensweg? Ich habe einmal in einer Novelle gelesen, daß die Frau die Pflicht hat, die Härte der starren Paragraphen durch Liebe zu erweichen – – aber das begreif ich erst jetzt, wo es zu spät sein dürfte.

ALBERT Es ist nie zu spät, Irene.

IRENE Doch Albert.

ALBERT Nein. Auch ich dachte mal so hoffnungslos und hab dich verflucht.

IRENE Ich spür es. Und ich hab dir doch immer geglaubt, alles. Auch das mit deiner Einsamkeit – –

ALBERT *deutet verstohlen auf die Unbekannte; sehr leise:* Aber das war doch nur die Verzweiflung – – ich hab halt einen Menschen gebraucht.

IRENE O das kenn ich schon – –

ALBERT Glaube mir.

UNBEKANNTE Was sprichst du da?

ALBERT Pst!

UNBEKANNTE Was fällt dir ein?! Wie sprichst du denn zu mir?! Zu mir, die du vielleicht schon länger kennst als manche andere – – – seit vielen Wochen, jede Nacht?!!

IRENE *weinerlich:* Adieu! *Rasch ab durch die Tapetentüre.*

11. Szene

UNBEKANNTE Jetzt wirst du mich schlagen. Nicht?

ALBERT Nein.

Stille.

UNBEKANNTE Jetzt bist du verstimmt.

ALBERT Nein. Aber warum konnt sie mir das nicht gestern sagen, gestern um diese Zeit? Jetzt hätt ich geordnete Verhältnisse!

UNBEKANNTE Soll ich ihr nachlaufen und sagen: gnädige Frau, ich habe zuvor gelogen, wir, er und ich, wir waren ja hier überhaupt noch nie miteinander, das hab ich mir ja nur ausgeklügelt, damit es nicht aufkommt, daß – –

ALBERT *hält ihr den Mund zu; zündet sich dann die zweite Zigarette an.*

UNBEKANNTE Du mußt mir den Mund nicht zuhalten, denn du bist mein Schicksal.

ALBERT Jetzt hätt ich mein Auskommen.

Stille.

UNBEKANNTE Hast kein Geld?

ALBERT Frag nicht so intelligent.

UNBEKANNTE Wenn du kein Geld hast, dann passen wir fein zusammen.

ALBERT Bist anscheinend noch betrunken?!

UNBEKANNTE O ich bin nüchtern – – ganz und gar.

ALBERT Ganz und gar. Es ist alles verflucht.

Stille.

UNBEKANNTE Vielleicht bin ich schlecht – – *Sie wischt sich einige Tränen aus den Augen.*

ALBERT *streicht ihr über das Haar:* So war es nicht gemeint, Irene – – –

UNBEKANNTE *fährt zurück:* Irene?!

ALBERT Hab ich Irene gesagt?

UNBEKANNTE Gewiß.

Stille.

UNBEKANNTE *nimmt seine rechte Hand und betrachtet sie:* Mit dieser Hand hast es getan – –

ALBERT Jetzt sprichst du davon.

UNBEKANNTE Weil ich Angst hab, daß ich diese Hand nicht mehr haben werde und dann werde ich es nicht tragen können, so allein – –

ALBERT Was wirst du nicht tragen können?

UNBEKANNTE Geh nicht von mir, du, bitte nicht – – mein Mund wird anfangen zu reden, ohne daß ich es will!

ALBERT Ach so.

UNBEKANNTE Nein, nicht so! Ich werd doch nichts sagen, du – – eher geh ich ins Wasser, bevor auch nur ein Sterbenswörtlein – –

ALBERT Ins Wasser?

UNBEKANNTE Weißt, das nehm ich mit mir hinab, als hätt ich es getan – –

ALBERT »Hinab«. So was sagt sich leicht.

UNBEKANNTE O nein.

Stille.

ALBERT *bricht plötzlich los:* Ich kann nicht anders! Ich hätt es doch nie geglaubt, daß mir noch jemals wieder ein neues Leben, Glück und Friede – – so zeig mich doch an! Ich riskier es! Ich geh zurück und du mußt fort!

UNBEKANNTE Fort?

ALBERT Laß mich hängen oder nicht, wie du willst!

UNBEKANNTE Aber Albert – – *Sie setzt sich.*

Stille.

ALBERT Sei mir nicht bös, aber ich bin eine ehrliche Haut und es wäre gefrevelt gegen mich selbst – – *Er streicht ihr wieder über das Haar.* Ich hab dich sehr gebraucht.

UNBEKANNTE Gebraucht?

ALBERT Sicher.

Stille.

UNBEKANNTE *zündet nun Streichhölzer an und löscht sie immer wieder aus; denkt dabei natürlich an andere Dinge:* Das ist schön, einen Menschen zu brauchen – – – aber es ist schlimm für den Menschen, den man braucht . . . Gewiß . . . *Sie erhebt sich.* Also dann geh ich jetzt . . .

ALBERT Wohin?

UNBEKANNTE Fort.

DIE BEIDEN *fixieren sich.*

ALBERT Ich lege mein Leben in deine Hand.

UNBEKANNTE *betrachtet ihre Hand:* Da bist du jetzt drinnen? . . . Gut. *Sie schließt ihre Hand.* Werden sehen . . . *Sie setzt sich ihren Hut auf.*

ALBERT Wohin?

UNBEKANNTE *lächelt:* Hinab. Du wohnst doch im zweiten Stock . . .

DIE BEIDEN *fixieren sich wieder.*
ALBERT Und tu, was du willst.
UNBEKANNTE Gewiß.

Dunkel

Epilog

*Wieder in der Seitengasse vor dem Hause Nummer neun.
Nur einige Jahre sind vorbei.
Wo früher die Blumenhandlung war, ist nun eine Wäscherei, und in dem Laden, in welchem der Uhrmacher erschlagen wurde, befindet sich nun eine bescheidene Buchhandlung. In der Auslage hängen Zeitschriften, Bücher, überwiegend antiquarisch und eine Totenmaske der Unbekannten in der Seine. In der Auslage der Wäscherei hängen hingegen naturnotwendig Hemden und Unterhosen.
Die Buchhandlung gehört Emil, der nun schon längst verheiratet ist. Seine etwas korpulente Gattin Lucille sitzt auf einem Stuhl vor dem Geschäft in der Sonne und liest einen spannenden Roman.*

1. Szene

Ernst kommt mit Lilly, einem Mädchen, vorbei.

LILLY Warum schaust du denn dieses Haus so an?

ERNST Weil mich verschiedene Erinnerungen daran knüpfen. Zum Beispiel dort droben im dritten Stock wohnte einst vor Jahren ein Ingenieur, und dessen Gattin –

LILLY *fällt ihm ins Wort:* Hatte etwas mit dir? Sags nur!

ERNST *wollte eigentlich vom Studenten aus dem zweiten Stock rechts erzählen; lügt aber nun aus Eitelkeit und grinst:* Kavalier schweigt. Und dort, wo jetzt lauter Bücher sind, dort war früher ein Uhrmacherladen, aber dann ist an dem alten Uhrmacher ein Raubmord verübt worden. Der ist bis heute noch nicht geklärt.

LILLY Daß so was vorkommt! Wozu haben wir denn unsere Kriminalpolizei?

ERNST Aber Maus! Gar vieles kommt nie ans Tageslicht! Auch in puncto Raubmord – zuerst forscht man fieberhaft nach, dann wird es zu den Akten gelegt und über die Akten wächst das Gras. Und der Mörder bleibt unbekannt, geht frei und frank herum – vielleicht sitzt man ihm gerade gegenüber.

LILLY Hör auf!

ERNST Man weiß doch nichts voneinander – was weißt denn du schon von mir? Vielleicht hab ich auch mal einen Raubmord –

LILLY Du, red nicht so unheimlich, sonst mußt du heut nacht wieder bei mir schlafen!

ERNST Beruhige dich nur. Ich will nicht unheimlich reden – *Er wendet sich Lucille zu.* Entschuldigen Sie bitte, jedoch soweit ich mich erinnere, war doch da mal in grauer Urzeit eine Blumenhandlung?

LUCILLE Stimmt, mein Herr. Aber die Inhaberin hat geheiratet und die Leute haben jetzt eine Gärtnerei vor der Stadt. Es geht ihnen sehr gut.

ERNST So.

LUCILLE Komisch, daß Sie danach fragen. Ich erwarte die Frau nämlich jeden Moment – sie wollte heut hier vorbeikommen und müßte schon hier sein.

ERNST Na dann wollen wir gehen. Sagen Sie nur noch: wohnt hier noch so ein Kleiner im dritten Stock rechts, ein gewisser Herr Emil –

LUCILLE *unterbricht ihn:* Emil? Dritter Stock rechts? Na, das ist doch mein Gatte!

ERNST Ihr Gatte?

LUCILLE Sie kennen ihn. Er ist jetzt gerade droben und kocht, er kocht nämlich gern und gut – soll ich ihn rufen?

ERNST O nicht der Mühe wert! Wir haben uns nur ein paar Jahre nicht gesehen – wahrscheinlich wird er sich an mich gar nicht mehr erinnern.

LUCILLE Ja, er ist riesig zerstreut. Leider!

ERNST Wiedersehen, gnädige Frau!

LUCILLE Habe die Ehre!

2. Szene

Ernst will mit Lilly ab – da kommen aber gerade Irene und Albert mit dem dreijährigen kleinen Albert. Sie erkennen sich (außer Lilly und dem kleinen Albert natürlich) und grüßen sich reserviert.

LILLY Wer ist denn das?

ERNST Flüchtige Bekannte. Eine Gärtnersfamilie . . . *Ab mit Lilly.*

3. Szene

IRENE *sieht Ernst nach:* Die alte Zeit . . . aber was der für ein Frauenzimmer bei sich hat, ist ja unmöglich!

ALBERT *betrachtet das Haus Nummer neun.*

IRENE *bemerkt es und lächelt:* Ja, dieses Haus. Noch steht es, nicht?

ALBERT *nickt ja.*

IRENE Ich geh oft daran vorbei. Hier hat doch unser Glück begonnen – – trotz mancher Unterbrechungen. Ach Albert, wie rasch eilen unsere Tage! *Zum kleinen Albert.* Siehst du, kleiner Albert, dort drüben verkauften mal Papa und Mama Blumen, schöne duftende Blumen – aber da war der kleine Albert noch nicht da. Komm – *Sie putzt ihm die Nase.*

LUCILLE Guten Tag, Frau Irene! Ich hab sie schon reserviert für Sie, die Skulptur.

IRENE O sehr nett von Ihnen! Sie kennen doch meinen Mann –

LUCILLE Natürlich! Emil wird sich riesig freuen, er kocht zwar gerade – *Sie ruft empor.* Emil! Emil!

STIMME EMILS *aus dem dritten Stock rechts:* Was ist denn passiert?! Ach guten Tag, ist das aber eine Überraschung! Ich komm gleich runter!

IRENE *zu Albert:* Siehst du, das ist diese Totenmaske – *Sie führt ihn vor die Auslage der Buchhandlung.* – die möcht ich so gerne haben, weil sie so himmlisch ist.

LUCILLE Sie ist gar nicht von dieser Welt.
Stille.

ALBERT *plötzlich:* Wer ist das?

IRENE Ich habe dir doch gesagt!

LUCILLE Eine unbekannte Selbstmörderin. Gleich kommt mein Gatte, er kann es Ihnen noch besser erklären – da ist er!

5. Szene

EMIL *rasch durch das Haustor:* Hocherfreut, hocherfreut! Na das ist aber reizend, daß ihr mal wieder an uns denkt! Pa, Bubi!

IRENE Sie sind ja heut so lustig, Herr Emil!

LUCILLE Das ist er neuerdings immer. Zuerst war zwar ich der leichtere Teil und er der schwerere, aber dann haben wir aufeinander abgefärbt – jetzt ist er der Optimist und ich seh schwarz.

EMIL So hebt sich alles auf! *Er lacht.*

LUCILLE Emil, erklär doch mal bitte den Herrschaften die Geschichte dieser Totenmaske.

EMIL *lacht immer wieder dazwischen hinein:* Da gibt es keine Geschichten – man hat sie aus dem Wasser herausgezogen und weiß nichts von ihr. Irgend eine junge Selbstmörderin, allerdings mit einem verblüffend mysteriösen Lächeln – Neulich hat mal wer gesagt, diese arme Seele war wahrscheinlich nur ein Menschenkind, gut und böse, fromm und verdorben, wie das ewige Leben – aber meiner Meinung nach ist das ein Engel gewesen, der zur Strafe auf unser irdisches Jammertal hat hinabmüssen und dann durch den Tod erlöst worden ist.

LUCILLE Wie schön er das gesagt hat.

IRENE Für mich ist das auch ein Engel. *Zu Albert.* Ich möcht es so gern haben. Für unser Schlafzimmer.

LUCILLE Wir haben noch eine zweite Skulptur drinnen –

EMIL Ich hab sie schon eingepackt!

IRENE Sehr zuvorkommend! Und dann möcht ich bitte nur noch das Kochbuch – *Ab mit Emil und Lucille in die Buchhandlung.*

6. Szene

Albert steht nun mit dem kleinen Albert allein vor dem Haus Nummer neun.

ALBERT *zur Totenmaske:* Bist du es? – Hm. Ich weiß nicht, es war damals immer so dunkel, ich hab dich eigentlich nie richtig gesehen – –

DER KLEINE ALBERT *weint plötzlich fürchterlich.*

*Irene kommt auf das Geweine hin mit Emil und Lucille
herbei. Irene trägt die eingepackte Totenmaske, Emil und
Lucille Kochbücher.*

EMIL Was hat er denn, der kleine Albert?

IRENE Na, was weinst denn? *Sie beugt sich zu ihm nieder.*
Ach er hat schon wieder mal Angst vor dem dunklen
Hauseingang. Immer hat er Angst vor Hauseingängen –

LUCILLE Dann machen wir halt das Tor zu – *Sie schließt
es.* So, jetzt wird er gleich nicht mehr weinen, der kleine
Albert!

DER KLEINE ALBERT *verstummt.*

EMIL *zu Irene:* Sie haben mir einst gesagt bei meinem
Brautbouquet: Rosen bringen Glück – und sie haben
Glück gebracht. Zwar ist noch kein kleiner Emil da,
aber jetzt ist einer unterwegs – ich weiß es selbst nicht
wieso! *Er lacht.*

LUCILLE Aber Mann!

EMIL So plötzlich über Nacht. Seit dem Nationalfeiertag.

IRENE *hat den kleinen Albert auf den Arm genommen:*
Kinder sind doch die Zukunft.

EMIL Was, kleiner Albert?

LUCILLE Ein herziges Bubi!

IRENE Ganz der Herr Papa!

EMIL Gratuliere!

ALBERT *lächelt:* O bitte danke –

Dunkel

ENDE

Hin und her

Lustspiel in zwei Teilen

Personen: Ferdinand Havlicek · Thomas Szamek, ein Grenzorgan · Eva, dessen Tochter · Konstantin, auch ein Grenzorgan · Mrschitzka, ein Gendarm · Frau Hanusch · X, der Chef der Regierung auf dem rechten Ufer · Sein Sekretär · Y, der Chef der Regierung auf dem linken Ufer · Ein Privatpädagoge · Dessen Frau · Frau Leda · Schmugglitschinski, ein Oberschmuggler · Drei Schmuggler

Schauplatz: Dieses »Hin und her« ereignet sich auf einer alten bescheidenen Holzbrücke, die über einen mittelgroßen Grenzfluß führt und also zwei Staaten in gewisser Weise miteinander verbindet.

Rechts und links, dort wo die Brücke aufhört, wacht das jeweilige Grenzorgan, und zwar residiert auf dem linken Ufer Thomas Szamek in einer Baracke und auf dem rechten Ufer Konstantin in einem halbverfallenen Raubritterturm.

Beide Herren haben einen geruhsamen Dienst, denn hier wickelt sich normalerweise nur ein kleiner Grenzverkehr ab, da ja dieses ganze Gebiet, hüben wie drüben, etwas abseits liegt.

An beiden Ufern steht dichtes Gebüsch, und die Zweige der Trauerweiden hängen in den Grenzfluß hinab, es ist eine etwas monotone Gegend, überall flach – – selbst am Horizont gibt es nur Wolken, statt irgendwelcher Hügel. Aber schöne Wolken.

Bemerkung: Dieses Stück ist für eine Drehbühne geschrieben.

Erster Teil

Szene 1

Brückenkopf auf dem linken Ufer.
Das Grenzorgan Thomas Szamek sitzt auf der Bank vor
seiner amtlichen Baracke und liest eine alte Zeitung.
Die Sonne scheint und alles sieht idyllisch aus.
Jetzt kommt eine ältere verschüchterte Frau und möchte
an der Baracke vorbei auf die Brücke. In der Hand hält sie
eine Blechbüchse.

SZAMEK Halt! Was ist, was ist? So einfach vorbei an dem
  Grenzorgan, an der amtlichen Paßstelle, an der Zollbe-
  hörd? Wissens denn nicht, daß wir da aufhören und daß
  dort drüben ein anderer Staat beginnt?

FRAU O gewiß.

SZAMEK Na also!

FRAU Aber ich muß ja nur auf die Brücke. Zu meinem
  Gatten.

SZAMEK *betrachtet sie:* Sie haben einen Gatten?

FRAU Er angelt.

SZAMEK Aha! Das heißt: er fischt.

FRAU Ja. Er ist nämlich ein leidenschaftlicher Amateur-
  fischer. Wir sind erst seit gestern hier aus der Stadt, um
  uns zu erholen. Mein Gatte ist Privatpädagoge.

SZAMEK Was haben Sie denn in der Blechschachtel?

FRAU Regenwürmer.

SZAMEK Ha? Also zeigens nur mal her, diese ominöse
  Blechschachtel – –

FRAU *überreicht sie ihm.*

SZAMEK *öffnet sie und läßt sie voll Ekel fallen:* Brrr!

FRAU Um Christi Willen! Meine Würmer! *Sie kniet nieder.*
  So helfens mir doch, die Würmer zusammenklauben – –

SZAMEK Ich werd mich beherrschen.

FRAU Aber Sie haben sie doch fallen lassen!

SZAMEK Aber ich kann keine Würmer anrühren! Meiner
Seel, ich erbrech mich noch!

FRAU *klaubt nun die Würmer wieder zusammen; leise:* Sie
wissen ja gar nicht, was Sie mir antun, wenn ich ohne
Würmer komm – – – –

SZAMEK Also gehens nur schon – – und guten Appetit!

FRAU *die sich mit ihrer wiedergefüllten Blechbüchse erhoben hatte:* Danke – – *Ab auf die Brücke.*

Szene 2

SZAMEK *sieht ihr nach:* Brrr! Man hats nicht leicht als
Grenzorgan – – – – Aber der Thomas Szamek wacht
und fürchtet sich nicht! Treu und bieder, ehrbar und
unbestechlich, mit einem offenen, aber durchdringen-
den Blick – – ein Grenzorgan, ein Exemplar von einem
Grenzorgan, auf den sich die Grenz verlassen kann, ein
Prachtexemplar – – Ach, da kommt ja mein gnädiges
Fräulein Tochter! Was die schon wieder für ein zuwide-
res Gesicht schneidet vor lauter Verliebtheit!

Szene 3

EVA *kommt mit einem großen Gefäß:* Guten Tag Papa.
Ich bring dir nur deinen Kaffee – –

SZAMEK Wieviel?

EVA Zweieinhalb Liter.

SZAMEK Zweieinhalb! Wie oft soll mans dir denn noch
sagen, daß ich mindestens vier Liter brauch, wenn ich
Nachtdienst hab! Sonst schlaf ich ja ein und was wird

dann?! Geschmuggelt wird dann, daß die Fetzen fliegen! Und übrigens war die Strudel gestern miserabel und warum war sie miserabel? Weil das gnädige Fräulein Eva bei der Strudel keine Strudel im Kopf gehabt hat, sondern ihren Herrn Konstantin von da drüben und sonst nichts, bis sie noch einmal in andere Umständ kommt vor lauter Liebe!

EVA Geh wirf mir doch das nicht immer vor!

SZAMEK *schreit sie an:* Schrei mich nicht an! Ich kenn die Leut da drüben seit sechsundfünfzig Jahr! Die haben alle einen falschen Charakter, alle!

EVA Nein! Aufrichtiger wie mein Konstantin –

SZAMEK *unterbricht sie:* Das ist ja grad seine Falschheit, daß er so aufrichtig ist! Die da drüben sind alle verschmitzt und verlogen – – sie rennen es dir von hinten hinein, das Messer, den Dolch, das Schwert und was weiß ich!

EVA Da kann ich nur lächeln.

SZAMEK Lächle nur! Wie oft haben die uns schon verraten in den letzten sechshundert Jahr?! Ein schmutziges Volk!

EVA Der Konstantin ist immer adrett und so fein rasiert – –

SZAMEK Also nur keine Anspiegelungen! Noch bin ich dein eigener Vater!

Szene 4

Nun erscheint der Gendarm Mrschitzka – – er begleitet mit aufgepflanztem Bajonett den vom linken Ufer ausgewiesenen Ferdinand Havlicek.

SZAMEK Was seh ich?! Mrschitzka!

MRSCHITZKA Szamek! Na, das nennt sich aber eine freudige Überraschung! *Er umarmt ihn, wobei er aber durch sein Bajonett gestört wird.* Kruzifix!

SZAMEK Lang haben wir uns nicht gesehen, alter Freund! Acht lange schwere Jahr – –

MRSCHITZKA Irrtum, Thomas. Sieben!

SZAMEK So? Erst sieben? Wie rasch die Zeit vergeht!

MRSCHITZKA Was hast denn da für ein sauberes Frauenzimmer? Mir scheint, mir scheint, alter Gauner!

SZAMEK Leise! Meine Tochter!

MRSCHITZKA Wer? Die Eva? Die war doch gestern noch so groß – – *Er deutet einen Meter hoch.* Wie die über Nacht aufgeblüht ist – – Schweinerei! Da merkt man erst, wie alt daß man wird!

SZAMEK *zu Eva:* Erinnerst dich noch an den braven Onkel Mrschitzka, mit dem du immer Räuber und Gendarm gespielt hast?

EVA *lächelt:* Aber so etwas vergißt man doch nicht!

MRSCHITZKA Freut mich, Fräulein Eva! Freut mich sehr!

EVA Mich auch.

SZAMEK *zu Eva:* Freu dich nicht, wärm lieber den Kaffee! *Zu Mrschitzka.* Trinkst doch einen Kaffee?

MRSCHITZKA Wenn er gut ist. Besonders mit Rum.

SZAMEK Das hör ich gern. *Zu Eva.* Also wärm schon!

EVA *ab in die Baracke, um den Kaffee zu wärmen.*

Szene 5

MRSCHITZKA *sieht Eva nach:* Knusprig. Sehr knusprig!

SZAMEK Ja, die Kinder werden länger und unsere Tage werden kürzer.

MRSCHITZKA Apropos kürzer: eine unerhörte Geschicht ist das wieder in puncto Gehaltskürzung, was sich die da drinnen in ihrem Exekutivministerium, diese zottigen Büffel – –

SZAMEK *unterbricht ihn:* Pst!

MRSCHITZKA Aber geh, unter uns!

SZAMEK Und der Herr dort, mit dem du – –

MRSCHITZKA Jessus, den hab ich jetzt ganz vergessen vor lauter Wiedersehensfreud! Maria Josef, also der ist eine dienstliche Angelegenheit. Ich muß ihn hier an der Grenz abliefern.

SZAMEK Aha! Ein Ausgewiesener.

MRSCHITZKA Per Schub. Weil er nämlich da hinüber zuständig ist. Havlicek heißt er.

SZAMEK Aha.

MRSCHITZKA Ferdinand Havlicek. Ein ruhiges Subjekt.

SZAMEK Apropos Havlicek: der alte Podlicek hat sich ganz versoffen – –

Szene 6

HAVLICEK *plötzlich:* Pardon bitte – –

MRSCHITZKA Ha?

HAVLICEK Ich wollte nur mit dem Herrn Grenzbeamten – – nämlich hier an der Grenze wollt ich noch einmal sprechen, behufs meiner Ausweisung.

SZAMEK Da bin ich nicht kompetent.

HAVLICEK Aber man tut mich da so einfach hinaus, wo ich doch schon gar nichts angestellt hab – –

MRSCHITZKA Schon wieder?! *Zu Szamek.* Natürlich hat er nichts angestellt, dieser Ausgewiesene, aber sein Vermögen hat er verloren und hierauf sollte er unserer Wohlfahrtspflege zur Last fallen. Aber wieso kommt denn unsere Wohlfahrtspflegerei dazu, für einen Ausländer, wo doch unser Staat sowieso ein armes Hascherl ist, ein Aschenbröderl ein kleines, das selbst seinen braven Exekutivorganen nur einen Schundgehalt zahlt und sonst nichts!

HAVLICEK *zu Szamek:* Pardon bitte, aber dieser Herr sieht meinen Sachverhalt unter einem anderen Blickpunkt. Nämlich ich war hier herüben ein Drogeriebesitzer – – es war zwar nur eine bescheidene Drogerie, aber trotzdem: es war immerhin eine Drogerie. Alles konntens bei mir kaufen, Landläufiges und Diskretes, bis ich zugrund gegangen bin.

MRSCHITZKA Eben!

HAVLICEK Aber meine Herrschaften, ist denn das nicht eine Ungerechtigkeit?! Übermorgen wirds ein halbes Jahrhundert, daß ich hier leb – – dreißig Jahr hab ich Steuer gezahlt, ohne zu zucken, und jetzt, wo mich mein Unglück trifft, da schmeißt man mich raus mit Bajonett-auf!

MRSCHITZKA Bajonett-auf ist nur eine Formalität.

SZAMEK *etwas verlegen:* Das sind halt so die kleinen Ungerechtigkeiten des menschlichen Lebens.

HAVLICEK Kleine Ungerechtigkeiten – – *Er lächelt.*

MRSCHITZKA Da hilft sich nichts! Also gehens jetzt nur schön hinüber in Ihre Heimat.

HAVLICEK »Heimat«? Ich war überhaupt noch nie drüben – –

MRSCHITZKA Unsinn! Dummer Unsinn! Wo sinds denn geboren worden, wenn nicht drüben?!

HAVLICEK Pardon, an das hab ich jetzt nicht gedacht – –

MRSCHITZKA Na also! Wohin man geboren ist, dorthin ist man zuständig!

HAVLICEK Aber vierzehn Tag nach meinem Geborenwerden bin ich schon herüber – – und seit der Zeit war ich da. Nur da! Ein ganzes Leben.

MRSCHITZKA Leben her, Leben hin! Zuständig sinds dort drüben. Kruzifix, wie oft soll ich das jetzt noch repetieren! Zu-stän-dig!
Stille.

HAVLICEK Ja. Dann muß es halt sein. Also dann verlaß ich jetzt dieses Land. Ich hab hier viel erlebt und gelernt und erfahren – – – – was wird noch kommen? – – Also adieu! *Er will ab auf die Brücke.*

SZAMEK Halt! Und seiens so gut, wenns jetzt eh schon da hinübergehen, richtens dem drüben gleich etwas aus.

HAVLICEK Wem?

SZAMEK Diesem Grenzorgan drüben. Konstantin heißt er. Sagens ihm einen schönen Gruß vom Thomas Szamek und meine Tochter wird heut Nacht nicht kommen!

HAVLICEK Ich werds ihm bestellen – – *Ab.*

SZAMEK Wo bleibt denn nur der Kaffee? *Er ruft in die Baracke.* Eva! Eva!

Szene 7

Ferdinand Havlicek geht nun über die Brücke nach dem anderen Ufer – – an dem Privatpädagogen vorbei, der mitten auf der Brücke leidenschaftlich angelt. Seine Frau, die ihm die Würmer gebracht hatte, steht neben ihm und blickt ebenfalls pflichtbewußt hinab, ob etwas anbeißt.

PRIVATPÄDAGOGE *zu Havlicek:* So tretens doch gefälligst leise auf! Sehens denn nicht, daß man da angelt? Vertreibt einem die ganzen Fisch!

HAVLICEK Pardon!

PRIVATPÄDAGOGE Rücksichtslosigkeit sowas! Grad jetzt hätt einer endlich angebissen!

FRAU *deutet hinab:* Jetzt!

PRIVATPÄDAGOGE Ruhe! Daß du mir kein Wort! Jetzt ist er natürlich wieder weg, der Hecht. Abrakadabra abrakadabra – – ich bin nervös!

*Havlicek setzt nun seinen Weg auf Zehenspitzen weiter
und erreicht so das andere Ufer. Dort steht bereits das
Grenzorgan Konstantin mitten auf dem Brückenkopf ne-
ben seinem halbverfallenen Raubritterturm. Dieses
Grenzorgan ist ein fescher Mann mit einer schneidigen
Uniform und er macht einen freundlichen Eindruck.*

HAVLICEK *verbeugt sich leicht vor ihm.*

KONSTANTIN Ihren Grenzschein bitte.

HAVLICEK Leider. Ich kann Ihnen nur hier damit dienen – – *Er überreicht ihm seinen Ausweisungsschein.*

KONSTANTIN *betrachtet ihn:* Aha. Eine Ausweisungssache.

HAVLICEK Innerhalb achtundvierzig Stunden.

KONSTANTIN Per Schub.

HAVLICEK Weil ich mich geweigert hab.

Stille.

KONSTANTIN Hm. Und nun wollen Sie hier zu uns herein ——

HAVLICEK Wollen? Ich muß.

KONSTANTIN Aber Sie werden nicht können.

HAVLICEK Wieso?

KONSTANTIN Sie gehören doch nicht unserem Staatsver-
bande an.

HAVLICEK Wieso bitte nicht?

KONSTANTIN Weil Sie ein Ausländer sind.

HAVLICEK Interessant. Aber die Herren Grenzorgane drüben behaupten, daß ich hier herüber zuständig bin
infolge meiner seinerzeitigen hiesigen Geburt.

KONSTANTIN Das allein genügt noch nicht. Wir haben bereits vor zwanzig Jahren ein Gesetz erlassen in jener
Hinsicht, daß sich ein jeder Staatsbürger, der dauernd
im Ausland lebt, innerhalb von fünf Jahren beim zuständigen Konsulat melden muß, widrigenfalls er seine
Staatsbürgerschaft verliert, und zwar automatisch.

HAVLICEK Warum?

KONSTANTIN Nur so.

HAVLICEK Das ist mir neu.

KONSTANTIN Die Notiz über das Gesetz stand aber in allen Tagesblättern.

HAVLICEK Aber ich les ja nie eine Notiz, höchstens die Todesanzeigen!

KONSTANTIN Ihre Schuld! Dadurch daß Sie nur Todesanzeigen lesen, haben Sie naturnotwendig die Anmeldefrist versäumt und gehören nun automatisch nicht mehr daher.

HAVLICEK Sehr interessant. Aber: wohin gehör ich denn dann bitte?

KONSTANTIN Dann nirgends.

Stille.

HAVLICEK *lächelt:* »Nirgends« – – Unfug. Man ist doch immerhin vorhanden – –

KONSTANTIN Gesetz ist Gesetz.

HAVLICEK Aber solche Gesetze sind doch unmenschlich – –

KONSTANTIN Im allgemeinen Staatengetriebe wird gar oft ein persönliches Schicksal zerrieben.

HAVLICEK Schad.

Stille.

KONSTANTIN Kurz und gut: hier herein könnens ausgeschlossen, denn ich hab meine strikten Vorschriften. Aber wissens was? Schreibens ein detailliertes Gesuch an unseren Innenminister, und besser auch an den Außenminister, daß Sie besagte Anmeldefrist versäumt haben und daß Sie nun wieder um die automatisch verlorene Staatsbürgerschaft bitten. Schreibens auch gleich an den Finanzminister, den geht sowas auch etwas an, und wenn Sie Soldat waren, dann lieber gleich auch an den Kriegsminister. Und selbstverständlich vor allem an den Wohlfahrtsminister, aber das beste wäre natürlich, wenn Sie auch gleich außerdem an den Herrn Ministerpräsidenten persönlich direkt zu Händen ein Extragesuch – –

HAVLICEK Halt! *Faßt sich an den Kopf.* Lieber Herr, wie schreibt man eigentlich solche Gesuche?

KONSTANTIN Ja, da müßtens schon einen Advokaten fragen.

HAVLICEK Wo? Da auf der Brück?

Szene 9

Jetzt kommt Frau Hanusch, die Wirtin zur Post, mit einem Gefäß.

KONSTANTIN A das ist aber lieb, Frau Hanusch, daß mir heut gleich die Postwirtin selbst persönlich meinen Nachtdienstkaffee bringt, statt der Klara – – Küß die Hand!

FRAU HANUSCH Die Klara hab ich zum Teufel gejagt – – ich kann keine Löhne mehr zahlen, mit meiner Wirtschaft gehts bergab! Der stolze Gasthof zur Post – – hundertzweiunddreißig Jahr im Besitze der Familie. Wissens, wenn halt der Mann tot ist – –

KONSTANTIN Na Sie finden schon noch einen anderen Mann, ich bin überzeugt!

FRAU HANUSCH Das freut mich. Aber bis dahin bin ich krepiert. Ohne Mann geht halt kein Hotel! Zwar gearbeitet hab ja immer nur ich, gekocht, gewaschen und gebuchgeführt, er hat ja nie etwas getan, mein Seliger – – immer hat er nur mit die Stammtischgäst getrunken und Karten gespielt, aber es muß halt wer da sein zum Repräsentieren.

HAVLICEK *beiseite:* Das wär ein Beruf für mich.

KONSTANTIN Tröstens Ihnen nur, Frau Hanusch!

FRAU HANUSCH Mit was denn bitte? Sie habens natürlich leicht, Herr Konstantin! Sie stehen da herum, kontrollieren die Leut und leben davon – – aber ich! Wenn ich bis morgen mittag keine zehntausend auftreib, dann lösch ich mich aus!

KONSTANTIN Seiens so gut!

FRAU HANUSCH Oder meinens vielleicht, daß ich bis morgen mittag zehntausend auftreib?

KONSTANTIN Kaum.

FRAU HANUSCH Nie!

HAVLICEK Es wär ein Wunder!

KONSTANTIN *hatte Havlicek momentan vergessen, ärgert sich nun über sich selbst und wird deshalb etwas scharf:* Wie bitte?!
Stille.

FRAU HANUSCH Wer ist denn dieser Herr?

KONSTANTIN Niemand. Ein amtlicher Fall.

HAVLICEK Pardon, daß ich mich da hineingemischt hab mit meinem Wunder –

KONSTANTIN *unterbricht ihn:* Also gehens doch schon wieder retour! Hier habens nichts verloren!

HAVLICEK Interessant! Ich werds denen drüben sagen – – *Er verbeugt sich wieder leicht vor Konstantin und will ab, hält aber plötzlich noch einmal.* Sofort! Nämlich ich muß Ihnen ja noch etwas bestellen, hätt ich jetzt total vergessen. Einen schönen Gruß vom Herrn Thomas Szamek – –

KONSTANTIN *perplex:* Szamek?

HAVLICEK Derselbe. Von dem Herrn Grenzorgan drüben – – und er läßt Ihnen sagen, daß sein Fräulein Tochter heut Nacht nicht herüber kommen kann.
Stille.

KONSTANTIN *zu Frau Hanusch:* Habens das gehört?

FRAU HANUSCH Vornehm.

KONSTANTIN Ein Rabenvater. Nicht genug, daß er seine zarte Tochter tyrannisiert, macht er sich da auch noch lustig über mich! *Zu Havlicek.* Also sagens dem Szamek, der Herr Konstantin erwidert seine Grüße auf das familiärste und er freut sich heut Nacht auf das Fräulein Tochter.

HAVLICEK Werds ausrichten – – *Ab.*

Szene 10

Und wieder geht nun Havlicek über die Brücke – – und da er in die Nähe des Privatpädagogen kommt, erinnert er sich und tritt vorsichtig auf den Zehenspitzen auf.

PRIVATPÄDAGOGE Tretens nur ruhig fest auf, lieber Herr! Und trampelns, trampelns! Meiner Seel, da könnt jetzt ruhig ein ganzes Regiment mit Artillerie, es beißt nichts an! Und wer ist dran schuld?! Die Würmer!

HAVLICEK *betrachtet die Würmer.*

PRIVATPÄDAGOGE Oder sind das vielleicht keine Krepiererl?! Extra hab ich es ihr eingeschärft, meiner lieben Frau Gemahlin: nur dicke Würmer! Nein! Ganz dünne bringt sie mir daher, bei denen man sich immer ins eigene Fleisch sticht, wenn man sie aufspießt. *Zur Frau.* Geh und bring mir dicke Würmer! Los!

FRAU *rührt sich nicht.*

PRIVATPÄDAGOGE Was stehst denn noch da? Hast mich denn nicht gehört?!

FRAU *unheimlich ruhig:* Ich such dir keine Würmer mehr.

PRIVATPÄDAGOGE Was sind denn das für neue Töne?

FRAU *bricht plötzlich los:* Ich such dir keine Würmer mehr! Such sie dir selbst! Genug, genug!! Jetzt zertritt ich sie dir!! *Sie zertrampelt hysterisch schluchzend die Würmer auf dem Boden.*

HAVLICEK Halt! Die armen Würmer!

FRAU *läßt sich nicht stören:* Wer fragt, ob ich arm bin?!
Wer?! Genug!! Ich möcht mich doch auch mal erholen,
Zeitung lesen oder Roman – – wer fragt mich, wer ich
bin?! Niemand, niemand, du gemeiner Egoist!! *Rasch ab.*

PRIVATPÄDAGOGE *zu Havlicek:* Furie, nicht? Bringt mir
lauter dünne Würmer und dann bin ich der Egoist!
Abrakadabra abrakadabra – – man faßt es nicht!

Szene 11

*Die Frau geht nun weinend und zitternd über die Brücke – –
und jetzt erreicht sie das linke Ufer, wo Eva gerade den
gewärmten Kaffee aus der Baracke bringt. Mrschitzka,
der nun keinen Dienst mehr hat, machte es sich kommod.
Grad zieht er sich die Schuhe aus.*

SZAMEK *zur Frau:* Na was hat er gefangen, der Herr Privat-
pädagog?

FRAU *schaut ihn an, antwortet nicht, sondern lacht nur,
und zwar derart, daß es dem Szamek etwas kalt am
Rücken wird; und ab.*

Szene 12

MRSCHITZKA *sieht ihr nach:* Was hat sie denn?

SZAMEK Lustig ist sie – – *Zu Eva.* Bring noch ein Gefäß,
vielleicht trinkt auch der Mrschitzka – –

EVA Und ich?

SZAMEK Wer hat hier Nachtdienst? Du oder ich? Apropos
Nachtdienst: grad hab ich es deinem Konstantin ausrichten lassen, daß du heut Nacht nicht nüberkommen
tust.

EVA Papa!

SZAMEK Meinst, ich hab mir das nicht erzählen lassen, wo du deine Nächt zubringst? Kurz und gut: es bleibt dabei!

EVA Nein, ist das aber indiskret – –

SZAMEK Indiskret! Vergiß nicht, daß ich dich gezeugt hab!

Szene 13

Havlicek erscheint und hält, bereits etwas verschüchtert.

MRSCHITZKA *hatte sich inzwischen auch seiner Fußlappen entledigt, er ist nun barfuß und manipuliert an seinen Zehen herum:* Au! Mir scheint, ich hab da eine Blutblasen unter die Hornhäuter – – *Er erblickt Havlicek.* Was?! Schon wieder?!

HAVLICEK Pardon bitte, aber ich scheine ein Irrtum zu sein – –

MRSCHITZKA Irrtum?

HAVLICEK Ein großer. Nämlich die Grenzbehörd drüben laßt mich auch nicht hinein. Sie sagt, ich gehör nicht hinüber, sondern herüber.

MRSCHITZKA Was sagt er?!

HAVLICEK Er sagt, ich sei dort drüben kein Staatsbürger.

MRSCHITZKA Unsinn! Dummer Unsinn! Staatsbürger ist man dorthin, wohin man zuständig ist, und zuständig ist man dorthin, wohin man geboren ist! Kruzifix!

SZAMEK *zu Eva:* Ein Rindvieh ist er also auch, dieser Konstantin – –

HAVLICEK Aber die drüben haben inzwischen ein Gesetz fabriziert – –

SZAMEK *unterbricht ihn:* Denen ihre Gesetz gehen uns hier nichts an! Radikal nichts, bitt ich mir aus!

MRSCHITZKA Wir haben unsere eigenen Gesetz! Und hier

steht es schwarz auf weiß: Ferdinand Havlicek, geboren in Großenzering – –

SZAMEK Das heißt jetzt Kleinenzering.

MRSCHITZKA Seit wann denn?

SZAMEK Seit vorgestern.

HAVLICEK Interessant.

SZAMEK Ich weiß das genau, weil ich dort einen Schwager hab – – ein verlogener Mensch. *Zu Eva.* Wie alle da drüben! *Zu Mrschitzka.* Der hat mir erst gestern geschrieben, wie das dort jetzt aussieht – –

HAVLICEK Wie? – – Entschuldigens, aber ich kenn nämlich meine Heimat gar nicht.

MRSCHITZKA Dann schauns, daß nüberkommen und lernens es kennen!

HAVLICEK Aber der drüben läßt mich ja nicht hinein – –

MRSCHITZKA Er muß! Wo solltens denn sonst hin?

HAVLICEK Eben!

MRSCHITZKA Also gehens nur zu in Gottes Namen! Marsch-marsch!

HAVLICEK Moment! Nämlich der Herr drüben hat noch gesagt, ich soll einen familiären Gruß an den Herrn Thomas Szamek – –

SZAMEK *gießt sich grad Kaffee ein:* Das bin ich!

HAVLICEK Das weiß ich!

SZAMEK Aber wieso familiär?

HAVLICEK Was weiß ich?

SZAMEK Weiter!

HAVLICEK Und weiter laßt er Ihnen vielmals danken für Ihre freundlichen Grüß und er erwartet das Fräulein Tochter heut Nacht.

SZAMEK Eine Gemeinheit! *Zu Eva.* Feix nicht! *Zu Havlicek.* So! Und jetzt gehens nur hübsch wieder nüber und sagens ihm einen väterlichen Gruß und ob er sich nicht erinnern tut vielleicht, was ich ihm vor vierzehn Tag kategorisch geschrieben hab! Daß ich nämlich als Familienvorstand niemals meine Einwilligung zu dieser Verbindung geben werd – – und wenn er sich aufhängt, dann auch nicht!

HAVLICEK Aber ich bin doch da kein Postbot!

MRSCHITZKA Marsch-marsch!

HAVLICEK *zuckt etwas resigniert die Schulter und ab.*

Szene 14

SZAMEK *zu Eva:* Verstanden?!

EVA Nein.

SZAMEK Wirst mich schon noch kennenlernen, samt deinem Herzerwählten – – »Familiäre Grüße«! Ein feiner Mensch ist das, ein ganz ein impertinenter – –

EVA Er wird nur lachen. Über deine ohnmächtige Wut.

SZAMEK Werden schon sehen, ob ohnmächtig – – *Er trinkt Kaffee.* Brrr! Ist das ein miserabler Kaffee!

EVA Du hast doch gesagt, daß ich von heut ab den billigsten – –

SZAMEK *unterbricht sie:* Weil wir sparen müssen – – spa-ren! Vergiß das nicht gefälligst!

EVA Als tät ich nicht sowieso sparen.

SZAMEK Erst gestern hast dir wieder eine Fliederseife – –

EVA *unterbricht ihn:* Aber ich muß mich doch waschen als Frau! Und etwas pflegen!

SZAMEK Waschen ja, pflegen ist überflüssig. Mrschitzka! Magst keinen Kaffee?

MRSCHITZKA *hat sich inzwischen gepflegt und noch immer manikürt er sich mit seinem Bajonett:* Wenn einer da ist – –

SZAMEK *zu Eva:* Gib ihm!

EVA *schenkt ihm ein.*

MRSCHITZKA Merci! *Er trinkt und sieht verstört aus.* Was ist das bitte? Kaffee oder Tee?

SZAMEK Mokka. Aus Sumatra.

MRSCHITZKA Sumatra. Also ein Sumatrenser möcht ich nicht sein – –

SZAMEK Wirst halt noch nie in deinem Leben einen wirklich feinen Kaffee getrunken haben.

MRSCHITZKA Ist schon möglich! Man muß sich halt an die teueren Sorten erst gewöhnen, oft schmeckt einem der billigste besser – – *Er trinkt wieder.* Ein eigenartiger Kaffee. Aber allmählich kommt man auf den Geschmack – – *Und wieder trinkt er.*

SZAMEK *plötzlich zu Eva, die so nebenbei fort möcht:* Wohin?

EVA Spazieren.

SZAMEK Über die Brücke?

EVA Ja.

SZAMEK Du bleibst! Grad wo er deinen Vater so impertinent hat grüßen lassen, erfordert es das familiäre Ansehen, daß du als Tochter da bleibst!

EVA Ach was Tochter! Ich muß! Ich hab ihm mein Ehrenwort gegeben, daß ich heut komm!

SZAMEK Ein Weib hat kein Ehrenwort.

MRSCHITZKA Gut so.

EVA Aber sei doch nicht so altmodisch, Papa!

SZAMEK Ach was altmodisch! Ich werd nicht neumodisch, verstanden?! Und daß du mir da bleibst bei mir! *Stille.*

EVA *spitz:* Du vergißt, daß ich volljährig bin – – seit dem sechsten Mai.

SZAMEK *zu Mrschitzka:* Sie ist ein Sonntagskind.

MRSCHITZKA Gratuliere.

SZAMEK Und volljährig.

MRSCHITZKA Merkt man ihr an.

SZAMEK *grinst:* Und sie ernährt sich selbst.

EVA Werd ich auch tun!

Stille.

SZAMEK Wodurch?

EVA *schweigt.*

SZAMEK Wer soll dich denn schon ernähren?

MRSCHITZKA Ein Mann.

SZAMEK Sei so gut!

EVA Richtig! Ein Mann. Mein Mann.

SZAMEK »Mein« Mann? Mrschitzka! Sie sagt: »mein« Mann!

MRSCHITZKA Tableau.

EVA Er ist mein Mann!

SZAMEK *drohend:* Seit wann? Der Konstantin?!

EVA Derselbe. Auch wenn wir noch nicht verheiratet sind – – er ist und bleibt mein Mann.

MRSCHITZKA Noch ein Tableau!

Stille.

SZAMEK *zu Mrschitzka:* Jetzt ist mir ein Stein vom Herzen gefallen. Ich hab schon geglaubt, daß sich das gnädige Fräulein Tochter heimlich getraut haben – –

MRSCHITZKA Das ist wurscht! Hintenherum ist dasselbe wie vorneherum! Zum Beispiel ich hab drei Töchter und eine jede hat mir ein außereheliches Bankert ins Haus gebracht, und zwar die Jüngste als erste, Kruzifix! Und bei der Ältesten hat man den Vater sogar gar nicht eruieren können und derweil bin ich doch Polizeiorgan und kenn mich aus mit solchen Recherchierungsfragen – – Jaja, Thomas, gegen die Liebe helfen auch keine kriminalistischen Fortschritt! Und wenn ich tausend Töchter hätt wie der Padischah von Istambul, dann hätt ich jetzt tausend Bankert, Kruzifix!

EVA Was reden denn Sie für ein ungereimtes Zeug daher?! Bei mir ist das doch ein ganz anderer Tatbestand!

MRSCHITZKA Immer derselbe, Fräulein Eva! Enthaltsamkeit ist die Mutter der Vorsicht! *Zu Szamek.* Wieviel Kinder hat sie denn, das Fräulein Tochter?

SZAMEK Was?!

EVA Noch keines. Leider!

SZAMEK »Leider!« Na servus!

EVA Hoffentlich ist aber bald etwas unterwegs.

SZAMEK *lächelt:* »Hoffentlich«–– jetzt werd ich verrückt. Jetzt wird mir aber alles wurscht! Da kämpf ich ja gegen eine chinesische Mauer, wie ein Ochs renn ich dagegen! Schad, daß ich heut Nachtdienst hab, sonst springet ich noch ins Wasser –– Geh nur nüber zu deinem Gigolo und verlaß deinen armen alten Vater, der dich gezeugt hat –– *Er vergräbt seinen Kopf in den Händen. Stille.*

EVA Sag Papa: was hast du eigentlich gegen den Konstantin?

SZAMEK *plötzlich verändert, in sanftem väterlichen Ton:* Mein Kind. Ich möcht mit dir mal offen reden: gegen deinen Konstantin hab ich nur das Eine, daß er nämlich kein Geld hat –– Schau, du bist doch ein hübsches Kind, ein frisches, und ich möcht, daß du glücklich wirst. Reich sollst du heiraten, sehr reich, damit auch dein armer alter Vater was von dir hat –– ausschaun tust ja eklatant wie dein Mutterl selig und die hätt auch keinen solchen Bettler von einem Zöllner heiraten sollen, sondern einen reichen Großkaufmann, aber sie hat mich eben unsterblich geliebt und ist halt drum nur eine Zöllnersgattin geworden –– und was hat sie von ihrem Leben gehabt an meiner Seite? Nichts. An die Riviera hätt sie fahren können oder in ein Bad ––

EVA Ich brauch kein Bad.

SZAMEK Das hat dein Mutterl selig auch gesagt. Trotzdem.

Und abermals kommt Havlicek.

MRSCHITZKA *außer sich:* Was seh ich?! Schon wieder?! Na
jetzt laß ich Ihnen aber gleich durch mich verhaften und
dann müssens erst noch bei Wasser und Brot, bevor daß
ich Ihnen wieder per Schub in die Freiheit hinauslaß!

HAVLICEK »Freiheit« ist gut.

MRSCHITZKA Sie, witzeln Sie sich nicht mit mir, ja?!

HAVLICEK *schreit ihn plötzlich an:* Ich bin doch kein Witz!
Und übrigens hab ich ja nur wieder was auszurichten
da – – von der Behörd dort drüben, von der verliebten!

MRSCHITZKA Das ist zweierlei. Also los los! Richtens aus
und fahrens ab!

HAVLICEK Kommandieren laß ich mich aber nicht, Sie – –
wenn ich schon die Freundlichkeit hab, als ein wan-
derndes Billetdoux herumzulaufen.

MRSCHITZKA Nur keine Vorlautheiten!

HAVLICEK ·Ziehens Ihnen lieber zuerst die Schuh an, bevor
daß Sie mit mir dienstlich reden!

MRSCHITZKA *perplex:* Schuh?

EVA *zu Havlicek:* Herr – –

HAVLICEK Havlicek.

EVA Szamek.

HAVLICEK *verbeugt sich galant:* Angenehm!

EVA Und bitte, was hätten Sie uns nun auszurichten, Herr
Havlicek?

HAVLICEK Nicht viel, nicht wenig, Fräulein Szamek! Der
Herr Bräutigam dort drüben laßt nämlich dem Herrn
Papa da sagen, daß es ihm dort drüben eigentlich leid
tut, sehr leid, daß der Herr Papa so heftig gegen ihn
agiert.

EVA Leid? *Sie wirft einen Blick auf Szamek.* Das hat er
gesagt?

HAVLICEK Aufrichtig leid!

SZAMEK »Aufrichtig«! Wenn das einer von drüben sagt!

EVA Und sonst hat er nichts hinzugefügt?

HAVLICEK Sonst hat er nur noch hinzugefügt, daß er dort drüben persönlich kein sanfter Engel ist und daß er sich das also nicht mehr lang mehr mitanschaut, wie daß sich der Herr Papa da als ein Außenstehender in seine Liebeserlebnisse hineinmischen – –

SZAMEK *unterbricht ihn:* Was?! Ich ein Außenstehender? Als der eigene Erzeuger?! Na servus!

HAVLICEK Herr Szamek! Auch für die eigenen Herren Erzeuger kann es unter Umständen gefährlich – –

MRSCHITZKA *unterbricht ihn:* Was hör ich?! Sie halten hier Reden! Das auch noch?!

HAVLICEK *fährt ihn an:* So lassens einen Menschen doch ausreden, nicht?!

MRSCHITZKA *schweigt perplex.*

SZAMEK *zu Mrschitzka:* Laß ihn, Mrschitzka! Laß ihn sich ausreden, es ist so angenehm blöd – –

HAVLICEK Vielleicht! Und dennoch: zum Beispiel hab ich mal eine gewisse Frau Hörl gekannt, eine geborene Spitzinger, und die hat einen alten Vater gehabt, einen gewissen Emanuel Spitzinger, der hat sich nämlich auch immer in die Liebesarten zwischen Tochter und Schwiegersohn hineingemischt – – und das Ende vom Liede? Der alte Spitzinger hat den Hörl und die Frau Hörl hat den alten Spitzinger erschlagen. Alles mit der Axt! Die Tochter den leiblichen Vater mit der Axt. Um Mitternacht! – – Glaubens einem geschlagenen Mann, Herr Szamek, es tut nicht gut, wenn man sich hineinmischt – –

MRSCHITZKA Da hat er recht, dieser Ausgewiesene! Da könnt ich euch aus meiner Praxis noch ganz andere Legenden erzählen, Herrschaften! Stundenlang könnt ich euch da auseinandersetzen, wie sich ganze Familiengruppen gegenseitig ausgerottet haben, bis in das letzte Glied – – und wegen was? Wegen nichts!

SZAMEK *plötzlich zu Eva:* Eva. Könntest du mich mit einer Axt – –

EVA *fährt ihn an:* Frag doch nicht so dumm!
Stille.

MRSCHITZKA *zu Havlicek:* Na was stehens denn da noch herum?!

HAVLICEK Wo soll ich denn sonst stehen?!

MRSCHITZKA Da nicht! Dort ist die Tür! *Er deutet auf die Brücke.*

HAVLICEK »Tür« ist gut – – *Er will ab.*

SZAMEK Halt! – – Sagens dem drüben: der Thomas Szamek ist ein alter Mann und überläßt sich von heut ab dem Schicksal.

HAVLICEK Also dem Schicksal – – *Ab.*

Szene 16

Havlicek geht nun wieder über die Brücke – – aber jetzt angelt er allein, der Privatpädagoge.

HAVLICEK *mitfühlend:* Habens noch immer nichts gefangen?

PRIVATPÄDAGOGE *kleinlaut resigniert:* Nein.

HAVLICEK Schicksal.

PRIVATPÄDAGOGE *braust auf:* Aber was Schicksal! Würm! Zu dünne Würm! Abrakadabra! Manchmal ärger ich mich schon so über meine Ehehälfte, daß ich lieber schon selber ein Hecht sein möcht!

HAVLICEK Um hernach von sich selbst gefischt zu werden! Hahaha!

PRIVATPÄDAGOGE Heut hätt ich schier nichts dagegen! Schauns, wie ich mit die Nerven herunter bin, weil meine Gattin epileptisch ist, gleich hat sie Schaum vor dem Mund – – deshalb fisch ich ja nur, damit ich mich beruhig. Aber wenn ich jetzt nicht bald was fang, werd ich noch selbst epileptisch!

HAVLICEK Also nur das nicht! *Er geht weiter.* Wiedersehen!

Szene 17

Und wieder drüben beim Konstantin.

KONSTANTIN Na was hat er gesagt, der Szamek?

HAVLICEK Schicksal.

KONSTANTIN Was heißt das?

HAVLICEK Er ist ein alter Mann, hat er gesagt, und überläßt sich von heut ab dem Schicksal.

KONSTANTIN *erfreut:* Tatsächlich? Na bravo! Vor dem Schicksal hab ich keine Angst! Mein Schicksal heißt Eva und kommt, wann ich möcht!

HAVLICEK Ein schönes Schicksal, ein braves – – – – Armer Havlicek! Dreißig Jahr hast Steuern gezahlt, ohne zu zucken – – Nur gut, daß ich keine Familie hab, sonst steheten wir jetzt da zu mehreren!

KONSTANTIN Sinds Junggeselle?

HAVLICEK Ja, aber kein eingefleischter.

Stille.

KONSTANTIN Ich denk mir oft: man weiß es nicht, was besser ist: heiraten oder ledig bleiben – –

HAVLICEK Heiraten. Auf Ehr und Seel! Können es mir glauben, junger Herr, denn ich bin nicht verheiratet und so einsam ist man nirgends zuhaus, selbst wenn man sich noch so einrichtet. Zum Beispiel hab ich mir einen Spiegelschrank – –

KONSTANTIN *unterbricht ihn:* Spiegelschrank?

99

HAVLICEK Einen großen, schönen. Wo man sich so ganz sehen kann. Auf einmal.

KONSTANTIN Aha.

HAVLICEK Ja–– ––*Er fährt plötzlich hoch.* Jetzt hab ich eine Idee! Wissens was, kommens mit mir da zu denen hinüber und sagen Sie es denen persönlich aber mal tüchtig, daß ich hier strikte nicht herein kann, dann müssen die drüben mich doch nämlich hinein––das ist der Ausweg!

KONSTANTIN »Ausweg«? Ich da hinüber? In Uniform?! Na das gäb ja einen gediegenen Grenzzwischenfall mit unabsehbaren außenpolitischen Nachspielen, Noten, Interpellationen im Senat und diplomatischen Demarchen und was weiß ich noch was! Ausgeschlossen! Ich darf ja nicht mal auf die Brücke und derweil ist die doch nur neutral! Jetzt erst noch auf das andere Ufer––das ist grotesk!

HAVLICEK Und ich bin vielleicht nicht grotesk? Großer Gott, wie kompliziert––

KONSTANTIN Völkerrecht, Herr! Haag und Genf.
Stille.

HAVLICEK Und was ist diese Brücke bitte? Neutral?

KONSTANTIN Eine neutrale Zone. Weder Fisch noch Fleisch.

HAVLICEK *blickt auf die Brücke zum Privatpädagogen hinüber:* Ja, Fische scheints da nicht viel zu geben ––
Stille.

KONSTANTIN Also gehens nur wieder brav retour –– probierens es halt immer wieder und lassens nicht locker! Probieren geht über Studieren!

HAVLICEK Das schon. Also dann auf Wiedersehen––*Ab.*

*Und wieder geht Havlicek über die Brücke – – der Privat-
pädagoge ist nun bereits seiner Gattin gefolgt, denn es
dämmert nun schon leise. Mitten auf der Brücke begegnet
Havlicek der Eva, die unterwegs ist zu ihrem Konstantin.
Er grüßt und sie dankt.*

HAVLICEK *hält, sieht ihr nach, und überlegt; plötzlich:*
   Fräulein Szamek!

EVA *hält:* Herr Havlicek?

HAVLICEK Pardon, daß ich Ihnen aufhalt, ich weiß, das ist
   kostbare Zeit, wenn man so hinübermöcht – – aber ich
   hätt ein für mich großes persönliches Anliegen, liebes
   Fräulein Szamek! Geh, könntens nicht ein freundliches
   Wörtchen für mich einlegen – –

EVA Gern. Wo?

HAVLICEK Bei Ihrem lieben Herrn Bräutigam – – daß er
   nämlich vielleicht ein Auge zuschließt und mit dem anderen Aug mich übersieht, wenn ich über seine Grenz – –

EVA Ach so!

HAVLICEK Schauns, es dämmert nämlich schon und ich
   komm in keine Heimat – – Nur ein Auge, Fräulein
   Szamek, ich bin geschwind wie der Wind!

EVA Nein, das wird er unmöglich. Weil ihm sein Gesetz
   über alles geht.

HAVLICEK Aber wenn Sie, als gewissermaßen sein Schicksal – –

EVA *unterbricht ihn:* Auch über mich geht sein Gesetz
   hinweg, und das ist sogar recht so, denn darum ist er der
   Mann.

HAVLICEK Darum? Hm. Jetzt könnt ich Ihnen vom Gegenteil gar manche historische Anekdoten erzählen – – Geh
   probierens es halt, mir zulieb! Probieren geht über studieren und Sie wären ein Engel.

EVA *lächelt:* Ein Engel?

HAVLICEK Ein schöner großer, so mit Flügeln – – bei dem man gleich weinen muß vor Freud.

Stille.

EVA Also dann probier ichs halt, aber es ist nicht viel Hoffnung dabei, Herr Havlicek – – *Ab.*

Szene 19

Eva erreicht nun das rechte Ufer und trifft dort Frau Hanusch.

EVA Guten Abend, Frau Hanusch! Wo ist denn der Konstantin?

FRAU HANUSCH Der telephoniert grad – – mir scheint, amtlich. Ich bin jetzt nur mal noch mal her, um meinen Niedergang mit ihm durchzubesprechen, er ist doch der einzige anständige Mensch unter uns, der einer alleinstehenden Witwe wertvolle Ratschläg geben kann. Morgen meld ich Konkurs an, sonst sperrens mich noch ein! Und dann kommt das Gas.

EVA Aber Frau Hanusch! Der Tod ist ein schlechter Kamerad – *Sie lächelt.*

FRAU HANUSCH Sie habens natürlich auch leicht! Kommen da abends herüber und genießen Ihr Leben! Schad, daß ichs nicht auch so gemacht hab, wie ich noch jung situiert war – – jetzt find ich keinen Mann mehr!

EVA *schweigt.*

FRAU HANUSCH Meinens wirklich, daß ich keinen Mann mehr find?

KONSTANTIN *kommt aus seinem Raubritterturm:* Ach,
Eva! *Er gibt ihr einen Kuß; dann zu Frau Hanusch.* Das
wär was für Sie, Frau Hanusch! Grad ist amtlich telephoniert worden, daß sich hier in der Gegend gefähr-
liche Rauschgiftschmuggler herumtreiben, und auf ihre
Ergreifung sind runde zwanzigtausend ausgesetzt.

FRAU HANUSCH Zwanzigtausend! Meiner Seel, ich täts
gleich verhaften! Und köpfen auch, dann wär ich sa-
niert!

KONSTANTIN Na so einfach geht das nicht. Solche Rauschgiftschmuggler sind verwegene Subjekte, die schrecken
vor nichts zurück, vor keiner Untat – – Raub, Mord,
Schändung – –

FRAU HANUSCH *unterbricht ihn:* Schändung auch?

KONSTANTIN Denen graust es vor nichts! Kommen daher
mit direkt amerikanischen Methoden, Panzerauto und
Maschinengewehr – –

EVA Gib nur acht!

KONSTANTIN Auf alle Fälle hol ich mir jetzt mal gleich
meinen Dienstrevolver – – *Er will wieder ab in seinen
Raubritterturm.*

Havlicek erscheint.

KONSTANTIN *erblickt ihn und ist ungeduldig überrascht:*
Na und?

HAVLICEK *wirft einen verstohlenen Blick auf Eva; schüchtern:* Und aber – –

KONSTANTIN Aber hier gibts kein Aber! Wie oft denn
noch, lieber Mann?! Unmöglich und ausgeschlossen!

HAVLICEK Aber es wird doch Nacht.

KONSTANTIN So sekkierens mich doch nicht! Jetzt muß ich meinen Revolver – – *Ab in seinen Raubritterturm.*

HAVLICEK Revolver? Großer Gott! *Rasch ab.*

Szene 22

EVA *sieht Havlicek nach:* Nein, diese Angst – –

FRAU HANUSCH Ich kenn den Fall. Der geht da immer hin und her – – bis er noch verhungert. Ein amtlicher Fall. Armer Mensch! Macht übrigens einen ganz einen sympathischen Eindruck – –

EVA O er ist gebildet! Und nirgends lassens ihn hinein – –

FRAU HANUSCH Ich ließ ihn schon hinein. Bei jeder Grenz! Wem tät das schon was schaden? Mir nicht!

EVA So ohne Heimat möcht ich nicht sein. Überall fremd, überall anders – –

Szene 23

KONSTANTIN *erscheint nun wieder, und zwar mit seinem Dienstrevolver:* Das ist er. Ein Trommelrevolver. Wenn er auf das dritte »Halt!« nicht hält, kann ich ihn auf der Flucht erschießen und mir passiert nichts. – – Wer kommt denn da? Eine Nonne?

FRAU HANUSCH Ja das ist eine Krankenschwester mit einer sehr vornehmen kranken Dame – – wahrscheinlich eine diskrete Krankheit, stell ich mir vor.

EVA Warum?

FRAU HANUSCH Na sonst wärens doch nicht ausgerechnet da in unserem Drecknest hinterm Mond! Übrigens: mein einziges Publikum. Pst!

*Frau Leda und die Krankenschwester gehen nun langsam
vorbei. Die Krankenschwester ist aber gar keine Krankenschwester, sondern ein verkleideter Mann, namens
Schmugglitschinski, der eben mit Frau Leda zusammen,
deren Krankheit natürlich auch nur Maskerade ist, das
doppelköpfige Haupt der fieberhaft gesuchten Rausch-
giftschmugglerbande ist. Jetzt täuschen sie einen langsa-
men Abendspaziergang vor, um das Terrain an der
Grenze bequem rekognoszieren zu können.*

FRAU HANUSCH Ergebenster Diener, meine Herrschaften!
Schon erholt?

FRAU LEDA UND SCHMUGGLITSCHINSKI *nicken ihr freundlich
zu und langsam ab.*

Szene 25

EVA *sieht ihnen nach:* Schlecht schaut die Dame aus – –
ganz gelb.

FRAU HANUSCH Und am Vormittag, zwischen acht und
zwölf, ist sie immer gelähmt, aber am Nachmittag
treibts Gymnastik. Und wie die Schwester die pflegt!

KONSTANTIN Rührend, nicht?

FRAU HANUSCH Eine Heilige ist das und sonst nichts.

EVA Manchmal denk ich mir, wir denken alle miteinander
zu wenig an das Jenseits.

KONSTANTIN Wer glauben kann, ist ein glücklicher
Mensch.
Stille.

FRAU HANUSCH So, jetzt muß ich aber nachhaus, das Sou-
per herrichten für meine einzigen Gäst!

EVA Sicher Diät?

FRAU HANUSCH Aber einfach! Die Dame darf abends nichts essen und die Schwester fastet! Also empfehle mich, meine Herrschaften! *Ab.*

KONSTANTIN UND EVA Gute Nacht, Frau Hanusch!

Szene 26

Nun ist es Nacht geworden.
Und wieder erscheint Havlicek – – und gleich erblickt er den Dienstrevolver, den Konstantin noch immer in der Hand hält und macht sofort »Hände-hoch!«.

KONSTANTIN *überrascht über diese Geste:* Was ist? Was treibens denn mit die Händ?

HAVLICEK Ich ergib mich.

KONSTANTIN *perplex:* Wieso?

HAVLICEK Nicht schießen bitte!

KONSTANTIN Ach so! *Er lacht und steckt seinen Dienstrevolver in seinen Dienstgürtel.*

HAVLICEK *nimmt die Hände herab und lächelt:* Sie sind doch ein freundlicher Mensch – –

KONSTANTIN Möglich.

EVA Sicher.

KONSTANTIN O du bist lieb – – *Zu Havlicek.* Aber für Sie bin ich nur das Grenzorgan und kein Mensch und jetzt reißt mir aber ehrlich die Geduld! Das halt ich nicht aus, daß Sie da immer wieder erscheinen, man ist doch schließlich auch nur ein Mensch!

HAVLICEK Eben!

KONSTANTIN Also schauns, daß Sie jetzt endgültig verschwinden, ja?!

HAVLICEK Aber drüben hat er mich grad bedroht, daß er mit der Kanon kommt, wenn ich noch einmal – –

EVA Mit der Kanon?

HAVLICEK Ja, ich denk, der Herr Papa sind nicht mehr ganz nüchtern und der Herr Gendarm Mrschitzka auch nicht mehr so ganz – –

EVA Sie trinken?

HAVLICEK Schnaps. Und Rum.

EVA *zu Konstantin:* Schon wieder!

HAVLICEK Man riecht es schon auf der Brück.

EVA Fürchterlich.

HAVLICEK So hat halt jeder seine Sorgen.

Stille.

KONSTANTIN Also seiens bitte vernünftig – –

HAVLICEK *unterbricht ihn:* Ich werd nicht vernünftig!

KONSTANTIN Und ich werd verrückt!

HAVLICEK Von mir aus!

KONSTANTIN Von Ihnen aus schon, aber nicht von mir aus!

HAVLICEK Und wo soll ich schlafen?!

KONSTANTIN Auf der Brücke! Schluß!!

Stille.

HAVLICEK Also Schluß. *Drohend.* Jetzt mag ich aber dann auch nicht mehr! Jetzt bleib ich aber dann auf der Brück! Jetzt werd ich aber dann auf der Brück schlafen, verstanden?! Bei Wind und Wetter und Sonne und Mond! Werdet es schon noch erleben, ihr!! *Rasch ab.*

Szene 27

Nun weht der Nachtwind.

KONSTANTIN *verdutzt zu Eva:* Was droht der uns?

EVA Er ist halt arm. Immer hin und her – – da muß ein Mensch verblöden.

KONSTANTIN Ich wasch meine Hände in Unschuld. Zu was haben wir die blöde Grenz?

EVA Das sagst du? Als Grenzorgan?

KONSTANTIN Das sag ich privat.

Stille.

EVA Du Konstantin. Könntest jetzt nicht mal so privat in deinen Turm dort hinein?

KONSTANTIN *perplex:* Warum?

EVA Weil derweil könnt da ein Mensch vorbei – – er wäre gerettet, geschwind wie der Wind.

KONSTANTIN Eva! Möchst mich verführen?! Da kenn ich aber keinen Spaß!

EVA Aber wo soll der denn schlafen?!

KONSTANTIN Meinst, der tut mir nicht leid? Doch ich verbeiß mein Herz vor lauter Pflicht!

Stille.

EVA Komisch seid ihr Männer.

KONSTANTIN *unangenehm berührt:* Komisch?

EVA Ja. Ich denk jetzt speziell an den Papa – – daß er sich neuerdings wieder dem Alkoholteufel verschrieben hat, das ist tragisch. Erst neulich Nacht, wie ich mal nicht bei dir gewesen bin, da hat er mich gräßlich beschimpft in seiner Trunkenheit – – o so gräßlich! Jedoch erst im Verlaufe dieser Schimpforgie ist mir allmählich ein Licht aufgegangen, daß er ja nämlich gar nicht mich gemeint hat, sondern mein armes Mutterl selig, die doch schon längst das Zeitliche gesegnet hat, aber eben in seiner Trunkenheit hatte er das vergessen und hat mich mit ihr verwechselt.

KONSTANTIN Mußt viel leiden, du arme Liebe, da drüben – –

EVA Ich sehn mich auch immer herüber, kaum kann ich die Nacht erwarten – – hier drüben ist alles so licht.

KONSTANTIN Komm – – *Er setzt sich auf die Bank vor seinem Raubritterturm und sie setzt sich auf seinen Schoß.*

Stille.

KONSTANTIN Und wie steht er jetzt eigentlich?

EVA Wer? Was?

KONSTANTIN Ich meine, wie steht jetzt dein Vater zu unserem Bunde? Anscheinend lenkt er ein – –

EVA Das glaub ich ihm nicht. Der Papa denkt nur an das Geld. Reich soll ich heiraten, damit er an die Riviera kann – – Manchmal könnt ich ihn wirklich schon mit einer Axt – –

KONSTANTIN Still, Süße – – *Sie küssen sich.*

EVA Lieber arm, aber glücklich.

KONSTANTIN Vielleicht kannst mal mit mir an die Riviera, wenn ich beispielshalber heut diese Rauschgiftleut – – Zwanzigtausend! Aber wenn ichs auch diesmal nicht erwisch, die Schmuggler sterben nicht aus, Gott sei Dank – – *Er betrachtet automatisch seinen Dienstrevolver.* Hoppla! Gut, daß ich ihn betracht, meinen Dienstrevolver! Da sind ja gar keine Patronen drin, da hätten jetzt aber unsere Zwanzigtausend gelacht! *Er erhebt sich.*

EVA Du ich hab Angst!

KONSTANTIN Mein Weib darf keine Angst kennen, das hängt mit meinem gefährlichen Beruf zusammen – – *Er will ab.*

EVA Wohin?

KONSTANTIN Ich hol mir nur die Patronen – – *Ab in seinen Raubritterturm.*

Szene 28

Eva allein. Sie sieht sich scheu um in der Nacht. Es ist sehr still. Doch plötzlich ertönt aus dem Raubritterturm heraus Tanzmusik.

EVA *erschrickt und lauscht:* – – Musik? Musik – –

KONSTANTIN *erscheint wieder mit den Patronen und ladet seinen Revolver:* Na? Da spitzt wer seine Öhrchen? Ich hab dich ganz vergessen damit zu überraschen – –

EVA *unterbricht ihn:* Radio!

KONSTANTIN Fein, was?

EVA Mein Traum.

KONSTANTIN Jetzt ist jemand glücklich – –

EVA Nicht verschrein! Überall sitzen die bösen Geister und verhexen das Gute – – sie wohnen im Fluß und in der Nacht tauchen ihre Köpf herauf und horchen und wer sich laut freut, den schauen sie an und schon muß er weinen.

Pause.

EVA Komm, tanzen wir!

KONSTANTIN *tanzt mit ihr.*

Szene 30

Jetzt kommt der Chef der Regierung auf dem rechten Ufer mit seinem Sekretär. Da er strenges Inkognito zu wahren wünscht, wollen wir ihn X nennen. Konstantin und Eva, die im Scheine der Laterne am Brückenkopf tanzen, erblicken die beiden Herren nicht und tanzen infolgedessen seelenruhig weiter.

SEKRETÄR Also hier ist besagter entlegener Brückenkopf – –

X *unterbricht ihn:* Wie bitte? Hier tanzt unser Grenzorgan? Die Grenze als Tanzbar? Penetrant! Schad, daß ich mein Inkognito nicht lüften darf, penetrant schad! – – Aber die Maid hat Charme. Übrigens erinnert sie mich an ein weibliches Wesen aus der Vorkriegszeit.

SEKRETÄR An die Panilla, Exzellenz!

x Richtig!

SEKRETÄR Aber die Panilla hatte andere Hüften. Gewölb-
tere.

x Woher sind Sie denn derart penetrant informiert? Die
Panilla könnt doch Ihre Großmutter sein – – Nanana,
junger Mann!

SEKRETÄR Meine Informiertheit beruht ja nur auf meiner
Mama, Exzellenz! Die hat sich nämlich oft ausführlich
beklagt bei mir – – über den Papa. Wegen der Panilla.

x Jaja, der arme Papa – – ein braver Mensch. Friede
seiner Asche. Aber die Panilla war mal eine fesche Katz!
Jetzt ist sie leider blind – – So, und jetzt lassens mich
allein. Wo ist mein falscher Paß?

SEKRETÄR *überreicht ihn:* Hier, Exzellenz!

x Und Sie warten im Dorf mit dem Wagen!

SEKRETÄR Gewiß, Exzellenz! *Ab*.

Szene 31

X nähert sich nun den Tanzenden.

EVA *erblickt ihn zuerst:* Ach, da kommt wer. Schad!

KONSTANTIN *löst sich von Eva und wendet sich an X:* Ihren
Grenzschein, bitte.

x Hier mein Paß – – *Er überreicht ihm seinen falschen
Paß.*

KONSTANTIN *blättert ausführlich und überlegt.*

x *ungeduldig:* Na, dauert es noch lang?

KONSTANTIN Ruhe!

x Aber ich habe dringendst zu tun!

KONSTANTIN Möglich! Aber auch wenn ich hier mal tanz,
hab ich meine Augen überall und es treiben sich allerhand Rauschgiftschmuggler herum – –

x Machen Sie doch keine penetranten Späße, nicht?!

KONSTANTIN *fährt ihn an:* Ruhe! »Penetrant« ist Amtsbeleidigung! Und die Photographie stimmt übrigens auch nicht.

x Stimmt nicht? Aber ausgeschlossen!

KONSTANTIN Da!

x *betrachtet die Photographie:* O dieses Kamel!

KONSTANTIN Da ist ein Vollbart und Sie sind rasiert. Glatt. Und außerdem ist auch der Paß falsch – – dieser Stempel gehört nämlich vorschriftsmäßig über diesen Rand und nicht unter diesen Rand. Ich kenn nämlich meine Vorschriften!

x *beiseite:* Das hab ich noch gar nicht gewußt, daß ich diese Vorschrift erlassen hab – –

KONSTANTIN Tut mir leid, aber ich muß jetzt zu einer ausführlichen Leibesvisitation schreiten – – ich sage nur: Kokain! Also los, kommens!

x *beiseite:* »Kokain?« *Laut.* Halt! Können Sie schweigen?

KONSTANTIN *perplex:* Warum?

x Ich muß mich leider demaskieren.

KONSTANTIN Ihre einzige Möglichkeit. Und wo ist das Kokain?

x So lassen Sie doch dieses penetrante Kokain! Hier ist mein richtiger Paß! Aber schweigen!

KONSTANTIN *betrachtet den Paß, stutzt, steht stramm, und salutiert.*

x *gedämpft:* Rührt Euch! Nur kein Aufsehen – – Inkognito, strengstes Inkognito! Sonst wäre das eventuell noch eine Katastrophe für die ganze zivilisierte Welt!

KONSTANTIN Können sich auf mich verlassen, Herr Ministerpräsident!

x Und auch nicht dem Fräulein Braut etwas sagen – – übrigens: es freut mich, daß wir so gewissenhafte Grenzorgane haben, das mit dem Vollbart war schon gut, aber das mit dem Stempel war phänomenal! Na, ich werd mich schon erinnern, daß wir Ihre pflichtbewußte Kraft gehörig ausnützen!

KONSTANTIN Hocherfreut, Herr Ministerpräsident!

x Aber abermals: Amtsgeheimnis!

KONSTANTIN Amtseid!

x Danke! *Ab.*

Szene 32

X geht nun über die Brücke, und es wäre sehr finster, wenn am Himmel nicht ein großer Mond hängen und blöd scheinen würde.
Havlicek lehnt mitten auf der Brücke an dem Brückengeländer – – er sah bereits X kommen und betrachtet ihn nun interessiert.

x *gleich auf ihn zu:* Pardon, Kollege, daß ich Euch so lange warten ließ, aber meine Grenzorgane sind zu gewissenhaft – – *Er lächelt.* Es freut mich aufrichtig, Euch kennen zu lernen, schon auch im Interesse unserer beiden Länder, deren Interessen eine heimlich menschliche Aussprache der beiden Regierungschefs dringendst erheischen.

HAVLICEK *beiseite:* Großer Gott! Ein Narr!

x Es war eine selten glückliche Idee Ihrerseits, daß wir uns hier auf dieser abgelegenen Grenzbrücke treffen, hier können wir doch mal ausnahmsweise friedlich alle Strittigkeiten, die unsere beiden Länder berühren, berühren.

HAVLICEK Interessant! *Beiseite.* Nur immer Recht geben, sonst läuft er vielleicht noch Amok!

x Wir leiden unter unseren Grenzen.

HAVLICEK O wie wahr!

x Es erfüllt mich mit ungeheurer Freude, daß Sie der Ansicht sind!

HAVLICEK Und ob ich der Ansicht bin!

x Ihre Ansicht erfüllt mich mit Hoffnung!

HAVLICEK Die Hoffnung ist ein schwankes Rohr – –

x Das aber schwerer bricht im Sturmgebraus, wie eine starke Wettertanne.

HAVLICEK *beiseite:* Ein Poet!

x Um aber auf unsere Grenzen zurückzukommen – –

HAVLICEK Sehr richtig!

x – – so muß und darf und soll und will und kann ich nur betonen, daß diese Grenzen eine Plage sind.

HAVLICEK »Plage« ist gar kein Ausdruck!

x Aber wenn wir das nun laut sagen würden, dann würden unsere gesamten öffentlichen Meinungen laut aufzischen vor Wut – –

HAVLICEK Na die »gesamten« – Es gäb auch welche, die es begrüßen. Zum Beispiel ich.

x Sie natürlich. Ich sage nur ein Wort: Macchiavelli!

HAVLICEK Wie bitte?

x O wir verstehen uns bereits, lieber Freund – – darf ich Sie »Freund« nennen? Sie stehen so herrlich über den Dingen!

HAVLICEK Ich steh nur zwischen den Grenzen.

x Sie formulieren herrlich und ich wäre glücklich, wenn wir zu einer Einigung gelangen könnten, theoretisch und praktisch – –

HAVLICEK Also vor allem praktisch, weil ich mich hier schon bald erkält!

x Sie belieben zu scherzen – – hehehe!

HAVLICEK Aber keine Idee! Spürens denn nicht den Zug! Diesen Mitternachtswind? Meiner Seel, einen Katarrh hab ich schon!

x Jaja. Opfer über Opfer.

HAVLICEK Und was hat man davon? Nichts.

x Nur Undank.

HAVLICEK Das nebenbei – –

x Apropos Undank: darf ich Ihnen gratulieren zu Ihrer schier wundervollen Errettung von diesem ruchlosen Attentat – –

HAVLICEK Was für ein Attentat?

x Wie? Sie erinnern sich nicht mehr?

HAVLICEK *beiseite:* Attentat? Ein Obernarr! *Laut.* Ach, jaja! Aber wissens, ich hab schon soviel Attentate hinter mir, daß ich ein jedes gleich immer wieder vergiß!

x Heroisch.

HAVLICEK Mein Gott – – *Er lächelt.*

x Bescheiden und heroisch. Aber hier ziehts tatsächlich unerträglich – –

HAVLICEK Daß Sie es nur merken!

x *beiseite:* Meine Bronchitis – – *Laut.* Also prinzipiell wären wir uns ja bereits einig und was die einzelnen untergeordneten Punkte betrifft: ich bin zu jeder Konzession bereit.

HAVLICEK Ich auch. Aber was nützt das?

x Allerdings nur zu einer jeden solchen Konzession, die sich mit unserer Würde verträgt.

HAVLICEK »Würde«? Jetzt steh ich da und keiner laßt mich hinein – –

x Wieso nicht hinein?

HAVLICEK Nicht rechts, nicht links – –

x Wo nicht hinein? Versteh kein Wort!

HAVLICEK *fährt ihn an:* Dann machens Ihre Ohrwascheln gefälligst auf, ja?! Groß genug wärens ja und abstehen tuns auch!

x »Abstehen«?!

HAVLICEK Und verschonens mich überhaupt mit Ihren Irrenhausgesprächen! Hör mal her, du Narr! Spiel dich

nicht mit mir, freu dich lieber, daß du kein Regierungs-
chef bist, sonst könntst jetzt was erleben von mir, verstanden?!

x Was ist das? Das ist ja ein Anderer!

HAVLICEK Ich bin kein Anderer! Ich bin der Ferdinand
Havlicek und Punkt! Jetzt reißt mir aber die Geduld, ich
bin ein Drogist und kein Narrenwärter!

x O Himmel tu dich auf und verschling mich! Havlicek!
Na das gibt einen europäischen Skandal!

HAVLICEK *beiseite:* »Europäisch«? Größenwahn!

x Bumm! Das Ende meiner Karrier. Meine Demission!
Gott, ist mir übel – – *Er beugt sich über das Brücken-
geländer.*
Stille.

HAVLICEK *beiseite:* »Demission« – – Hm. Vielleicht ist die
Sach doch komisch und es steckt was dahinter – – – –
und parfümiert ist er auch, ich riech das gleich beruflich. Ein sehr ein teueres Parfum – – *Er nähert sich
schnuppernd X.* Ist Ihnen schlecht?

x *rührt sich nicht.*

HAVLICEK Ist Ihnen schlecht?

x So fragens doch nicht so penetrant! Sehens denn nicht,
daß ich mich erbreche!

HAVLICEK Das schon.

x Also!
Stille.

HAVLICEK Ist Ihnen jetzt leichter?

x Nein. Jetzt trifft mich bald der Schlag.

HAVLICEK Entschuldigens, aber wer sind denn der Herr
eigentlich?

x Ich? Ich?! Ein Narr! Ein Obernarr!! *Er lacht hysterisch.*

HAVLICEK *beiseite:* Wie der lacht – –

x *plötzlich ernst:* Ich lache da. Und morgen lacht die
ganze Welt über uns zwei.

HAVLICEK Über Sie vielleicht. Über mich kaum.

x Sicher!

HAVLICEK Geh, was geh denn ich schon die Welt an!

x Man wird sich todlachen.

HAVLICEK Tot? Von mir aus!

x Ein Havlicek als Eingeweihter – – da wird sich nichts verheimlichen lassen. Hören Sie, lieber Freund: vor Ihnen steht der Chef der Regierung dieses Landes – *Er deutet nach rechts* – und dieser Chef wollte mit dem Chef der Regierung jenes Landes – *Er deutet nach links* – eine heimliche lebenswichtige Besprechung über unermeßliche Probleme – –

HAVLICEK *unterbricht ihn:* Was hör ich?

x Ja.

HAVLICEK Sie sind der Chef? Ohne Witz?

x Noch bin ich es, aber ab morgen schreib ich meine Memoiren, die allerdings erst zwanzig Jahre nach meinem Tode veröffentlicht werden dürfen. Ich freu mich schon auf das Kapitel Havlicek.
Stille.

HAVLICEK Und der andere Chef von da drüben kommt auch daher?

x Er müßte schon längst hier sein. Schon vor mir!

HAVLICEK Was? Beide Chefs? – – Na freuts euch, Freunderln!

Szene 33

Jetzt kommt Y, der Chef der Regierung auf dem linken Ufer, rasch von links und wendet sich sogleich an Havlicek.

Y O verzeihen Sie, daß ich mich derart penetrant verspätet habe, aber leider hatte ich Panne auf Panne und einen

Hund haben wir auch überfahren, einen Rattler – – also abermals: Verzeihung, Herr Ministerpräsident!

x Der auch! *Er lacht wieder hysterisch.*

y *verwirrt:* Wer lacht denn da?!

HAVLICEK Der Andere!

y Was für ein Anderer?!

x Gratuliere, Kollege!

y Wer gratuliert mir denn da?! Himmel, ich bin ja so kurzsichtig und bei der vierten Panne ist mir meine Brille zerbrochen und jetzt seh ich nichts!

HAVLICEK Macht nichts, ist eh stockdunkel!

x Gratuliere abermals! Sie suchen nämlich mich, aber ich habe Sie verwechselt und nun sind Sie auch an den Falschen geraten! Penetrant!

y An den Falschen? Penetrant!

HAVLICEK An den Falschen? An den Richtigen, meine Herrschaften! Na das freut mich aber, daß ich euch zwei beide triff – – grad bin ich in Stimmung! Hörts mal her! Warum machts denn ihr zwei so penetrante Gesetz, he?! Da fabriziert ein jeder lustig drauflos, aber keiner denkt dabei zum Beispiel an so einen armen, ehemaligen Drogeriebesitzer!

y Das halte ich nicht aus!

HAVLICEK Ich auch nicht!

y Ich geh und es ist nichts geschehen!

HAVLICEK Nichts? Das sind euere Gesetz!

y Ich laß alles dementieren!

HAVLICEK Sie, mich könnens aber nicht dementieren! Für mich nicht! Schauns mich an, wenn ich mit Ihnen red!

y Was soll ich Sie denn anschaun bei der Finsternis?! Ohne Brille seh ich nichts!

HAVLICEK »Finsternis«?! Und der Mond? Mein lieber guter Mond?!

Jetzt verschwindet der Mond hinter einer Wolkenbank und da wird es sehr dunkel.

HAVLICEK *sieht überrascht empor; betroffen:* Jetzt ist er weg!

Y *beiseite:* »Mond«! Das auch noch! *Laut.* Schluß! Ich dementier, ich dementier und zwar kategorisch! Auch mich selbst! *Zu X.* Wiedersehen, Kollege! Ich könnt heut eh nicht unterhandeln, so ohne Brille bin ich zu unsicher – – *Rasch ab nach links.*

X *für sich:* »Wiedersehen«! Ein Optimist. Na adieu du schöne Welt – – *Langsam ab nach rechts.*

Szene 34

HAVLICEK *allein, er schaut nach rechts und nach links:* Weg sind sie. Ein Optimist, der dementiert und ein Pessimist, der demissioniert. Und was bin ich?
Jetzt erscheint er wieder, der Mond.

HAVLICEK *schaut empor* – – bist wieder da, Herr Mond? Bist ein feiner Freund. Da gefällt einem so ein Mondgesicht schon seit der frühesten Kindheit, aber wenn man ihn braucht, dann geht er hinter eine Wolkenbank – –

EIN HAHN *kräht im fernen Dorf.*

HAVLICEK Das war ein Hahn. Ist denn schon so spät oder so früh? – – – – und ehe der Hahn dreimal kräht, wirst du mich dreimal verraten – – Gott, was für ein tiefes Wort!

Vorhang

Zweiter Teil

Szene 1

Auf dem linken Ufer.
Nun hat der Hahn bereits dreimal gekräht, aber Szamek
und Mrschitzka sitzen noch immer vor der amtlichen
Baracke und haben noch immer Rum. Sie sind bereits
ziemlich angeheitert.

MRSCHITZKA Prost Szamek! Bist ein Genie!

SZAMEK Was ist ein Genie? Ein genialer Mensch. Und was
ist ein Mensch? Ein Nichts. Also was ist ein Genie? Gar
nichts!

MRSCHITZKA Das ist mir zu hoch. Aber wie du da zuvor
diesen Rauschgiftschmuggler entlarvt hast, das war
schon ganz großer kriminalistischer Stil! Eine Klasse für
sich, eine Sonderklasse für sich, eine kriminalistische
Sonderklasse für sich! Nur versteh ich nicht, warum
daß du keine Leibesvisitation – –

SZAMEK *unterbricht ihn:* Weil ich davor einen Respekt
hab! Nämlich da hat mir erst unlängst so ein Subjekt
anläßlich einer Leibesvisitation, die ich an ihm vorgenommen hab, mein Portemonnaie aus der Tasche gestohlen – –

MRSCHITZKA *fällt ihm ins Wort:* Was schadet das ab heut?!
Ab heut, wo wir morgen Bankkontos haben werden!
Zwanzigtausend! Das ist ein Wort, das zerfließt einem
im Maul wie Butter – –

SZAMEK Also die Hauptsach ist, daß wir ihn ergriffen
haben, diesen Schmugglitschinski! Eingesperrt da drinnen. *Er deutet auf die Baracke.*

MRSCHITZKA Sollst leben, Thomas! Ich erhebe mein Glas
auf das Gedeihen einer kriminalistischen Leuchte! *Er*

trinkt. Meiner Seel, war das eine Lust, wie der da immer zerknirschter geworden ist und alles eingestanden hat!

SZAMEK Also eingestanden, daran kann ich mich nicht erinnern. Mir ist nur bekannt, daß er hartgesotten geleugnet hat.

MRSCHITZKA Aber ist er denn nicht zusammengebrochen unter der Last der Indizien?

SZAMEK Nein. Er ist nur zusammengebrochen, weil du ihm das Bein gestellt hast, nachdem du ihm eine hingehaut hast.

MRSCHITZKA So? Hab ich das? – – Das weiß ich ja jetzt gar nicht mehr! Schrecklich. Neuerdings kommt mir das häufig vor – – zum Beispiel erst vorige Woch, da hab ich einem eine hingehaut, ganz ohne jeden Grund, und hab das erst bemerkt, wie er mir eine zurückgehaut hat. Ein eigenartiger Zustand!

SZAMEK Sogenannte Absenz-Erscheinungen.

MRSCHITZKA Was? Abstinenz-Erscheinungen? Lächerlich!

SZAMEK Apropos Abstinenz: wo nur die Eva so lang bleibt, diese Bestie!

MRSCHITZKA Wo? Kann ich mir schon vorstellen!

SZAMEK Ich auch! *Er schlägt auf den Tisch; leise.* Das wird noch ein furchtbares Ende nehmen, ein Ende mit einer Axt – –

MRSCHITZKA Mir scheint, du bist angeheitert und siehst schwarz.

SZAMEK Schwarz ist noch viel zu weiß.

MRSCHITZKA Hättest halt das Fräulein Tochter nicht dem Schicksal überlassen sollen.

SZAMEK Dem Schicksal?

MRSCHITZKA Hast doch gesagt!
Stille.

SZAMEK Ja, jetzt erinner ich mich – – Hm. Also wenn das Schicksal seine Hand im Spiel hat, dann kommt die

Bestie vor morgen Früh nimmer heim – – *Er schläft plötzlich ein vor lauter Rum.*

MRSCHITZKA *betrachtet ihn:* Ist der jetzt schon wieder eingeschlafen? Na, höchste Zeit, daß er pensioniert wird, diese Leuchte der Kriminalistik – – *Er schreit.* He! Thomas! Thomas!!

SZAMEK *erwacht:* – – jetzt hab ich aber was ganz Blödes geträumt. Die Eva war noch klein und das Fenster war höher, ich hab sie hinaufgehoben und draußen ist grad unser König vorbeigefahren in einem gelben Galatoten-wagen. Und der Kutscher hat Flügel gehabt. Er war ein Engel – – ein Erzengel.

MRSCHITZKA Zu blöd.

Szene 2

Jetzt taucht ein verstörter Mensch auf: der Privatpäd-agoge. Ohne Krawatte und mit zerwühltem Haar. Rasch möcht er auf die Brücke.

SZAMEK Halt! Ihren Grenzschein bitte – – *Er will sich erheben, muß sich aber gleich wieder setzen vor lauter Rum.*

PRIVATPÄDAGOGE Lieber Herr, ich brauch keinen Grenz-schein mehr!

SZAMEK Hör ich recht? Jeder Mensch braucht einen Grenzschein, wenn er hinüber möcht!

PRIVATPÄDAGOGE *blickt in den Himmel:* »Hinüber«! Für mein Hinüber brauch ich keinen Paß – – *Er schreit Szamek plötzlich an.* Haltens mich nicht auf, ich möcht sterben!

SZAMEK Seiens so gut! *Er schläft wieder ein.*

PRIVATPÄDAGOGE Jetzt geh ich auf diese Brücke, dort wo sie am tiefsten ist und spring ins Wasser! O dieses

Leben! Lauter Dummheit, Lüge und Niedertracht – –
nirgends eine mütterliche Persönlichkeit!

MRSCHITZKA Recht habens! Wo man hinschaut lauter Roheit und Gemeinheit, nirgends eine kleine Zartheit – –

PRIVATPÄDAGOGE *weint:* O wie wahr!

MRSCHITZKA *schluchzt:* Meinens, ich halt das aus? Aber
keine Idee! Kommens, ich geh mit und spring auch!

PRIVATPÄDAGOGE Nein! So etwas muß jeder mit sich selbst
abmachen!

MRSCHITZKA Also werdens nur nicht vorlaut, ja?! Wenn
der Mrschitzka sagt, daß er mitspringt, dann springt er
aber auch mit! Wo sind denn nur meine Schuh?! Kruzifix, ich kann doch nicht ohne Schuh bei die Blutblasen
unter die Hornhäuter – –

PRIVATPÄDAGOGE Ich spring allein!

MRSCHITZKA So wartens doch, Sie Nervösling Sie!

PRIVATPÄDAGOGE Lassens mich! Wissens denn, was ich
getan hab? Grad hab ich meine Frau erschlagen! Erschlagen! *Rasch ab.*

MRSCHITZKA *sieht ihm verdutzt nach:* Ist das ein Witz!

Szene 3

*Der Privatpädagoge eilt nun über die Brücke und hält
ruckartig an der Stelle, wo er gestern geangelt hat. Er sieht
sich nervös-flüchtig um, sieht dann hinab in das Wasser
und hinauf in den Himmel.*

PRIVATPÄDAGOGE Es mußte so kommen. Ein verpatztes
Leben und die Konsequenz. Hier habe ich gestern noch
geangelt und nichts gefangen. Nichts. – – Vielleicht wär
alles anders gekommen, wenn ich was gefangen hätt,
vielleicht läg ich dann jetzt im Bett und tät ruhig schlafen, wenn ich überhaupt nur schlafen könnt! Aber

so? – – Warum habt ihr denn auch nicht angebissen, ihr Hechte da drunten, ihr Karpfen, Waller, Forellen, Saibling und ihr Weißfisch mit den vielen Gräten, an denen man immer wieder erstickt?! Seid verflucht! *Er klettert über das Brückengeländer.* Und lauter dünne Würmer – – Nein, das mach ich nicht mehr mit! O Ewigkeit, empfange deinen Sohn! Immer hab ich für dich gewirkt bei den Nachhilfestunden, von denen ich mich ernährt hab, immer in deinem Geiste – – Also los! Los! Eins, zwei, und eins ist drrrr – –

Szene 4

HAVLICEKS STIMME *er selbst bleibt unsichtbar, weil er an der anderen Seite der Brücke auf dem Boden sitzt und infolgedessen hatte ihn auch der Privatpädagoge zuvor übersehen:* Halt! Halt!

PRIVATPÄDAGOGE *fährt entsetzt zusammen:* Wer ruft da Halt?

HAVLICEK *erhebt sich nun:* Ich.

PRIVATPÄDAGOGE *beiseite und bang:* Welche Geisterstimm – – ich seh mich nicht um.

HAVLICEK Also was treibens denn da für Unüberlegtheiten, Verehrtester? Der Tod kommt eh von allein, garantiert! Zurück! Abrakadabra!

PRIVATPÄDAGOGE *beiseite:* »Abrakadabra«? – – jetzt wag ichs und seh mich um, hoffentlich trifft mich nicht der Schlag – – *Er sieht sich ruckartig um und erblickt Havlicek.* Sie sind das?!

HAVLICEK Wer denn sonst?!

PRIVATPÄDAGOGE *klettert wütend über das Brückengeländer zurück und fährt Havlicek ungeduldig an:* Na das nenn ich aber eine gewaltsame Unerhörtheit, Sie! Was geh denn ich Sie an, wenn ich mich umbringen möcht, bitt ich mir aus?!

HAVLICEK Pardon! Aber ich hab doch eine menschliche – –

PRIVATPÄDAGOGE *unterbricht ihn:* »Menschlich«! Schauns mich an, es gibt keinen Menschen! Was wissen denn Sie schon von meiner grenzenlosen Einsamkeit?! Grad hab ich meine Frau erschlagen!

HAVLICEK Großer Gott!

PRIVATPÄDAGOGE Soll ich mich also hängen lassen oder köpfen?! Nein, das überleb ich nicht! Lieber bring ich mich selber um. Nur schad, daß nicht Winter ist, erfrieren ist der schönste Tod!

Szene 5

STIMME DER FRAU *aus der Ferne:* Theo! Theo!

PRIVATPÄDAGOGE Um Christi Willen!

HAVLICEK Wer ruft da?

STIMME DER FRAU Theo!

PRIVATPÄDAGOGE Sie ruft mich, meine tote Frau!

HAVLICEK *verwirrt:* Sie heißen Theo?

PRIVATPÄDAGOGE Aus dem Jenseits ruft sie mich! *Er blickt empor.* Ich komme, ich komme! *Er klettert wieder über das Brückengeländer.* Eins, zwei, und eins ist drrrr – –

Szene 6

DIE FRAU *kommt nun vom linken Ufer dahergelaufen und zwar ganz außer Atem; sie erblickt ihren Privatpädagogen und schreit:* Theo!!

PRIVATPÄDAGOGE *erblickt sie und kreischt:* Gespenst, Gespenst, Gespenst!

FRAU Ich lebe, ich lebe! Hast mir ja nichts getan, war doch nur ein schwacher Schlag, aber ich hatte meinen Krampf und konnte mich nicht rühren – – O, ich hab es ja gesehen, wie du mir den Abschiedsbrief geschrieben hast, jetzt weiß ich erst, wer du bist! Komm, guter Theo, und verzeih mir meinen Krampf!
Stille.

PRIVATPÄDAGOGE *atmet auf:* Gottlob, du lebst. Hab ich mich jetzt erschreckt! *Er klettert wieder retour über das Brückengeländer.*

FRAU Armer Theo, komm und verzeih mir – –

PRIVATPÄDAGOGE *schließt sie in seine Arme und gibt ihr einen Kuß:* Wirst mir wieder Würmer suchen?

FRAU Ja. Ich werde suchen und suchen und finden – – *Ab mit ihrem Privatpädagogen.*

Szene 7

STIMME DER FRAU HANUSCH *von der anderen Seite der Brücke, wo sie auf dem Boden sitzt, dort wo zuvor auch Havlicek saß:* Kann man jetzt kommen?

HAVLICEK Ohne Gefahr!

STIMME DER FRAU HANUSCH Ist die Luft rein?

HAVLICEK Wir sind unter uns.

FRAU HANUSCH *erhebt sich und kommt:* Gott, waren das aufregende Szenerien! Ich hab direkt Bauchweh vor lauter Empörung! Ich kann halt niemand leiden sehen, wenn ich auch oft herzlos wirk durch meine drastische Manier!

HAVLICEK Sie und herzlos? Wo Sie mir da etwas zum Essen bringen mitten in der Nacht? Kalten Braten und passierten Roquefort? Das zeigt von keinem alltäglichen Herzen, Frau Hanusch!

FRAU HANUSCH Ich weiß, daß das rührend von mir ist und ich war ja schon längst im Bett, aber ich hab keinen Schlaf gefunden, immer hab ich denken müssen: da geht jetzt ein Mann hin und her und niemand laßt ihn rein – – und plötzlich hats mich durchzuckt, ich raus aus dem Bett und daher – – Aber Sie haben ja alles stehen lassen! Habens denn keinen Hunger?

HAVLICEK Hunger schon, aber keinen Appetit.

FRAU HANUSCH Armer Mensch!

HAVLICEK Und derweil ist passierter Roquefort meine Leibspeis – – mein Leibkäs gewissermaßen.

FRAU HANUSCH Das freut mich, daß ich es erraten hab.

HAVLICEK Tut mir gut, Frau Hanusch. Wissens, es schaut nämlich einfacher aus, als wie es ist, wenn man so weg muß aus einem Land, in dem man sich so eingelebt hat, auch wenn es vom Zuständigkeitsstandpunkte nicht die direkte Heimat war – – aber es hängen doch so viel Sachen an einem, an denen man hängt. Zum Beispiel, wie ich noch die Drogerie gehabt hab, da hättens mal meine Auslag sehen sollen – – es war das zwar keine große Auslag, mehr ein größeres Fenster, aber was ich da alles hineinarrangiert hab! Rechts medizinisch, links homöopathisch, vorn kosmetisch und hinten die Diskretion – – Red ich Ihnen nicht zuviel?

FRAU HANUSCH Nein.

HAVLICEK Hm. Ja und der Apotheker nebenan, der hat mich dann zugrunde gerichtet. Plötzlich über Nacht hat der sich auch eine Drogerieabteilung angegliedert und dann ist meine Kundschaft dorthin.

FRAU HANUSCH Warum?

HAVLICEK Er war halt beliebter als ich. Das sind eben oft so dunkle Strömungen in der Massenseele – – da steht man dann und wundert sich. Genau wie im Krieg. Waren Sie im Krieg?

FRAU HANUSCH Ich? Nein.

HAVLICEK Aber in Ihrem Alter – –

FRAU HANUSCH *unterbricht ihn:* Aber ich bin doch eine Frau!

HAVLICEK Großer Gott, das hab ich jetzt ganz vergessen! Meiner Seel, man wird halt schon blöd und blind, wenn man immer so hin und her und immer allein – – – – Nur eine Frau könnt mich retten. Ohne Witz.

FRAU HANUSCH Ja. Ein Mann ist schon etwas Notwendiges, wenn er auch nur repräsentiert. Mein Seliger war ein stattlicher Herr. Hundertsiebzehn Kilo hat er gewogen und der ist mir weggestorben – – Wieviel wiegen denn Sie?

HAVLICEK Weniger. Bedeutend.

FRAU HANUSCH Das merk ich. Wann sinds denn geboren?

HAVLICEK Warum?

FRAU HANUSCH Es interessiert mich.

HAVLICEK Am vierzehnten Juli. Das ist ein großer Tag in Frankreich – – Wissens, da tanzen die Leut auf den Boulevards.
Stille.

FRAU HANUSCH Vierzehnter Juli – – Stimmt!

HAVLICEK Was?

FRAU HANUSCH Ich hab jetzt nur schnell nachgerechnet. Astrologisch. Also nach den Sternen täten wir gut zueinanderpassen.

HAVLICEK Wer?

FRAU HANUSCH Wir zwei.
Stille.

HAVLICEK Aber was sind denn das schon für Stern?! Ich kann doch nicht weg von der Brück! O ich Blödian! Da triff ich da zuvor gleich beide Chefs auf einen Schlag und anstatt daß ich sie erpreß mit ihrer heimlichen Mission, damit sie mich überall hineinlassen, hab ich sie bloß beschimpft – – wie unüberlegt, wie unüberlegt! Aber ich bin halt zu jähzornig! Zu jähzornig – –

FRAU HANUSCH *fällt ihm plötzlich um den Hals und küßt ihn.*

HAVLICEK *etwas betroffen:* Was war das jetzt?

FRAU HANUSCH Ein Stern!

HAVLICEK In unserem Alter? *Er lächelt verlegen.*

FRAU HANUSCH Man ist so alt, als wie man sich fühlt und ich fühl mich noch! – – Schad, daß ich jetzt weg muß, aber ich muß auf meine Reputation achten, auch wenn ich morgen Konkurs ansag.

HAVLICEK Auf Wiedersehen. Und ich danke für Speise und Trank – –

FRAU HANUSCH Geh du hast ja nichts gegessen! *Sie will das Essen wieder mitnehmen.*

HAVLICEK Halt! Laß es da! Jetzt hab ich Appetit!

FRAU HANUSCH *gibt ihm rasch einen Kuß:* Schmecken soll es dir! Schmecken, du braver Mann – – *Rasch ab nach rechts.*

HAVLICEK *ißt und trällert vor sich hin.*

Szene 8

Frau Hanusch geht nun über die Brücke und erreicht das rechte Ufer. Erstaunt sieht sie sich um, da niemand zu sehen ist. Dann horcht sie, nähert sich vorsichtig dem Raubritterturm und sieht durch das Schlüsselloch hinein.

FRAU HANUSCH *erhebt sich wieder:* Gott, es ist doch das Schönste, zwei so junge Menschen in der Umarmung – – *Ab in Gedanken versunken.*

KONSTANTIN *erscheint in der Tür des Raubritterturmes; er ist etwas derangiert und sieht sich um:* Es war doch wer da – –

EVA *taucht hinter ihm auf, ebenfalls etwas derangiert:* So komm doch! Wer soll denn schon?

KONSTANTIN Still! *Er lauscht.* Jetzt hör ich nichts, aber es ist wer vorbei. Du weißt, ich hör immer her auf die Grenz, in jeder Situation – – und ich hab ein scharfes Gehör.

EVA Ja, dir entgeht nichts.

KONSTANTIN Hoffentlich warens nicht unsere Rauschgift-schmuggler. Du, jetzt hab ich direkt Gewissensbiß wegen der zwanzigtausend – –

EVA Was ist ein Mensch neben einer Million?

KONSTANTIN Nichts.

EVA Komm – –

KONSTANTIN *folgt ihr wieder in seinen Raubritterturm.*

Szene 10

Frau Leda kommt nun mit dem als Krankenschwester verkleideten Schmugglitschinski.

FRAU LEDA *leise:* Niemand da? Kein Grenzorgan? Fein!

SCHMUGGLITSCHINSKI *mit überaus tiefer Stimme:* Sehr angenehm und um so besser. *Er entledigt sich seiner Krankenschwesternhaube.* Ich halts eh kaum aus in der Hauben vor lauter Hitz! *Er wischt sich mit seinem Taschentuch einen viertel Liter Schweiß von der Glatze.*

FRAU LEDA Wisch dir lieber nicht die Glatze, sondern gib das verabredete Zeichen!

SCHMUGGLITSCHINSKI Hast recht! Aber vergiß nicht, daß wir uns grad in einer anormalen Hitzewelle befinden! *Er windet sein Taschentuch aus und winkt dann damit.*

Szene 11

Auf dieses verabredete Zeichen hin kommen vorsichtig drei Schmuggler: jeder trägt einen großen Mehlsack mit der jeweiligen Aufschrift: Kokain, Morphium, Opium.

SCHMUGGLITSCHINSKI *zu den drei Schmugglern:* Also nur rasch rauf auf die Brücke mit dem Rauschgift und vor dem drüberen Brückenkopf halt!

DIE DREI SCHMUGGLER *rasch ab auf die Brücke.*

Szene 12

Frau Leda und Schmugglitschinski wollen ihnen folgen – – aber da tritt Konstantin wieder aus seinem Raubritterturm und erblickt die beiden.

STIMME EVAS *aus dem Raubritterturm:* Konstantin! Es ist doch nichts!

KONSTANTIN *beiseite:* Die Kranke und die Heilige? Zu dieser Stund, wo ein jeder anständiger Mensch im Bett liegt? Komisch! *Laut.* Ihren Grenzschein bitte?

SCHMUGGLITSCHINSKI *schlägt ihn k.o.*

KONSTANTIN *bricht lautlos zusammen.*

STIMME EVAS Konstantin! Wo bleibst denn schon wieder so lang?

EVA *erscheint, erblickt auf dem Boden ihren bewußtlosen Konstantin und dann die Krankenschwester ohne Haube – – sie schreit gellend auf.*

SCHMUGGLITSCHINSKI *hält ihr den Mund zu; zu Frau Leda:* Rasch! Knebel! Strick! Na gib schon her aus deinem Ridikül!

FRAU LEDA *knebelt und bindet Eva.*

SCHMUGGLITSCHINSKI Rascher! So! Und jetzt auch diesen Burschen da!

FRAU LEDA *plötzlich steif.*

SCHMUGGLITSCHINSKI *nichts Gutes ahnend:* Was ist?

FRAU LEDA *mit schwacher Stimme:* Ich kann mich nicht rühren – –

SCHMUGGLITSCHINSKI Bist wieder weg?! Gib her! *Er reißt ihr den Strick aus der Hand.* Hast wieder geschnupft?

FRAU LEDA Nein. Gespritzt!

SCHMUGGLITSCHINSKI *bindet und knebelt Konstantin:* Nicht beherrschen kann sie sich! Fürchterlich, immer wieder dieses blöde Rauschgift! Kokain, Morphium, Opium – – das nimmt nochmal ein schlimmes Ende mit dir, im Irrenhaus – – So! *Jetzt hat er Konstantin geknebelt und gebunden.* Alles muß man allein machen, eine feine Compagnonin hab ich da bei der unerträglichen Hitz! *Er wischt sich wieder die Glatze.*

FRAU LEDA Jetzt seh ich mein Kindlein, es winkt mir zu! O, warum bist du gestorben mit vier Jahren, du Englein in deinem Kinderhimmel, ich hätt doch sonst nie angefangen, zu schnupfen und zu spritzen – – *Sie weint.*

SCHMUGGLITSCHINSKI *beiseite:* Das auch noch! *Zu Frau Leda.* Los! Zu! *Er pufft sie.*

FRAU LEDA Au!

SCHMUGGLITSCHINSKI Sei mir nicht bös, aber meine Brutalität ist deine einzige Rettung, Liebling! *Er pufft sie auf die Brücke.*

FRAU LEDA Au!

Szene 14

Solcherart gehen nun Schmugglitschinski und Frau Leda über die Brücke – – an dem schlafenden Havlicek vorbei, den sie nicht bemerken, und der sie natürlich auch nicht bemerkt. Bis an die Stelle gehen sie, wo auf der Brücke, knapp vor dem linken Brückenkopf, die drei Schmuggler mit ihren Mehlsäcken voll Rauschgift weisungsgemäß brav warten.

SCHMUGGLITSCHINSKI *flüstert:* Moment! *Er schleicht sich noch etwas weiter vor und sieht um die Ecke nach der amtlichen Holzbaracke; mit einer Gebärde der Verärgerung kehrt er wieder zurück; zu Frau Leda.* Zu zuwider! Muß da jetzt noch ein Gendarm dabei sein und sogar mit Bajonett-auf! Zwei gegen uns zwei, das ist mir zu riskant!

FRAU LEDA *deutet auf die Schmuggler:* Und die drei!

SCHMUGGLITSCHINSKI Die zählen nicht mit!

DIE DREI SCHMUGGLER Oho!

SCHMUGGLITSCHINSKI Das sind nur Kulis!

DIE DREI SCHMUGGLER Oho!

SCHMUGGLITSCHINSKI Die können nur schleppen oder stören!

DIE DREI SCHMUGGLER Oho!

SCHMUGGLITSCHINSKI Jetzt aber kein Oho mehr!

DIE DREI SCHMUGGLER Oho!

SCHMUGGLITSCHINSKI *zu Frau Leda:* Das hat man von seinem Personal, wenn man zu freundlich mit ihnen verkehrt! Wie oft hab ich dir das schon gesagt, verkehr nicht mit ihnen! Jetzt sind sie frech. *Zu den drei Schmugglern.* Wartet da! Wir zwei erledigen das schon, und zwar mit List – – *Er schlägt Frau Leda auf die Hand, eine Spritze fällt zu Boden, klirrt und zerbricht.* Schon wieder, Irrsinnige?! Schon wieder spritzen?

FRAU LEDA Aber du weißt doch, daß ich süchtig bin! Ich kann nicht so nüchtern schmuggeln!

SCHMUGGLITSCHINSKI Höchste Zeit, daß du eine Entziehungskur durchmachst! Wie uns jetzt da dieser Coup gelingt, kommst in eine Anstalt, das prophezeih ich dir! Also los! Mit List und nach bewährtem Rezept! *Ab mit Frau Leda.*

Szene 15

Die Beiden betreten nun das linke Ufer. Szamek und Mrschitzka sitzen vor der amtlichen Baracke und schlafen nun vor lauter Rausch – – aber Schmugglitschinski und Frau Leda bemerken es nicht vor lauter Vorsicht und Routine.

SCHMUGGLITSCHINSKI *sehr leise:* Fang an, Leda!

FRAU LEDA *nähert sich den Schlafenden:* Guten Tag, die Herren!

SZAMEK UND MRSCHITZKA *erwachen:* Wer da? Was los?

FRAU LEDA *sieht Schmugglitschinski perplex an.*

MRSCHITZKA Ich wünsche nicht gestört zu werden – –

SZAMEK *verschlafen:* Wo bin ich?

FRAU LEDA *perplex:* An der Grenze.

SZAMEK Aha! Aha! *Er reibt sich den Schlaf aus den Augen.* Und Sie wollen über die Grenze?

FRAU LEDA *sieht Schmugglitschinski abermals perplex an:* Ja. Ich und die Krankenschwester dort.

MRSCHITZKA *gähnt:* Wer ist krank?

FRAU LEDA Sie nehmen mir das Wort aus dem Munde. Wir wollen und müssen nämlich auf schnellstem Wege zu einem schwerkranken Verwandten, und ich habe mir diese überaus aufopfernde und verständnisvolle Krankenschwester gleich mitgebracht.

MRSCHITZKA Ein stramme Schwester ist das! Füß wie ein Vieh!

FRAU LEDA Es dreht sich um eine überraschend ausgebrochene schwere innere Erkrankung – –

SZAMEK *unterbricht sie:* Also gehens nur schon zu und störens uns nicht, was interessiert mich denn Ihre Verwandtschaft, mit ihren inneren Erkrankungen! Mich interessiert nur Ihr Grenzschein, gnädige Frau!

FRAU LEDA Ja, das ist eben das Ding.

MRSCHITZKA Was für ein Ding?

FRAU LEDA Wir haben leider keine Papiere.

SZAMEK Aha! Verstehe! Also ohne Papiere geht das nicht! Da könnt Ihre ganze Verwandtschaft aussterben, ohne Grenzschein wird da niemand vorbei hereingelassen! Punkt!

FRAU LEDA Aber das ist doch herzlos!

SZAMEK Ich bin auch herzlos!

MRSCHITZKA *der sich Schmugglitschinski genähert und ihn von allen Seiten aufmerksam betrachtet hat:* Du Thomas! Schau dir mal die Schwester an! Genauer!

FRAU LEDA *aufgeregt:* Warum?

MRSCHITZKA Weil sie knusperig ist, meine Gnädigste! Schad, daß ich jetzt nicht im frühen Mittelalter leb, damals waren so knusperige Schwestern, wie ich höre, zugänglicher – – *Er klopft Schmugglitschinski auf den Hintern.*

SCHMUGGLITSCHINSKI *lächelt verschämt.*

MRSCHITZKA Stramm! Sehr stramm!

FRAU LEDA Belästigen Sie bitte die Schwester nicht, Herr Inspektor.

MRSCHITZKA Ich bin kein Inspektor. *Und wieder klopft er Schmugglitschinski auf den Hintern.*

FRAU LEDA Die Schwester kann sich ja nicht wehren – –

MRSCHITZKA Umso besser!

FRAU LEDA Ach, das ist roh! Bedenken Sie doch bitte, daß die Schwester eine strenge Ordensregel – –

MRSCHITZKA *unterbricht sie:* Regel her, Regel hin! So rabiat wird das schon nicht gehandhabt werden, was Mausi? *Er zwickt Schmugglitschinski in die Backe.*

SCHMUGGLITSCHINSKI *lächelt wieder verschämt.*

MRSCHITZKA Na sag doch schon was!

FRAU LEDA Aber sie darf ja nichts reden, das ist doch eben ihr Gelübde! Höchstens hie und da ein Wort.

MRSCHITZKA Was hör ich? Nur ein – –

SCHMUGGLITSCHINSKI *mit verstellter Stimme:* Wort.

MRSCHITZKA Und sonst?

SCHMUGGLITSCHINSKI Nichts.

MRSCHITZKA Geh das ist doch blöd!

SCHMUGGLITSCHINSKI Nein.

MRSCHITZKA Sondern?

SCHMUGGLITSCHINSKI Gescheit.

MRSCHITZKA Also auf alle Fäll ist es anstrengend! Immer nur ein Wort – – Kruzifix, bei der Figur! Aber satt dürfts euch doch hoffentlich essen?

SCHMUGGLITSCHINSKI Sehr.

MRSCHITZKA Schweinernes?

SCHMUGGLITSCHINSKI Nein.

MRSCHITZKA Kälbernes?

SCHMUGGLITSCHINSKI Nein.

MRSCHITZKA Geflügeliges?

SCHMUGGLITSCHINSKI Nein.

MRSCHITZKA Mir scheint also, überhaupt kein Fleisch?

SCHMUGGLITSCHINSKI Erraten.

MRSCHITZKA Aha! Vegetarianisch?

SCHMUGGLITSCHINSKI Ja.

MRSCHITZKA Zum Beispiel?

SCHMUGGLITSCHINSKI Spargeln.

MRSCHITZKA Gut so! Und?

SCHMUGGLITSCHINSKI Trüffeln.

MRSCHITZKA Also das ist schon extravagant! Nichts reden, aber Trüffeln fressen – – und wie stehts denn mit
dem Getränke?

SCHMUGGLITSCHINSKI Wasser.

MRSCHITZKA Und?

SCHMUGGLITSCHINSKI Rum.

MRSCHITZKA Prächtig! Und Bier, Wein, Schnaps, Likör,
Most?

SCHMUGGLITSCHINSKI Alles.

MRSCHITZKA Gut so. Und was trinkt denn mein herziges
Schwesterlein am liebsten?

SCHMUGGLITSCHINSKI Viel.

MRSCHITZKA Sehr sympathisch, anormal sympathisch!
Und trinkt ihr schon des Morgens?

SCHMUGGLITSCHINSKI *nickt Ja:* Und – –

MRSCHITZKA Mittags?

SCHMUGGLITSCHINSKI *nickt Ja:* Und – –

MRSCHITZKA Abends?

SCHMUGGLITSCHINSKI Bis –

MRSCHITZKA – in –

SCHMUGGLITSCHINSKI – die –

MRSCHITZKA – tiefe –

SCHMUGGLITSCHINSKI – Nacht.

MRSCHITZKA *begeistert:* Das ist ein Gelübde, das ist ein
Orden, das sind Regeln!

SCHMUGGLITSCHINSKI *berührt Mrschitzka schüchtern:* Gewehr –

MRSCHITZKA Was?

SCHMUGGLITSCHINSKI *lächelt verlegen:* Bajonett – –

MRSCHITZKA *perplex:* Was für ein Bajonett?

FRAU LEDA Ach, die brave Schwester bittet Sie nur um Ihr Gewehr – – sie möcht es gern mal in die Hand nehmen aus einem regen Interesse – –

MRSCHITZKA Für mein Gewehr?

SCHMUGGLITSCHINSKI Bitte – –

MRSCHITZKA Militant, sehr militant! *Indem er Schmugglitschinski sein Gewehr überreicht.* Da wird geladen, da wird gedruckt und dann gehts vorn los!

SCHMUGGLITSCHINSKI *übernimmt das Gewehr; mit seiner tiefen Stimme:* Danke! *Er schlägt Mrschitzka k.o.*

MRSCHITZKA *bricht lautlos zusammen.*

SCHMUGGLITSCHINSKI *reißt sich rasch wieder die Haube herunter:* Herrgott, die Hitz! *Er hebt das Gewehr auf.* Szamek. Hände hoch!

SZAMEK *reagiert nicht, denn er ist inzwischen längst wieder eingeschlafen.*

FRAU LEDA Pst! Der schläft ja schon wieder!

SCHMUGGLITSCHINSKI Auch gut – – *Er legt das Gewehr weg.* So erregen wir noch weniger Aufsehen! Und jetzt gib ich das verabredete Zeichen – – *Er winkt mit seinem Taschentuch nach der Brücke zu.*

Szene 16

Aber auf der Brücke erscheint Konstantin mit seinem Dienstrevolver in der Hand – – hinter ihm tauchen Eva auf und Havlicek, mit sehr viel Stricken.

KONSTANTIN Hände hoch!

SCHMUGGLITSCHINSKI Goddam!

FRAU LEDA O Kind!

KONSTANTIN Hände hoch! Hoch oder!!

FRAU LEDA UND SCHMUGGLITSCHINSKI *folgen.*

138

KONSTANTIN Denkt nur ja nicht, daß ihr mich überrum-
peln könnt! So lange geht das nicht! *Zu Eva und Havlicek.* Bindet sie. Ich halt sie derweil mit meinem Dienstrevolver in Schach!

HAVLICEK Auch knebeln?

KONSTANTIN Binden genügt!

EVA UND HAVLICEK *führen nun Konstantins Befehl aus.*

MRSCHITZKA *kommt allmählich wieder zu sich:* — — hab ich
das jetzt geträumt, daß mich da eine Nonne niederge-
streckt hat? Natürlich hab ich diesen Unsinn geträumt,
denn ich träum immer Unsinn und mich streckt keiner
nieder — — mich nicht! Es war ein Traum — *Er erblickt
Eva, Havlicek, Konstantin und so weiter und ist maßlos
überrascht.* Was seh ich?! Mir scheint, ich träum noch
immer! Meiner Seel, da steht ja dieser Ausgewiesene — —
Jessus Maria, die Nonn hat eine Glatzen! Maria Josef — —
gib acht, Mrschitzka! Gib acht — — — — *Er nähert sich
ängstlich Szamek und rüttelt ihn.* Thomas! Wach auf!

SZAMEK *erwacht:* Warum soll ich aufwachen?

MRSCHITZKA Weil ich Angst hab, Thomas. Mir scheint,
ich bin krank — — trelirium demens.

SZAMEK Wundern täts mich nicht. Geh, sei so gut und laß
mich schlafen!

MRSCHITZKA Aber schau doch nur mal dorthin, bittschön — — ob dort nämlich was ist oder ob das jetzt nur
eine persönliche Fata Morgana von mir ist — —

SZAMEK Ich schau nicht hin. Ich hab selber Angst!

MRSCHITZKA Feigling.

SZAMEK Also feig bin ich nicht! Jetzt schau ich hin! *Er
schaut hin und erstarrt.*

MRSCHITZKA *bange:* Siehst auch etwas?

SZAMEK Und ob ich was seh — — *Er schlägt auf den Tisch.*
Was seh ich?! Der Konstantin! Da herüben?! Na das ist
aber eine grandiose Grenzverletzung!

KONSTANTIN Ruhe, Szamek! *Zu Eva.* Fertig?

EVA Sogleich.

SZAMEK *beiseite:* »Ruhe, Szamek«? Befehlen auch noch?!
Maßt sich da Amtshandlungen an auf unserem Hoheits-
gebiet – – *Er schreit.* Eva! Da geh her und folg ihm nicht!
Wie kommst denn da dazu, wildfremde Nonnen zu fesseln?! Meiner Seel was da passiert, also das gibt Krieg!

KONSTANTIN *ruhig:* Bitte nur nicht aufregen, lieber Vater
Szamek!

SZAMEK Ich Ihr Vater? Na servus! Da tät ich mir leid!

KONSTANTIN *scharf:* Herr Szamek! Wenn ich jetzt hier die
Grenz nicht verletzt hätt, wären Sie jetzt vielleicht be-
reits über einer anderen Grenz – – es gibt auch höhere
Gewalt!

HAVLICEK Vis major!

SZAMEK *zu Mrschitzka:* Versteh kein Wort! Und du?

MRSCHITZKA Aber!

KONSTANTIN Darf ich vorstellen: Herr Schmugglitschinski, der berüchtigste Rauschgiftschmuggler und
seine überaus raffiniert routinierte Compagnonin! Das
Personal dieser Firma haben wir ebenfalls bereits auf
der Brücke überwältigt, es sitzt nun drüben hinter
Schloß und Riegel.

EVA Und das Rauschgift haben wir auch beschlagnahmt.
Fast drei Zentner.

SZAMEK Was hör ich?!

KONSTANTIN Die Wahrheit!

SZAMEK *zu Mrschitzka:* Mrschitzka, er sagt die Wahrheit.
Er ist ein Idiot.

KONSTANTIN *braust auf:* Herr Szamek – –

SZAMEK *unterbricht ihn:* Junger Mann, jetzt red ich! Was
Sie mir da zusammen fabulieren ist platterdings zu
plump! Herr, diese männliche Nonn soll der Schmugglitschinski sein?!

MRSCHITZKA Zu plump!

SZAMEK Sie Anfänger, Sie! Den echten Schmugglit-schinski, den haben ich und mein Freund schon längst hopp, schon vor vielen Stunden – – *Er deutet auf die Baracke* – da sitzt er drinnen eingekastelt!

KONSTANTIN *perplex:* Wo?

SZAMEK Da in der Barack! Es war nicht leicht, ihn zu überführen, aber ich hab halt meine alte kriminalisti-sche Routin – – und raffiniert bin ich auch!

MRSCHITZKA Genial raffiniert.

SZAMEK *zu Mrschitzka:* Wie selbstsicher der aufgetreten ist, unser Schmugglitschinski, was?! Sogar für den Ministerpräsidenten hat er sich ausgegeben!

HAVLICEK Ministerpräsident? Großer Gott!

SZAMEK Aber wir haben ihn demaskiert.

MRSCHITZKA Nicht zu knapp! Ich hab ihm gleich eine hingehaut. Gleich!

KONSTANTIN *zu Eva:* Mir schwant ein Unheil – – ein furchtbares Unheil für deinen Papa!

SZAMEK Eva! Und jetzt komm her und bitt deinen eigenen Vater um Verzeihung, daß du erst jetzt kommst, aber so, daß es dein Herr Konstantin sieht!

KONSTANTIN Moment, Herr Szamek!

SZAMEK Avanti, Eva! Avanti!

KONSTANTIN Aber Herr Szamek! Sie haben ja Ihren eige-nen Ministerpräsidenten eingesperrt, Ihren eigenen echten! Und dieser Herr hat seinem eigenen echten eine hingehaut – – ich beschwöre Sie, weil ich Ihre Eva lieb hab, daß ich recht hab! Die beiden Chefs wollten doch heut Nacht in aller Heimlichkeit auf der Brücke konfe-rieren!

HAVLICEK Stimmt!

MRSCHITZKA Was wissen denn Sie schon, Sie Ausgewie-sener?!

HAVLICEK Weil ich mitkonferiert hab!

EVA Aber so laß ihn doch schon frei, Papa, um Gottes Christi Willen!

HAVLICEK Ich tät ihn gleich wiedererkennen.

Stille.

SZAMEK *zu Mrschitzka; etwas unsicher:* Zu blöd, nicht?

MRSCHITZKA Oberblöd.

KONSTANTIN Ich beschwöre Sie abermals, lassen Sie Ihren Gefangenen sofort frei, denn eventuell entsteht ja noch eine Katastroph für die ganze zivilisierte Menschheit! Könntens denn das verantworten, Herr Szamek?

SZAMEK *sehr unsicher:* Warum nicht? *Zu Mrschitzka.* Aber laß ihn mal raus, damit er sich beruhigt, dieser junge Grenzverletzer – –

MRSCHITZKA Der möcht ja doch nur unsere zwanzigtausend! Aber daraus wird nichts, eher bring ich mich um!

Szene 17

Die Nacht ist nun schon durchsichtiger geworden und jetzt dämmert der Morgen.

MRSCHITZKA *öffnet die Barackentür:* Raus!

Y *erscheint, er ist gebrochen und weint bitterlich.*

HAVLICEK Das ist er!

Y Na, der Kerl kann sich freuen, der mich da in dieses Loch – –

MRSCHITZKA Das ist kein Loch, das ist eine amtliche Barack, bitt ich mir aus!

Y *unter argem Geschluchze:* Ein Loch ist es, ein schamloses Loch! Penetrant! Wenn ich euch nur alle sehen könnt, aber ich hab ja keine Brille – – *Er stürzt plötzlich auf Schmugglitschinski zu und brüllt ihn an.* Was bin ich? Ein Rauschgiftschmuggler?!

SCHMUGGLITSCHINSKI Ja.

FRAU LEDA Er lügt! *Zu Schmugglitschinski.* So gibs doch schon zu! Was nützt leugnen in unserer Lage?!

KONSTANTIN Sehr vernünftig.

SCHMUGGLITSCHINSKI *zu Leda:* Schad, daß wir nicht in die gleiche Zell kommen, da tätst was erleben!

FRAU LEDA Ich erleb nichts mehr.

SZAMEK *zu Frau Leda:* Ist das wahr – –?

FRAU LEDA Ja.

Stille.

SZAMEK *brüllt:* Aber also dann hinein mit euch in das Loch! Hinein!! *Er sperrt Frau Leda und Schmugglitschinski in die amtliche Baracke.*

Szene 18

Y hat sich inzwischen an dem Tische niedergelassen und weint noch immer über die Tischplatte gebeugt.

MRSCHITZKA *fällt vor ihm in die Knie:* Herr Exzellenz! Ich hab eine Familie mit drei minderjährige Töchter und vier außereheliche Enkelkinder – – Gnade!

KONSTANTIN Warum Gnade?

MRSCHITZKA *zu Konstantin:* Weil ich sonst meine Pensionsansprüch verlier! *Zu Y.* Gnade! Gnade!

KONSTANTIN Aber Ihr braucht doch keine Gnade! Pflichtlich wart Ihr doch vorschriftlich! Pflichtlich hätt Euer Präsident einen vorschriftlichen Paß haben sollen, da er aber keinen pflichtlich-vorschriftlichen, sondern nur einen unvorschriftlich-unpflichtlichen gehabt hat, habt Ihr ihn doch vorschriftlich-pflichtlich verhaften und pflichtlich-vorschriftlich einkasteln müssen! Also braucht Ihr vorschriftlich keinerlei Gnade, denn pflichtlich seid Ihr im Recht!

HAVLICEK Vorschriftlich-pflichtlich!

MRSCHITZKA *beiseite:* Ein ganz ein logisches Gehirn – –

SZAMEK *beiseite:* Ganz ein scharfsinniger Kopf, dieser
Konstantin – – wundert mich!

SZAMEK *beiseite:* Mir scheint, er hat recht. *Laut.* Natürlich hat er recht! *Er erhebt sich.* Sehr vorschriftlich, sehr
pflichtlich! Ich brauch keine Gnad, ich such mir schon
mein Recht, und wenn ich Unrecht tun müßt! *Beiseite.*
Jetzt gönn ich ihm erst meine zwanzigtausend, er-
sticken soll er daran!

EVA Hoch Konstantin, der Retter!

Y *wimmernd:* Und wer rettet mich? *Er steht auf.* Nur das
Dementi! Ich dementier, ich dementier! *Stark schluchzend.* Aber diese Nacht soll mir ein Fingerzeig gewesen
sein: jetzt sperr ich aber meine ganze Opposition ein! *Er
rennt heftig weinend gegen die Brücke.*

HAVLICEK Halt! Nach der anderen Richtung!

Y Im Ernst?

HAVLICEK Also mit die Richtungen kenn ich mich jetzt
schon aus.

Y *ab in der richtigen Richtung.*

Szene 19

Jetzt geht die Sonne auf.

EVA Papa! Jetzt gibst aber doch dann dein Einverständnis
zu unserer langersehnten Verbindung?

SZAMEK Jetzt ja. *Zu Konstantin.* Mein Sohn, du hast mich
doppelt gerettet, mein Leben und meine Pensionsbe-
rechtigung, ich seh das ein, weil ich keinen falschen
Charakter hab, wie die Leut bei euch dort drüben! Also
behalt sie dir, die Eva, und da habts meinen Segen! Jetzt
bist ja ein reicher Mann. Zwanzigtausend – – enorm!

KONSTANTIN Moment! Die Wahrheit und die Gerechtigkeit
gebieten es mir feierlichst zu sagen, daß diese enorme
Summe nicht mir gebühren kann, sondern – *Er deutet
auf Havlicek* – jenem Herrn dort, denn ich hätte dich ja
nie retten können, wenn er mich nicht gerettet hätt – –
und also ist Herr Havlicek eigentlich unser aller Retter!

SZAMEK *sprachlos:* Eigentlich?

HAVLICEK Eigentlich hab ich ja nur ein Wimmern gehört,
wie ich da auf dieser Brück grad etwas entschlummert
war und zuerst hab ich gedacht: das ist nur Gehörstäu-
scherei – – aber dann hab ich halt doch nachgeschaut,
weil mir mein Gefühl keine Ruhe gelassen hat. Und
dann hab ich halt die beiden entfesselt.

SZAMEK *noch immer sprachlos:* Wieso entfesselt?

KONSTANTIN Kurz und gut, Papa! Ich danke dir für deinen
väterlichen Segen, aber die zwanzigtausend gehören
Herrn Havlicek!

EVA Das ist gut von dir – –

SZAMEK Na servus! Jetzt bricht eine Welt in mir zusammen.

EVA Und eine neue entsteht – – *Sie küßt Konstantin.*

MRSCHITZKA *zu Havlicek:* Gratuliere, Herr Multimillio-
när!

HAVLICEK Was hab ich davon? Auf einer Brück!

Szene 20

FRAU HANUSCH *kommt rasch von der Brücke; überrascht:*
Ja, wie kommen denn Sie daher hinüber, Herr Konstantin?!

KONSTANTIN Später!

FRAU HANUSCH Ich such Ihnen schon überall – – eine
amtliche, dringende Depesch!

KONSTANTIN Danke! *Er erbricht und überfliegt sie.* Was? *Er liest es laut.* »Durch eine außertourliche und außerinstanzliche ministerielle Verfügung ist dem heimatlosen Ferdinand Havlicek sofort die Grenze zu öffnen« – –

HAVLICEK »Heimatlos« – – das bin ich!

KONSTANTIN Da steht es: schwarz auf weiß.

ALLE *zu Havlicek:* Wir gratulieren!

HAVLICEK Mir scheint, ich schlaf – –

FRAU HANUSCH Nein, das tust du nicht – –

KONSTANTIN Wieso per du?

FRAU HANUSCH Später! *Sie küßt Havlicek.*

EVA Was seh ich?

FRAU HANUSCH Darf ich vorstellen: der neue Postwirt! Nur schad daß ich heut Konkurs anmeld!

HAVLICEK Trotzdem!

MRSCHITZKA Was hör ich?! Noch ein Paar, ist das eine Freud! Rum her!

KONSTANTIN Und Sie werden auch keinen Konkurs anmelden, Frau Hanusch, denn der neue Postwirt besitzt ab heut ein Vermögen von zwanzigtausend!

FRAU HANUSCH Jetzt fall ich um! Ferdinand!

HAVLICEK Halt! Still! *Drohend.* Jetzt werd ich aber auch gleich edel werden! Gerecht und wahr! – – Also hört her, ihr! Ich hab zwar den Konstantin gerettet, aber wer hat denn hier mit dem Revolver gesiegt – – er oder ich? Na also! Ich war doch nur eine Voraussetzung zu seinem Glück! Darum: halb und halb. Zehn für das Glück und zehn für die Voraussetzung!

FRAU HANUSCH Aber Havlicek!

HAVLICEK Still! Ich bin Fachmann in puncto Ungerechtigkeit – – ich weiß, was das wert ist: Gerechtigkeit.

SZAMEK Halb und halb?

FRAU HANUSCH Er ist ein braver Mann.

szamek Zehntausend ist auch kein Hund. Meiner Seel, jetzt freuts mich erst wieder, diese Heiraterei!

Szene 21

Und nun erscheint der Privatpädagoge mit seiner Frau. Er trägt die Angel und sie die ominöse Blechbüchse mit den Regenwürmern.

privatpädagoge *gut gelaunt:* Guten Morgen, guten Morgen! So früh schon auf?

eva *lächelt:* Wir hatten alle Nachtdienst, alle miteinander.

privatpädagoge Und wir gehen jetzt angeln. Meine brave Frau hat mir herrliche Würmer gebracht – – *Ab mit ihr auf die Brücke.*

mrschitzka *ruft ihnen nach:* Petri Heil!

Szene 22

frau hanusch Jessus, jetzt hab ichs vergessen. Da hab ich ja noch eine dringende Depesch an dich persönlich – –

havlicek An mich?

frau hanusch Ja. Eine schöne.

havlicek Woher weißt denn das? Erbrichst du meine Post?

frau hanusch Aber geh, ich bin doch die Posthilfsstelle und bei mir lauft alles ein!

havlicek Dann kennst du also auch das Morse-Alphabet? Respekt! *Er erbricht die Depesche und liest sie.* Na das ist aber rührend! Rührend!

mrschitzka Vorlesen! Laut! Wir wollen auch gerührt werden!

HAVLICEK Vom Chef dort drüben, das heißt: vom ehemaligen Chef – – *Er liest.* »Mein lieber Herr Havlicek stop es ist mir ein Bedürfnis, bevor ich demissioniere, Ihnen zu helfen stop es drängt mich noch im Besitze der Macht eine menschliche Tat zu begehen stop über alle Gesetze hinweg stop Sie sind also erlöst von Ihrer penetranten Brücke und ich hoffe, daß es Ihnen gut gehen wird, während ich mich in meine Einsamkeit zurückziehe, um an meinen Memoiren zu arbeiten stop fieberhaft zu arbeiten stop Tag und Nacht stop mit drei Sekretärinnen stop leben Sie wohl stop Ihr – – – –« *Er wischt sich einige Tränen aus den Augen.* Ich wünsche ihm alles Gute für seine Memoirenschreiberei, er soll sich nur selbst gerecht behandeln – – Leut, die so depeschieren, stellen sich meist zurück. Hoffentlich streicht er sich heraus. Und was die Depesch kostet, großer Gott – – *Er zählt.* Siebenundachtzig Wörter! Und dringend, also dreifach!

MRSCHITZKA Bezahlt die Allgemeinheit!

FRAU HANUSCH Irrtum! Diese Depesch ist privat!

HAVLICEK Ich sag ja: ein vornehmer Mensch, überhaupt: ein Mensch! Und überhaupt und eigentlich, wie leicht daß man so unmenschliche Gesetz menschlich außer Kraft setzen kann – – Schad, daß man immer gleich demissionieren muß!

Szene 23

Der Privatpädagoge und seine Frau erscheinen nun strahlend auf der Brücke mit einem gefangenen Riesenfisch.

PRIVATPÄDAGOGE Da! Ein Riesenhecht!

ALLE Wir gratulieren!

PRIVATPÄDAGOGE Der Tag beginnt gut und die Nacht war

doch so düster! Heut angel ich nimmer! Das ist ein Hecht!

HAVLICEK Abrakadabra!

PRIVATPÄDAGOGE *begeistert:* Abrakadabra!! Und ihr seid alle eingeladen zu diesem Fang! Meine Frau kocht ja so pikant und ohne ihre Würmer hätten wir jetzt alle miteinander keinen Hecht! *Zur Frau.* Geh, nimm diesen Hecht, er sei dein, mir ist er schon zu schwer!

MRSCHITZKA Fisch eß ich gern! Wenn ich nur wüßt, wo ich meine Schuh hab, Kruzifix! Aber was, mir schmeckts auch nackt – – das wird ein Verlobungsschmaus!

FRAU Verlobung?

SZAMEK *deutet auf Konstantin und Eva:* Dort! Das junge Paar!

PRIVATPÄDAGOGE UND FRAU Wir gratulieren!

FRAU HANUSCH Na und wir? In vier Wochen heiß ich Frau Havlicek!

ALLE Wir gratulieren!

HAVLICEK Danke.

EVA Und in vier Wochen heiß ich – – *Zu Konstantin* – – wie du. Und in sieben Monat – – *Sie küßt ihn.*

SZAMEK Was?! Schon in sieben Monat?!

MRSCHITZKA Ich gratuliere.

SZAMEK Na servus!

FRAU HANUSCH Aber Herr Szamek! Ende gut, alles gut!

SZAMEK Ich habs ja immer schon gewußt, daß die Leut dort drüben einen falschen Charakter haben!

PRIVATPÄDAGOGE Das junge und das noch jüngere Paar – – sie leben hoch!

ALLE Hoch! Hoch! Hoch!

Finale mit Gesang.

HAVLICEK

O Heimat, die ich nicht kennen tu,
Bring mir den Frieden, bring mir die Ruh!

Jetzt ging ich da so hin und her
Und her und hin und hin und her
Und wieder her und wieder hin – –
Mich wunderts nur, daß ich noch bin!

FRAU HANUSCH

Was wunderts dich, mein Havlicek?
Die Freud kommt immer nach dem Schreck!
Die Hauptsach: sie kommt nicht zu spät
Das heißt: daß man sie noch erlebt!

HAVLICEK

Ja, plötzlich kam ein guter Geist
Die Postwirtin, die Hanusch heißt.

FRAU HANUSCH

Der liebe Gott ist immer gut
Und trotzdem weiß er, was er tut.
Schau himmelwärts und nieder
Mein Havlicek, mein lieber!

ALLE *außer Havlicek:*

Schau himmelwärts und nieder
Mein Havlicek, mein lieber!

EVA

O Konstantin, in einem Jahr
Was wird dann sein in unserer Zeit
Sind wir dann noch ein Paar
In der seinerzeitigen Zeit?

KONSTANTIN

Ach was sind denn das für Sorgen?

Ich denk nicht an das Übermorgen!
Ich genieße mir das Heut
Denken ist nur Zeitvertreib!

ALLE *außer Eva und Havlicek:*
Wir genießen uns das Heut
Denken ist nur Zeitvertreib!

EVA
O du mein liebes Übermorgen
Betrüg uns bitte nicht!
Enttäusch nicht unsere Herzen
Laß uns unser kleines Licht!

Besuch uns nicht mit Streit und Armut
Tritt froh in unser Heim herein
Übergeh uns lieber alle
Doch laß uns unsre Liebe rein.

Bring uns Mut und gib uns Lust
Und schenke uns Zufriedenheit
Und laß uns nimmer daran denken
Wie schön wär die Vollendetheit!

Ich will darüber wachen
Am Tag und in der Nacht
Daß keine harten Schatten
Erscheinen in böser Pracht.

Daß sie nicht erscheinen
Wenn von droben das Sonnenlicht
Auf meines Kindleins Wiege
Durch die Gardinen bricht – –

ALLE *außer Frau Hanusch:*
O du mein liebes Übermorgen
Betrüg uns bitte nicht

Enttäusch nicht unsere Herzen
Laß uns unser kleines Licht!

FRAU HANUSCH

Unser Licht, das haben wir
Und das ist grad mein Plaisir!
Und dies Plaisir in meiner Brust
Das ist der Liebe Leid und Lust!

HAVLICEK

Ja, der Liebe Lust und Leid
Ist ein buntes Galakleid
Für ein einsames Skelett
Von der Wieg zum Totenbett.

FRAU HANUSCH

Nein, das laß ich mir nicht nehmen
Havlicek, tu dich benehmen!
Verlang nicht alles auf einmal!
Bitte, werd nicht radikal!

HAVLICEK

Radikal, das bin ich nicht
Ich seh nur Grenzen, fürchterlich!
Überall, auch in der Lieb
Wird man behandelt wie ein Dieb.

PRIVATPÄDAGOGE

Egal! Grenzen muß es geben!

SZAMEK

Denn von die Grenzen tun wir leben.

PRIVATPÄDAGOGE

Und zum Beispiel leiden wir
An einem viel zu großen Vielzuviel
Von Wünschen, Begierden, Gedanken
Trieben, gesunden und kranken
Gescheiten und dummen
Geraden und krummen
Und das alles miteinander

Ein faktisches Durcheinander!
In Anbetracht solcher Innenleben
Muß es eben Grenzen geben.

ALLE *außer Havlicek:*
In Anbetracht solcher Innenleben
Muß es eben Grenzen geben!

HAVLICEK
Ich seh schon ein, daß es muß geben
Gar manche Grenz, damit wir leben.

PRIVATPÄDAGOGE
Denn wenn ein jeder das tät, was er möcht
Und das unterließ, was er nicht möcht
Wenn ein jeder so wär, wie er ist – –

SZAMEK
Na servus! Das wär ein feiner Mist!

PRIVATPÄDAGOGE
Eine Katastrophe für die Welt
Und auch für sich persönlich selbst.

MRSCHITZKA
Na gute Nacht! Das wär ein Erwachen!
Da hätten wir alle nichts zu lachen!

FRAU
Was nützt ein Leben ohne Grenzen?
Die Kinder tun die Schule schwänzen
Die Alten sehnen sich zurück – –
Wo bleibt das Glück, das Glück, das Glück?

SZAMEK
Rasch kommt der Winter, weiß und kalt
Ein schönes Weib, das wird nun alt
Sie sitzt im Rollstuhl und kann sich nicht rühren
Mit falsche Zähn und nervösen Allüren
Mit Zucker, Gicht und Podagra
Und was weiß ich, was sonst noch da!
Noch nährt man sie künstlich, von vorn und von hint

Und dann ist es aus, »überraschend« geschwind – –
EVA *fährt Szamek an:*
Man soll auch nicht ewig leben!
ALLE *außer Eva und Szamek:*
Es muß eben Grenzen geben!
SZAMEK *kleinlaut:*
Man soll auch nicht ewig leben
Da muß es halt Grenzen geben – –
MRSCHITZKA
Da trinkt sich einer jeden Tag
Ganz voll bis obenrauf
Mit Rum, Likör und Bier und Schnaps – –
Auf einmal hat er einen Klaps
Sieht weiße Mäus und Ratten
Dischkuriert mit seinen Schatten
Debattiert mit der Luft
Telephoniert mit seiner Gruft
Hört unter argem Beben
Böse Zungen über sich reden.
Mit einer Axt zum Zeitvertreib
Erschlägt er dann sein braves Weib
Kommt aber nun in den Krankenwagen
Gefesselt, geschlagen, gepufft und getragen – –
Der Wagen fährt ihn in ein Haus
Da schaun viel Narren beim Fenster heraus
Mit dicke Köpf und wenig Haar
Und einem Leben sonderbar – –
Dort bleibt er dann für immerzu
Verblödet gibt er endlich Ruh.
Auch dieser Fall beweist uns nur:
ALLE
Ohne Grenzen keine Kultur!
HAVLICEK
Aber es gibt eine einzige Art

Von Grenzen, die könnten einem bleiben erspart – –

KONSTANTIN

Still, Havlicek, vergiß es nicht!
Diese Grenzen sind unsere Pflicht!
Und außerdem auch unser Lohn
Denn wir leben ja davon.

FRAU

Was nützt ein Leben ohne Grenzen?
Die Kinder tun die Schule schwänzen
Die Alten sehnen sich zurück – –
Wo bleibt das Glück, das Glück, das Glück?

HAVLICEK

O Heimat, die ich nicht kennen tu
Bring mir den Frieden, bring mir die Ruh!

Auf einer Ansichtskarte
Da hab ich dich erblickt
Lagst da im Mondenscheine
Und hast mich sehr beglückt.

Mußt immer an dich denken
Am Tag und in der Nacht
Und oft in den letzten Zeiten
Wär ich gern nimmer erwacht.

Wär nur gern entschlummert
Und hätt mich gern begraben
In deiner alten Erde
Voll Märchen und voll Sagen – –

EVA

O du mein liebes Übermorgen
Betrüg uns bitte nicht
Enttäusch nicht unsere Herzen
Laß uns unser kleines Licht – –

FRAU HANUSCH
    Ach der liebe Gott ist immer gut
    Und trotzdem weiß er, was er tut!
    Schau himmelwärts und nieder
    Mein Havlicek, mein lieber!
ALLE *außer Havlicek:*
    Schau himmelwärts und nieder,
    Mein Havlicek, mein lieber!
HAVLICEK
    O Heimat, die ich nicht kennen tu
    Bring mir den Frieden, bring mir die Ruh!
ALLE
    O Heimat, wie bist du so schön
    In dir möcht ich sein und vergehn!

Vorhang

ENDE

Himmelwärts

Ein Märchen in zwei Teilen

Personen: St. Petrus · Ein kleiner Bub · Frau Steinthaler · Luise · Der Bühnenportier · Ein Dienstmann · Lauterbach · Intendant · Der Teufel · Ein Vizeteufel · Zwei verdammte Seelen · Herr Steinthaler · Ein himmlischer Arzt · Eine himmlische Krankenschwester · Ein Autogrammjäger · Die Garderobenhex · Der Inspizient · Der Dirigent · Julius Cäsar · Menschen und verdammte Seelen und einige Höllenschergen

Schauplatz: Die Bühne ist in drei übereinanderliegende Teile geteilt, und zwar:
Himmel, Erde, Hölle.

Erster Teil

Im Himmel

Hoch über den höchsten Wolken hängt der Himmel voller Geigen. Vor dem geschlossenen Himmelstor hängt ein lustiger Briefkasten. Ein kleiner Bub klettert die Himmelsleiter empor; er hat nur ein Hemdchen an, und zieht an der Himmelsglocke, die überaus silbern klingt. Aufgehen des Tores.

ST. PETRUS Ja, wer kommt denn da?!

BUB Ich.

ST. PETRUS Wie heißt denn du?

BUB Peter.

ST. PETRUS Brav, sehr brav! Wie kommst denn du da herauf?

BUB Ich hab mich sehr stark erkältet, weil ich am Sonntag Nachmittag beim Fußball war, trotzdem daß der Dreck so hoch gelegen ist und geschneit hat es auch und die Platzverhältnisse waren hundsmiserabel. *Er zeigt ein Abzeichen.* Das ist das Abzeichen von meinem Fußballklub.

ST. PETRUS Bist also ein großer Fußballer?

BUB Ein sehr ein großer!

ST. PETRUS Brav, sehr brav! Dafür bekommst du auch was besonders Schönes! Rat einmal, was ich dir mitgebracht hab! Deine Flügel!! *Er bindet ihm zwei Kinderflügel um.* Jetzt flieg nur schnell hinunter! Dort spielen all die seligen Fußballspieler! Da kannst zuschaun bis in alle Ewigkeit!
Vielstimmiger Schrei in der Ferne.
Das war ein Goal!

BUB Fein! Krieg ich aber auch einen guten Platz?

ST. PETRUS Bei uns gibts nur Tribüne! Bei uns sitzt jeder in
der Mitte!

BUB Fein! *Rasch ab durch das Himmelstor und wieder ein
vielstimmiger Schrei in der Ferne.*

ST. PETRUS Schon wieder ein Goal! Zwar, solangs nur
Fußball spielen, gehts ja noch an! Aber neulich kommt
da so ein zweijähriger Knirps daher und fangt mit mir
an zu politisieren – – na gute Nacht! *Er öffnet den
Briefkasten, entnimmt ihm eine Zeitung und blättert in
ihr.* Was?! Der Staatssekretär Roßkopf ist schon vor
drei Tagen gestorben und ist noch nicht da – – hm, hm.
Dann wird er wohl ganz drunten gelandet sein, hätts
nicht gedacht, hat doch immer so fromme Reden geführt – – hm!

FRAU STEINTHALER *kommt und sieht recht abgehärmt aus:*
Guten Morgen Herr Sankt Petrus!

ST. PETRUS Habe die Ehre! Mit wem habe ich denn das
Vergnügen?

FRAU STEINTHALER Ich bin, das heißt: ich war die Frau
Leopoldine Steinthaler, geborene Gruber, Gerichtsvollzieherswitwe.

ST. PETRUS Der Herr Gemahl ist also auch schon tot?

FRAU STEINTHALER Ja, aber der sitzt in der Höll.

ST. PETRUS Auweh!

FRAU STEINTHALER Er hat sich nie um seine Familie gekümmert, alles Geld hat er ins Wirtshaus getragen – –

ST. PETRUS *unterbricht sie zart:* Jaja, da kann man nix
machen. Habens ein angenehmes Sterben gehabt?

FRAU STEINTHALER Dank der Nachfrag. Ich war sehr müd.

ST. PETRUS Liebe Frau, jetzt könnens Ihnen ja ausruhn – –

FRAU STEINTHALER Ist es hier immer so hell?

ST. PETRUS Immer, immer.
Sphärenmusik.

FRAU STEINTHALER *lauscht und lächelt dann traurig:* Ich

möcht ja so gern froh sein, aber wissens, Herr Sankt
Petrus, ich hab ein Kind drunten zurückgelassen, eine
einzige Tochter – – ist erst achtzehn Jahr alt und
möcht zum Theater. Sie hat einen schönen Sopran, die
Luise, aber sie kommt halt nicht vor. Jetzt wartets
schon sieben Wochen vor dem Bühnentürl, damit sie
dem Herrn Intendanten was vorsingt, aber der laßt
sich immer verleugnen. Sie hat halt keine Protek-
tion – –

ST. PETRUS Kommens, Frau Steinthaler! Bedenkens, wie
kurz ist das Leben und Sie sind im Himmel! Kommens!

FRAU STEINTHALER *folgt ihm durch das Himmelstor.*

Dunkel

Auf der Erde

*Und zwar vor dem Bühnentürl. Man hört gedämpft die
Abendvorstellung heraus, Musik und Gesang (Meistersinger-Ouvertüre). Luise sitzt auf einer Bank und wartet.
Es ist Herbst. Die Blätter fallen, ab und zu weht der Wind
und dann flackert das Licht in den Laternen.
Ein Dienstmann kommt mit einem Bouquet und der Bühnenportier erscheint im Bühnentürl.*

DIENSTMANN *grüßt:* Ist das hier das Bühnentürl?

PORTIER Logischerweise.

DIENSTMANN Alsdann sind Sie der Herr Bühnenportier?

PORTIER Wer denn sonst?

DIENSTMANN Alsdann, ich soll das Zeug da abgeben für
eure Primadonna. *Er überreicht das Bouquet und ein
Briefchen.*

PORTIER *liest die Adresse:* Aha! Das ist unser Koloratur-
sopran.

DIENSTMANN Das ist mir wurscht! *Ab.*

Musik aus.

PORTIER *erbricht das Briefchen und liest:* Teuerste! – Das
glaub ich! – In Erwartung liebverlebter Stunden – –

LUISE *plötzlich:* Herr Bühnenportier!

PORTIER Was gibts denn schon wieder?

LUISE Ist er noch immer nicht da, der Herr Intendant?

PORTIER Nein.

LUISE Aber ich wart doch schon sieben Wochen.

LAUTERBACH *erscheint im Bühnentürl:* Sobottka! Habens
nicht zufällig ein schmerzstillendes Mittel bei sich? Ich
hab da einen hohlen Zahn, der tut mir scheußlich
weh!

PORTIER Leider, Herr Hilfsregisseur, besitze ich nichts
Schmerzstillendes. Trinkens ein bisserl Alkohol, das
betäubt.

LAUTERBACH Ich hab ja schon drei Achtel Rum!

PORTIER Drei Achtel? *Schnuppert.*

LAUTERBACH Es können auch vier Achtel gewesen sein,
aber es bleibt immer alles beim alten. Meiner Seel, ich
bin schon richtig deprimiert, gesundheitlich und – beruflich auch.

PORTIER Sie sollten nicht so viel saufen, Herr Lauterbach!

LAUTERBACH Sondern? Sie habens leicht: Sie sind der Bühnenportier. Aber ich? Eigentlich bin ich doch ein korrekter Regisseur. *Laut.* Derweil komm ich aber nie zu
meiner Regie, immer und immer nur Hilfsregie! O du
heilige Verzweiflung! Nie und nimmer eine selbständige
Inszenierung, wo man endlich zeigen könnt, was in
einem drinnen schlummert!

PORTIER Schicksal!

Pause.

LAUTERBACH Lieber Sobottka, gehns, leihns mir ein paar
Kreuzer, damit ich mir noch ein Achtel Rum – –

PORTIER *unterbricht ihn:* So gehens doch lieber zum Zahnarzt!

LAUTERBACH Aber das ist ja noch kostspieliger! Und die Bohrerei vertrag ich auch nicht!

LUISE Herr Bühnenportier! Wann kommt denn der Herr Intendant?

PORTIER *ungeduldig:* Was weiß ich!

LUISE Aber ich wart doch schon sieben Wochen!

PORTIER *hartnäckig:* Und es wird halt nix mit der Vorsingerei!

LUISE Warum?

PORTIER Darum! Sie Hartnäckige, Sie! *Zündet seine Pfeife an.*

Pause.

LAUTERBACH *zum Portier:* Was ist das?

PORTIER Eine hartnäckige Anfängerin. Sie laßt nicht locker!

LUISE Lasse ich auch nicht!

Pause.

LAUTERBACH *betrachtet Luise:* Da sieht mans wieder! Was ist schöner als die Jugend?

LUISE Der Erfolg!

LAUTERBACH Ein großes Wort!

LUISE Herr Hilfsregisseur – könntens mich nicht ein bisserl protegieren?

LAUTERBACH Ich wollt, ich könnt mich selber protegieren!

PORTIER Fräulein, werdens lieber Verkäuferin!

LUISE Wie bitte?

PORTIER Bitte, bitte! Wenn Sie sichs leisten können, noch sieben Wochen zu warten –

LUISE Ich kann es mir leisten!

LAUTERBACH Habens einen Freund?

LUISE Ich hab überhaupt niemand! Für mich existiert nur mein Sopran und sonst nichts. *Zum Portier.* Ist es denn nicht Aufgabe eines arrivierten Intendanten, junge, strebsame Menschen zu entdecken?

PORTIER Ja? – Fragens ihn selber!

LUISE Werd ich auch!

PORTIER Da kommt er grad!

LAUTERBACH *blickt über den Platz, böse:* Dann geh ich! *Ab durch das Bühnentürl.*

INTENDANT *kommt, sieht niemanden.*

PORTIER Ergebenster Diener, Herr Intendant!

INTENDANT Guten Abend, Sobottka! Gehns, schauns gleich mal nach, wo der Lauterbach steckt und bringens mir den Burschen lebendig oder tot! Ein feiner Hilfsregisseur ist das! Bei der heutigen Generalprob soll er ja wieder lebensgefährlich besoffen gewesen sein! Eine verläßliche Kraft!

PORTIER Sofort, sofort! *Rasch ab durch das Bühnentürl.*

INTENDANT *will ihm folgen.*

LUISE Herr Intendant!

INTENDANT *stutzt, hält, sieht aber gar nicht hin.*

LUISE Herr Intendant, ich wart ja schon so lang auf Sie! So, so lang! Ich hab nämlich einen Sopran, einen lyrischen Sopran, und ich lasse nicht locker trotz Regen und Spott! Denn ich bin entschlossen dazu, weil ich von mir überzeugt bin und weiß, daß ich was leisten werd – *Sie stockt, da der Bühnenportier hastig wieder erscheint.*

PORTIER Melde gehorsamst, der Lauterbach ist auf dem Schnürboden!

INTENDANT Danke, Sobottka! *Er deutet auf Luise.* Ich hab keine Zeit! *Ab durch das Bühnentürl.*

PORTIER *ironisch:* Also Fräulein, dann wartens nur noch – und tuns Ihnen einen Schal um den Hals, sonst verlierens noch Ihre Stimm! *Ab durch das Bühnentürl.*

LUISE *starrt ihm nach und schreit dann:* Sitzen Sie einmal auf dieser Bank da, um nur einmal zeigen zu können, was

Sie können! Schuft! *Sie weint.* Aber ich lasse nicht locker!
– O Mutter im Himmel, denkst noch – an mich? Schau,
ich hab keinen Schal! – Spürst es, wie es hier drunten
zieht?! – *Windstoß, Sie kuschelt sich zusammen, friert.*
Lichtwechsel beginnt. Erde verdämmert. Himmel
leuchtet auf. Wind wird zur Sphärenmusik.

Im Himmel

Frau Steinthaler sitzt auf einer Wolkenbank und starrt
hinab auf die Erde. Sie hat nun bereits ihre Flügel und ist
ein seliges Wesen. Ab und zu macht sie sich feuchte Um-
schläge auf die Stirne, denn sie leidet an Kopfschmerzen.

ST. PETRUS Grüß Gott, grüß Gott! Gehts heut schon besser
  mit die Kopfweh?

FRAU STEINTHALER Lieber St. Petrus, für ein Mutterherz ist
  es auch im Himmel nicht so einfach. Immer muß ich
  hinunterschaun, was mein Kind macht.

ST. PETRUS Tröstens Ihnen! Das Fräulein Tochter wird es
  schon zu was bringen!

FRAU STEINTHALER Sie hat ja so eine herzige Naturstimme.
  Aber heut hats die Miete schon nimmer zahlen können!
  Hätt nur mein feiner Gemahl nicht alles versoffen! Na,
  der kann sich freuen, wenn er raufkommt, so in zirka
  fünfhundert Jahr!

ST. PETRUS *droht mit dem Zeigefinger:* Sehens, Frau Steinthaler, deshalb gehts Ihnen auch im Himmel nicht so
  himmlisch, weil Sie Ihrem armen Mann die Höll gönnen!

FRAU STEINTHALER Für mich existiert nur die Luise!

ST. PETRUS Das hängt eben alles zusammen! Himmel und
  Hölle!

Dunkel

In der Hölle

Tief drunten, wo die Verdammten im Kessel sitzen.

DIE VERDAMMTEN *singen:*

O in der Höll drunt ist es heiß
Rinnen müßt da unser Schweiß,
Wenn er nur grad rinnen tät
Von morgens früh bis abends spät!
Aber das ist ja grad unsere Qual,
Daß wir nicht dürfen nach freier Wahl
Schweißeln, dünsteln, transpirieren,
Obwohl es uns tut irritieren!
O Teufel, du harter, du böser du
Laß endlich uns schwitzen für immerzu!

EIN VIZETEUFEL *kommt:* Ruhe! Was plärrt ihr da schon wieder Chorál im Dreivierteltakt! Blamage! Immer nur sich selbst beschweren, das hält ja beim Teufel kein Teufel aus! Zum Teufel!

ERSTER VERDAMMTER Pardon, Herr Vizeteufel, aber wir sind doch arme verdammte Seelen und so ein bisserl Gesang erhebt uns halt – –

VIZETEUFEL »Erhebt«? Welch ketzerisches Ketzerwort! Ihr wollt Erhebung in der Höll, wo offiziell nur erniedrigt wird? A das ist aber eine luxuriöse Vorstellungswelt! Ihr murrt?! Na wartet! Gleich kommt er selber der Herr und Meister, unser Teufel in persona!

ZWEITER VERDAMMTER Um Gottes, wollt sagen: um des Teufels willen!

VIZETEUFEL Jetzt gratulier dir aber, daß du dich nicht total versprochen hast! Mir scheint, dir scheint dein Schutzengel, wollt sagen: dein Schutzteufel im allerletzten Moment aufs Maul geschlagen zu haben – – Pst! Er kommt!

TEUFEL *kommt mit einigen Höllenschergen:* Guten Morgen Leute!

DIE VERDAMMTEN Gute Nacht!

TEUFEL *zum Vizeteufel:* Rapport!

VIZETEUFEL Melde gehorsamst, ein Vizeteufel mit fünf-
hundertsechsundsiebzig verdammten Seelen!

TEUFEL Danke! Wie gehts, wie stehts? Untersteht sich wer,
sich zu beschweren?

ERSTER VERDAMMTER Melde gehorsamst: ich.

TEUFEL Und zwar?

ERSTER VERDAMMTER Ich hab Sehnsucht.

TEUFEL Das haben wir alle. Aber nach was denn?

ERSTER VERDAMMTER Ich möcht mei Ruh haben.

TEUFEL Ruh? Ruh in der Höll?! *Zu seinen Schergen.* Also
der kriegt ein Fichtennadelbad, damit er sich beruhigt!
Dauer: Achthundert Jahr, aber so heiß, daß er friert,
bitt ich mir aus!

ZWEI SCHERGEN *stürzen sich auf den ersten Verdammten
und schleppen ihn ab.*

ERSTER VERDAMMTER O könnt ich nur erfrieren!

TEUFEL Hier erfriert niemand, hier friert man nur! Merk
dir das!

DRITTER VERDAMMTER Melde gehorsamst, ich möcht
mich auch beschweren, weil ich nämlich keine Aus-
kunft bekomme.

TEUFEL Was heißt das? *Zum Vizeteufel.* Wer ist das?

VIZETEUFEL Aufzuwarten, das ist ein gewisser ehemaliger
Gerichtsvollzieher, namens Ferdinand Steinthaler, und
der erkundigt sich immer nach dem Schicksal seiner
einzigen Tochter, aber wir dürfen ihm doch nichts verraten, denn solang er gelebt hat, hat er sich um seine
Familie überhaupt nicht gekümmert, weil er eben auch
schon ein typischer Alkoholiker gewesen – –

TEUFEL *unterbricht und herrscht ihn an:* Genug! Ich bin ja
nicht begriffsstutzig!

VIZETEUFEL *eingeschüchtert:* Aufzuwarten!

STEINTHALER Ich bitt Sie, lieber Herr Teufel, wie gehts
denn jetzt meiner Tochter, Luise heißt sie, und wie ich
gestorben bin wars so groß – – *Er deutet einen halben
Meter hoch.*

TEUFEL Das geht zu weit! Ich bin doch kein Auskunfts-
büro!

STEINTHALER Wenn man wenigstens nur ein Krügel
Bier – –

TEUFEL Bier?! Das auch noch?! *Zu seinen Schergen.* Gebt
ihm ein Krügel frisches flüssiges Feuer! Prost! *Ab.*

Dunkel

Auf der Erde

*Wieder vor dem Bühnentürl, und wieder hört man ge-
dämpft die Abendvorstellung heraus, Musik und Gesang.
Luise wartet noch immer auf dem Bankerl.*

DER BÜHNENPORTIER *tritt aus dem Bühnentürl mit einer
zusammengerollten schwarzen Fahne; er erblickt Luise:*
Was seh ich?! Schon wieder?!

LUISE *dumpf, jedoch entschlossen:* Ich wart auf den Intendanten.

PORTIER Noch immer? Da könnens jetzt aber lang warten! Sehens die schwarze Fahne? Der Herr Intendant ist
nämlich tot!

LUISE *schnellt empor:* Tot?! Seit wann denn?

PORTIER *hißt während des folgenden umständlich seine
Fahne über dem Bühnentürl:* Grad vor einer halben
Stund hat ihn ein Herzkrampf befallen, wie er sich grad
hat rasieren wollen – –
Pause.

LUISE Na sowas. Jetzt wart ich schon dreizehn Wochen

auf eine mir günstige Gelegenheit und derweil wart ich auf einen, dens gar nimmer gibt. Beispiellos.

PORTIER *hat nun die Fahne gehißt:* Das ist gar nicht beispiellos, daß einen der Teufel holt!

LUISE Aber so aus heiterstem Himmel? *Sie setzt sich wieder.*

PORTIER Nicht setzen! So gehens doch heim! Auf was wartens denn noch?

LUISE Auf den neuen Intendanten.

PORTIER *starrt sie perplex an, zuckt dann die Achseln:* Mir scheint, Sie sind besessen – – *Er will ab durch das Bühnentürl.*

LUISE *plötzlich, fast schrill:* Herr Portier! Wann wird er denn begraben, der tote Intendant?

PORTIER Übermorgen.

LUISE Pompös? Ich meine, ob er pompös begraben wird oder nur so in aller Stille?

PORTIER Erstens wird er nicht begraben, sondern verbrannt. Zweitens wird er logischerweise pompös begraben, wollt sagen, verbrannt!

LUISE Halt! Glaubens, daß ich bei dieser Einäscherung etwas finden könnt – – ich meine etwas gesangliches, so etwa im Trauerchor?

PORTIER Im Chor?

LUISE *kleinlaut:* Ja.

PORTIER Aha, Sie gebens schon billiger! *Ab durch das Bühnentürl.*

LUISE Aber nur vorübergehend!

Während der folgenden Szene wird es auf Erden nicht dunkel.

*Der Teufel geht in einem etwas abgelegenen Winkel allein
auf und ab. Von fern her hört man das monotone Winseln
und Zähneklappern der armen Seelen.*

TEUFEL Endlich allein! Keine angenehme Beschäftigung
hab ich mir da aussuchen müssen, wenn ich denk, daß
das immer so weiter – – – immer nur drauf achten, daß
es den vermaledeiten Herrschaften heut schlechter geht,
damit sie es morgen merken, wie gut es ihnen gestern
gegangen ist – – na Servus! *Er ruft.* He Vizeteufel!

VIZETEUFEL *erscheint:* Aufzuwarten!

TEUFEL Ist der Intendant schon da?

VIZETEUFEL Aufzuwarten, er ist schon da und wurde bereits gezwickt, gezwackt, gezwuckt und ein bisserl geröstet.

TEUFEL Gut so.

VIZETEUFEL Das war ein Theater, wie ich den geholt hab!
Mit Händ und Füß hat er um sich geschlagen, der Herr
Intendant, aber ich hab ihn beim Herz erwischt und
habs ihm so schön langsam zerdrückt. Er hat sich grad
rasieren wollen – – Jetzt sitzt er im Kessel!

TEUFEL Trefflich, trefflich!

VIZETEUFEL Aber er macht dabei einen etwas absonderli-
chen Eindruck – –

TEUFEL Wieso?

VIZETEUFEL Er lächelt in einer Tour.

TEUFEL Lächelt? Lächelt in der Höll? Impertinenz! Herein
mit dem Lümmel und zwar sofort!

VIZETEUFEL *eilt zur Tür rechts und ruft hinaus:* Der Intendant! Der Intendant!

INTENDANT *erscheint durch die Tür links, er hat noch das
Pyjama an, in dem ihn der Vizeteufel geholt hat, und
auch sein Gesicht ist noch voll Rasierseife; nun ist er in*

schwere Ketten gelegt und in Begleitung zweier Höllen-
schergen.

TEUFEL *winkt ihn herrisch näher zu sich heran und geht*
dann grimmig um ihn herum; brüllt ihn plötzlich an:
Lächel nicht! Elender Saboteur! Ich an deiner Stell würd
mich jetzt grimmig beklagen!

INTENDANT Melde gehorsamst, ich möcht mich ja auch
beklagen – –

TEUFEL Aha!

INTENDANT Jawohl! Es geht mir nämlich zu gut.

TEUFEL *perplex:* Zu gut?

INTENDANT Normalerweise.

TEUFEL *zu den zwei Höllenschergen:* Rädert ihn! Aber
von unten nach oben und wieder retour, bitt ich mir
aus! Und dann wird er faschiert!

INTENDANT Halt! Faschieren ist ja ganz amüsant, aber ich
bin beileibe etwas besseres gewöhnt – – ich war nämlich Stammgast bei der Madam Pokorny und der Ida
Schütz.

TEUFEL Achso – – *Zum Vizeteufel.* Lebt denn die Pokorny
noch?

VIZETEUFEL Aufzuwarten, leider.

TEUFEL Die wird auch hundert Jahr! Aber einen Salon hat
die Person – – gediegen! First class!

INTENDANT Sie, da könntens was lernen!

TEUFEL Benehm Er sich, ja?!

INTENDANT *grinst:* Was kann mir schon passieren – –

TEUFEL Mir scheint, Er kennt mich noch nicht. Grins Er
nicht so teuflisch! Ich kann auch zärtlich sein, wenns
nur unangenehm wirkt – – *Zu den Höllenschergen.*
Also, der wird ab heut gut behandelt und gebt mir
besonders auf seine Haare acht, daß ihm keines gekrümmt wird, sonst krümm ich euch! Los! Seid zärtlich
zu ihm!

INTENDANT *schreit gellend auf, wirft sich zu Boden und umklammert des Teufels Knie:* Nein, Fürst der Hölle! Nein!

TEUFEL *schüttelt ihn ab:* Weg! Marsch in den Kessel!

INTENDANT Gnade!

TEUFEL »Gnade«? Hätt gute Lust und tät dich begnadigen! Weißt du was das heißt, wenn ich dich begnadige?!

INTENDANT O wehe!

TEUFEL Richtig! O wehe! Und siebenmal wehe, da du dich derartig bestialisch geweigert hast, freiwillig zu folgen! Schau, wie du ausschaust! Im Pyjama, statt im frischgebügelten Totenhemd! Schickt sich denn das?! Solche Leut hab ich gern! Zuerst schließt er einen Kontrakt mit mir, daß er mir seine unsterbliche Seele für fünftausend Jahr verkauft, wenn ich es ihm ermögliche, daß er zwanzig Jahr lang Intendant sein kann − − dann wird ers trotzdem daß er ein total amusischer Mensch ist. Aber wie er jetzt den Kontrakt erfüllen soll, da schlagt er mit Händ und Füß um sich! Pfui! Hinweg mit ihm!

INTENDANT Euer Ungnaden! Laßt mich nur noch ein bisserl leben und ich bring Euch eine neue Seel!

TEUFEL Töricht! Abgeschmackt! Als krieget ich nicht Seelen, mehr als ich verdauen kann! Wenn das so weitergeht, muß ich nächstes Jahr eh aufstocken! Und alles nur Fegefeuer!

INTENDANT Aber was Fegefeuer! Ich bring Euch eine Seele für die Ewigkeit!

TEUFEL Das ist ein großes Wort!

INTENDANT Ehrenwort!

Stille.

TEUFEL *miauzt in Steigerung wollüstig; er denkt nach und spielt dabei automatisch mit dem Schwanz:* Für die Ewigkeit? Das muß ich mir mal durch den Schwanz gehen lassen! *Er wirft einen Blick auf den Himmel.* Hat etwas Faszinierendes – allerdings! *Er fährt den Inten-danten an.* Aber nur eine reelle Seele, mit der man unter anständigen Bedingungen einen unanständigen Kon-trakt machen kann, bitt ich mir aus!

INTENDANT Verbindlichsten Dank, mein Liebster, Bester!

TEUFEL Kusch! Und merk dir das Eine, verlotterter Zwerg: Krieg ich keine reelle Seele, bleibst du mir hier unten verhätschelt bis in alle Ewigkeit!

INTENDANT Ich bring sie, ich hab keine Angst!

TEUFEL Keine Angst? Frechheit! Raus!

INTENDANT *klettert nun die Höllenleiter hinauf zur Erde.*

TEUFEL Marsch auf die Leiter, ab, ab, ab, hinauf auf die Erde! Schau, daß du weiter kommst, du – du – Thea-terdirektor!

Auf der Erde

Abermals vor dem Bühnentürl und abermals während der Abendvorstellung. Die schwarze Fahne hängt herab und Schnee fällt in sanften Flocken. –
Luise wartet noch immer auf dem Bankerl, weit und breit allein.

LUISE Jetzt schneit es und ich hab meine Mutter gefragt, ob sie an mich denkt, daß ich keinen Schal habe. Doch sie hat mir keinen Engel geschickt. Und die Menschen schaun zum Fenster hinaus und es kümmert sie nicht, ob man friert. Oder sie gehn an einem vorbei und grüßen, tun aber nur so. Und dann sterben die Menschen und vergessen mich. – Nein! Ich lasse nicht locker! Ich warte, ich wart! – Vielleicht kommt der neue Intendant. Ein neuer Intendant, der da sagt: »Ziehen Sie sich um Fräu-lein Luise Steinthaler, denn Sie werden sich in allen Illu-strierten sehen, von Kalifornien bis wieder zurück, und

Ihr Name wird überall fett gedruckt. Denn Sie spielen ab heute alle führenden Rollen und man wird von Ihnen reden noch in zweihundert Jahr!« – Wo bin ich in zweihundert Jahr? Von mir aus in der finstersten Hölle, wenn ich nur heut was erreich! Jetzt! Jetzt!

LAUTERBACH *erscheint atemlos und ziemlich betrunken; er eilt auf das Bühnentürl zu und ruft:* Sobottka! Sobottka!

PORTIER *erscheint im Bühnentürl.*

LAUTERBACH Habens schon gehört, ein so ein schauerliches Unglück?

PORTIER Ich bin im Bilde informiert, übermorgen wird er verbrannt!

LAUTERBACH *grimmig:* Da sinds aber in einem falschen Bilde informiert – – – der Herr Intendant lebt!

LUISE *schnellt empor.*

PORTIER Was hör ich?

LAUTERBACH Wie gesagt, er war halt nur scheintot und hat uns für blöd angschaut! Ein so ein himmelschreiendes Unglück! Wo wir doch alle bereits hörbar aufgeatmet haben!

PORTIER Außer der Souffleuse! – –

LAUTERBACH Geh die alte Hex! Schad, ewig schad! Jetzt hätt ich doch endlich eine aussichtsreiche Aussicht ghabt, eine selbständige Regie zu führen statt dieser ewigen Hilfsregiererei – –

PORTIER Schicksal!

LUISE Pardon, meine Herren – – er lebt?

LAUTERBACH Leider!

PORTIER Pst!

LAUTERBACH Mach dich nicht lächerlich, Sobottka!

PORTIER Seit wann sind wir denn per du?!

LAUTERBACH Seit ich mir grad einen Rausch angetrunken hab!

PORTIER Das merk ich! *Er läßt ihn verärgert stehn, zieht die schwarze Fahne ein und rollt sie zusammen.*

LAUTERBACH Sieben Krügel Bier und fünf Achtel Rum, weil unsern braven Herrn Intendanten der Teufel gholt hat, derweil kehrt der Krüppel ins Leben zurück – – *Zu Luise.* Was tun Fräulein?

LUISE Für mich kann das nichts verderben.

LAUTERBACH Und für mich alles. Adieu, du schöne schwarze Fahne! Ein Freudenrausch hätts werden sollen, und ein Verzweiflungsrausch ists geworden! *Zu Luise.* Für wie alt haltens mich denn?

LUISE Ich kann nicht schätzen und Männer schon gar nicht.

LAUTERBACH *nimmt seinen Hut ab:* Weiß. Wie Schnee. Sieht fesch aus, aber ich bin erst achtunddreißig.

LUISE *sieht ihn überrascht an.*

LAUTERBACH *grinst:* Da staunt wer – – und hier hab ich einen hohlen Zahn, der tut mir weh. Ein Weisheitszahn. *Er reißt vor ihr seinen Mund auf und deutet auf einen Backenzahn.* Da!

LUISE *unwillig:* Was interessiert mich denn Ihr Zahn?!

LAUTERBACH Weil ich eine Bohèmenatur bin! Lieber Herrgott im Himmel, einmal, nur ein einziges Mal eine selbständige Inszenierung, dann könnt ich lauter hohle Zähne haben und ich spüret nix!

INTENDANT *kommt.*

PORTIER *verbeugt sich:* Herr Intendant! Zunächst meine Gratulation – –

INTENDANT *lächelt:* Jaja, alle halten einen für tot und man sieht doch nur so aus – – keine dankbare Rolle!

LAUTERBACH Apropos Rolle! Ließe es sich nicht vielleicht doch irgendwie arrangieren, daß ich die Regie in der Widerspenstigen Zähmung – –

INTENDANT *unterbricht ihn:* Aber ausgeschlossen!

LAUTERBACH *verbeugt sich hinterlistig:* Dann erlaub ich mir halt zu gratulieren, daß der Herr Intendant aus den Klauen der Hölle, wollt sagen des Todes – –

INTENDANT *unterbricht ihn abermals:* Schon gut, Lauterbach! *Er fixiert ihn unsicher.* Mir scheint, Sie haben wieder getrunken – –

LUISE *plötzlich:* Auch ich gratuliere.

INTENDANT *wendet sich erstaunt ihr zu.*

LAUTERBACH *grinst:* Sie hat einen Sopran.

LUISE Einen lyrischen Sopran! So hörens mich doch endlich an, Sie werdens nicht bereuen, ich gäb ja schon meine Seligkeit drum her!

INTENDANT Ihre Seligkeit?

LUISE Ja, aber nicht die Seligkeit die Sie jetzt meinen, sondern jene mit den Engerln droben und dem ewigen Licht!

INTENDANT *lächelt:* Aber die mein ich ja grad – – *Windstoß.*

INTENDANT *sieht sich scheu um und schlägt seinen Pelzkragen hoch.*

LAUTERBACH *drohend:* Herr Generalintendant! Auf ein allerletztes Wort: krieg ich meine Regie oder krieg ich sie nie?

INTENDANT Nie!

LAUTERBACH Und warum nie?

INTENDANT Weil Sie der unbegabteste Regisseur sind, der je auf Gottes Erdboden – –

LAUTERBACH *unterbricht:* Kusch!

INTENDANT *braust auf:* Woher nehmen Sie den Mut – –

LAUTERBACH *unterbricht ihn brüllend:* Weil ich einen Freudenrausch in mir hab und mich zu etwas Höherem verpflichtet fühl, verstanden?! Ich bin kein geborener Hilfsregisseur – – Halt! Jetzt inszenier ich, weil ich alles im kleinen Finger zehntausendmal besser kann wie Sie,

176

obwohl mein Name überhaupt nie auf einem Plakat gedruckt wird! Weiß der Teufel wie das zugeht!

INTENDANT *starr; dann rasch ab durch das Bühnentürl, gefolgt vom Portier.*

LAUTERBACH *nach einer Pause.* So, jetzt ist es endlich radikal heraußen – – *Er grinst beglückt.*

LUISE *vorwurfsvoll:* Und er ist wieder drinnen!

LAUTERBACH Seins froh! Kommens mit mir, Fräulein, auf einen Tee mit ein bisserl mehr Rum – –

LUISE Geh, so habens mich doch gern!

LAUTERBACH Das werd ich Sie nicht haben! Ich hab überhaupt niemand gern, merken Sie sich das! Gut! Dann sauf ich mich jetzt halt allein an! Mutterseelenallein – – *Ab.*

LUISE *sieht ihm nach:* Sieben Krügel Bier – – auch ein Schuft! Grad hätt man vielleicht endlich Gelegenheit gehabt mit der Vorsingerei und wär dazu gekommen, derweil inszeniert einem einer einen Skandal. So ein Pech! Mit was hab ich mir das verdient – –

PORTIER *erscheint im Bühnentürl:* Fräulein! Sinds noch da?

LUISE Ich geh auch nicht weg!

PORTIER Sollens auch nicht, Anfängerin! Nämlich der Herr Intendant haben es sich überlegt – – singens ihm vor! Los! So kommens doch schon!

LUISE *stürzt überglücklich an das Bühnentürl.*

Dunkel

Im Himmel

Frau Steinthaler liegt krank in ihrem Wolkenbett. Ein himmlischer Arzt und eine himmlische Krankenschwester, beide logischerweise ebenfalls beflügelt, bemühen

sich um sie. Auch St. Petrus steht am Fußende und be-
trachtet bekümmert den Fall.

ARZT *zu St. Petrus:* Ein schwieriger Fall. Hohes Fieber in
einer Tour.

KRANKENSCHWESTER *betrachtet den Fiebermesser:* Drei-
undvierzig Grad.

ARZT Also wenn die nicht schon im Himmel wär, dann
würd sie es nicht überstehn.

ST. PETRUS Schlimm, schlimm!

KRANKENSCHWESTER So liegt sie jetzt schon seit sieben Tag
und spricht wirre Dinge.

FRAU STEINTHALER *stöhnt leise.*

ARZT Pst! *Er beugt sich über sie.* Was meinen Sie, gute
Frau? *Er lauscht und erhebt sich.* Immer dasselbe! Immer redets von einem Bühnentürl.

ST. PETRUS Aha!

KRANKENSCHWESTER Immer fragts nach einer gewissen
Luise.

ST. PETRUS Aha!

FRAU STEINTHALER *richtet sich mühsam etwas auf, unterstützt von Arzt und Krankenschwester; sehr schwach:*
Wo bin ich?

ST. PETRUS Im Himmel!

FRAU STEINTHALER *sieht sich fragend um und erkennt nun
erst St. Petrus, sie nickt ihm wehmütig zu:* Sankt Petrus!
Stehts noch immer vor dem Bühnentürl?

ST. PETRUS *setzt sich seine Brille auf, hebt beide Hände als
Schirm gegen das himmlische Licht und schaut hinab
auf die Erde:* Ja. Noch immer.

FRAU STEINTHALER Und hats noch immer keinen Schal um
den Hals?

ST. PETRUS Ich seh nix.

FRAU STEINTHALER Oh weh, oh weh, oh weh!

ARZT *beruhigt sie:* Nur Ruhe, Ruhe und Frieden – –

FRAU STEINTHALER Aber die wird sich ja noch eine Lungenentzündung holen, Mariandjosef!

ST. PETRUS *schaut noch immer hinab:* Halt! Jetzt tritt ein Herr auf sie zu – –

FRAU STEINTHALER Ein Herr?

ST. PETRUS Ah, das scheint der Bühnenportier zu sein! Ja und der führt sie jetzt über zwei Stiegen – – und jetzt geht der Intendant auf sie zu – –

FRAU STEINTHALER Der Intendant?!

ST. PETRUS Ja. Und jetzt, jetzt läßt er sich von ihr was vorsingen.

FRAU STEINTHALER Vorsingen?! Endlich!

ST. PETRUS Pst, seins stad! Mir scheint, man hörts bis herauf – –

ALLE *lauschen.*

LUISES STIMME *von weit drunten; sie singt.*

FRAU STEINTHALER Ach Luise! Kind!

ARZT Ein hübscher Sopran.

KRANKENSCHWESTER Sehr angenehm!

ST. PETRUS Und was seh ich? Schon wird sie engagiert?

FRAU STEINTHALER *überglücklich:* Engagiert?! Das überleb ich nicht!

ST. PETRUS Jaja.

FRAU STEINTHALER Jetzt bin ich erst im Himmel – –

ST. PETRUS *schaut nun nicht mehr hinab:* Hm. Aber der Vertrag gefällt mir nicht.

FRAU STEINTHALER Kriegt sie zu wenig Gage?

ST.PETRUS Zu viel.

FRAU STEINTHALER Und das gefällt Ihnen nicht? Bei der Naturstimm, die meine Luise hat, kann sie gar nicht zuviel kriegen! Nein, daß ich das hab erleben dürfen – – ich geh mich jetzt bedanken! *Sie springt aus ihrem Wolkenbett.*

ARZT Schonen Sie sich doch noch!

FRAU STEINTHALER Jetzt bin ich gesund! *Rasch ab*.

ST. PETRUS *sieht ihr nach:* Eine naive Frau ist das! Eine
   brave Seel.

Dunkel

In der Hölle

*Der Teufel durchsieht den Kontrakt, den er durch den
Intendanten mit Luise geschlossen hat.*

TEUFEL Geht in Ordnung. Korrekt und klar. Hätt nicht
   gedacht, daß dieser anormale Intendant sein Wort so
   prompt halten wird – – *Er liest und kommentiert.* »Ich,
   Luise Steinthaler, verkaufe hiermit für alle Ewigkeit« – – »Ewigkeit« gut so! – »meine unsterbliche Seele
   dem Gottseibeiuns« – – das bin ich! »dafür wird sich
   jedoch mein bereits vorhandener lyrischer Sopran« – –
   nebbich! – »zu einer schlechthin grandiosen Stimme
   entfalten, und zwar was Höhe, Tiefe, Reife, Lage, Fülle,
   Kultur, Modulation, kurz: in jeder Hinsicht etcetera
   etcetera – – kennen wird mich jedes Kind, ich werde
   schon immer vorher total ausverkauft sein und in allen
   Illustrierten fett gedruckt etcetera etcetera – – – –
   hierfür aber verzichte ich bereits im Leben auf alle
   privaten Gefühle« *Er stockt und wiederholt* »p r i v a t e
   Gefühle«? – – *Er ruft.* He, Vizeteufel!

VIZETEUFEL *erscheint:* Aufzuwarten!

TEUFEL Wer hat denn diesen Kontrakt aufgesetzt?

VIZETEUFEL Aufzuwarten, ich!

TEUFEL Blamage, Skandal! Es darf doch nicht heißen »private« Gefühle, sondern »privateste«! Eine Schlamperei
   ist das in meiner Höll! Mehr Präzision, bitt ich mir aus!
   Zitter nicht, das schickt sich nicht!

LAUTERBACH *tritt verwirrt ein, zerfetzt und zerschunden, voll Dreck und Blut.*

TEUFEL *überrascht:* Was soll das?

VIZETEUFEL Keine Ahnung!

LAUTERBACH Wo bin ich? Großer Gott, wie sehen denn da die Leut aus?

TEUFEL Welch töricht Zeug! Wie sollen wir denn schon aussehen?!

LAUTERBACH Wo bin ich denn?!

TEUFEL *zum Vizeteufel:* Sags ihm.

VIZETEUFEL Tief drunten in der Hölle.

LAUTERBACH Tief drunten – –? Großer Gott, wann bin ich denn gestorben?!

TEUFEL Ein kurioser Fall! Ist sich nicht bewußt, daß er tot ist!

VIZETEUFEL Sehr kurios!

LAUTERBACH Ich bin mir nur bewußt, daß ich einen direkt lebensgefährlichen Rausch gehabt hab – –

TEUFEL Man riechts noch!

LAUTERBACH Aus Verzweiflung nämlich, weil eh schon alles aus war, auch der letzte Stern, und sieben Krügel Bier hab ich auch schon getrunken ghabt, wie ich erst angfangen hab zu trinken, weil ich eben nie eine Re-gie – – – –

TEUFEL *unterbricht ihn ungeduldig:* Rascher, rascher!

LAUTERBACH Pardon, ich bin halt noch ein bisserl blöd im Kopf – – Also dann hab ich ein Achtel Rum getrunken, und dann gleich noch ein Achtel. Und da denk ich mir, trinkst noch ein Achtel und dann hab ich noch ein Achtel – –

TEUFEL *unterbricht ihn abermals:* Also vier Achtel!

LAUTERBACH Nein, acht Achtel – – das heißt: eigentlich elf Achtel. Und dann hab ich einen Rollmops gegessen, worauf es mir schon sehr übel geworden ist, alles hat sich um mich gedreht und der Himmel war so drohend dunkel.

TEUFEL Das glaub ich.

LAUTERBACH Jawohl. Und jetzt fallts mir ein! Richtig, dann bin ich ja in ein Motorrad hineingelaufen!

TEUFEL Aha!

LAUTERBACH Mit einem Beiwagen!

VIZETEUFEL Und der hat dich dann totgefahren?

LAUTERBACH Wahrscheinlich!

TEUFEL Na also!

LAUTERBACH Aber meine Herren! Was hab ich denn verbrochen, daß ich in der Höll bin?!

TEUFEL *zum Vizeteufel:* Tod durch elf Achtel Rum. *Zu Lauterbach.* Fahrlässiger Selbstmord. Sieben Jahr Fegefeuer!

LAUTERBACH Na das geht ja noch an!

TEUFEL *brüllt:* Maul halten! Bei uns dauert jede Minute paarhundert Jahr! Abtreten! Marsch in den Kessel!

LAUTERBACH *entsetzt:* Wohin bitte?!

TEUFEL In den Kessel! Raus!

LAUTERBACH *verschwindet.*

TEUFEL Zur Sache! Also wann tritt nun diese Luise Steinthaler zum erstenmal auf?

VIZETEUFEL Sie ist bereits gestern. In der großen Oper, und zwar mit sensationellem Erfolg.

TEUFEL Kunststück!

Dunkel

Auf der Erde

Wieder vor dem Bühnentürl, knapp vor Beginn der Abendvorstellung. Der Bühnenportier steht in großer

Gala und überall warten in stummer Ehrfurcht zahlreiche Autogrammjäger.

EIN AUTOGRAMMJÄGER *nähert sich humpelnd dem Büh-nenportier; er ist bereits achtzig Jahre alt und hat einen langen Bart:* Entschuldigen Herr Bühnenportier, aber ich wart nämlich auf die neue Primadonna – –

PORTIER Sinds mit ihr entfernt verwandt?

AUTOGRAMMJÄGER Nein, ich möcht nur ein Autogramm. Ich bin nämlich ein alter Autogrammjäger.

PORTIER Tatsächlich?

AUTOGRAMMJÄGER Siebzig Jahr sammel ich schon, siebzig Jahr, und jetzt entbehr ich nur noch die Unterschrift dieser neuen Primadonna – – ein göttlicher Sopran!

PORTIER *renommiert:* Eigentlich hab ich ja diesen Sopran entdeckt.

AUTOGRAMMJÄGER Respekt!

PORTIER Da auf diesem Bankerl ist sie gesessen, dreizehn Wochen lang.

AUTOGRAMMJÄGER Dreizehn Wochen – – es ist ein eigen Ding um den Erfolg: entweder kommt er oder er kommt nicht. Sehr eigen.

PORTIER Ich bitt Sie, haltens mich jetzt nicht länger auf, ich muß nachdenken!

AUTOGRAMMJÄGER Entschuldigens! *Er zieht sich zurück.*

PORTIER Meine Hochachtung! *Beiseite.* Ich denk natür-lich gar nicht nach, aber manchmal braucht man so blöde Ausreden, damit man seinen Frieden bekommt! *Nun kommt die neue Primadonna: Luise. Die Auto-grammjäger umringen sie und der Intendant erscheint im Bühnentürl, befrackt und mit einem Bouquet Rosen. Nachdem Luise alle Autogrammjäger befriedigt hat, verduften selbe, und sie wendet sich dem Bühnentürl zu.*

PORTIER *salutiert.*

INTENDANT *überreicht ihr das Bouquet:* Guten Abend, Luiserl!

LUISE *tonlos:* Guten Abend, Werner.

INTENDANT Warum so bleich?

LUISE Ich zitter direkt – – *Zum Portier.* Und wieder diese ewige Unterschreiberei da, ich kann nicht mehr unterschreiben, das regt mich so auf, ich werd überhaupt gar nichts mehr unterschreiben!

PORTIER Zu Befehl! Dann gibt es also von heut ab keine Autogramme mehr!

LUISE Verjagen Sies doch! Alle!

PORTIER Wird besorgt, Madame! *Ab durch das Bühnentürl.*

INTENDANT *fixiert Luise:* Nervös?

LUISE *sieht sich ängstlich um:* Wenn ich nur wieder schlafen könnt – –

INTENDANT Du mußt dich halt an deinen jungen Ruhm erst gewöhnen.

LUISE *sieht ihn groß an:* Meinst du? Es ist eine Gehetztheit in mir, als tät ich mich teilen, in lauter viele kleine Teile teilen – – und dann muß ich an meine Mutter denken, aber ich weiß es nimmer, wie sie ausgesehen hat und plötzlich ist nichts mehr da. Ich auch nicht.

INTENDANT Wer den Erfolg will, der braucht den Verzicht.

LUISE Meinst du? *Sehr leise.* Vielleicht hätt ich es nicht unterschreiben sollen – –

INTENDANT *scharf:* Den Kontrakt?

LUISE *schweigt.*

INTENDANT *lauernd:* Bereust du es?

LUISE Nein. Denn ich will es nicht bereun!

Dunkel

Ende des ersten Teiles

Zweiter Teil

Im Himmel

St. Petrus und Frau Steinthaler stehen vor dem Himmelstor und lesen die neuen Zeitungen. Sphärenmusik.

FRAU STEINTHALER Da und schon wieder ein Bild! »Luise Steinthaler beim Morgentraining an der Adria«. Und diese herrliche kritische Würdigung! Immer wieder, jeden Tag seit sieben Jahren! O Gott, o Gott, o Gott!

ST. PETRUS *läßt sich nicht stören:* Jaja.

FRAU STEINTHALER Mir scheint, Sie behandeln die Triumphe meiner Tochter als Lappalie!

ST. PETRUS Liebe Frau Steinthaler, ich muß alles lesen. Schauns gestern zum Beispiel habens auf der Erde drunten wieder einmal eine Masse Leute unschuldig hingerichtet – – lauter Fehlurteile und trotzdem kommens alle miteinander in die Höll!

FRAU STEINTHALER Warum lesens denn all das unerfreuliche Zeug?

ST. PETRUS Weil ich muß. Man hats nicht leicht!
Pause.

FRAU STEINTHALER Also ich les prinzipiell nur das, was einen Bezug hat auf meine Luise – – Hörens nur her! *Sie liest vor.* »Und wieder bezwang uns die Steinthaler durch den rätselhaften Zauber ihrer zauberhaften Rätselstimm.« Ach, ich bin ja so überselig! Darf ich mir die Zeitung mitnehmen?

ST. PETRUS Bittschön, die hab ich schon hinter mir.

FRAU STEINTHALER Danke, danke! *Ab in den Himmel.*

ST. PETRUS *sieht ihr nach:* Hm. Es wäre ja meine Pflicht. Aber ich brings und brings nicht übers Herz, es dieser braven Seel zu sagen, daß ihre Tochter einen Vertrag mit dem Teufel hat!

Dunkel

In der Hölle

Der Teufel hält nach einer Inspektion eine Ansprache an seine Höllenschergen.

TEUFEL Ausnahmsweise bin ich mal mit euch nicht unzufrieden. Die Herren Verdammten werden vorschriftsmäßig gesotten, die Damen pflichtgemäß geröstet! Die Öfen in Weißglut die spanischen Stiefel doppelt geabsatzt! Die Daumenschrauben in Reih und Glied, überall stinkts nach Pech und Schwefel – – alles in Ordnung! Abtreten!

DIE HÖLLENSCHERGEN *ab.*

TEUFEL Endlich allein! Wirklich, ich muß mich mal wieder ein bisserl mit mir selber beschäftigen – – wie ich mich vernachlässige ist eine Affenschand!

VIZETEUFEL *erscheint.*

TEUFEL *fährt ihn an:* Was gibts denn schon wieder?!

VIZETEUFEL Aufzuwarten! Es ist eine arme Seel draußen, die verläßt heut unser Fegefeuer und möcht sich verabschieden.

TEUFEL *perplex:* Verabschieden? Erleb ich selten!

VIZETEUFEL Ungewöhnlich selten!

TEUFEL Allerdings. Meist fliegens gleich immer sofort davon und bedanken sich gar nicht, daß man sie gebessert hat – – Wie heißt denn diese ungewöhnlich seltene arme Seele?

VIZETEUFEL Leopold Lauterbach!

TEUFEL Also auf alle Fäll keine historische Persönlichkeit – – Herein damit!

VIZETEUFEL Aufzuwarten! *Er ruft zur Tür hinaus*. Kommens rein, Herr Lauterbach! *Ab.*

LAUTERBACH *tritt ein und verbeugt sich:* Ergebenste Hochachtung, Euer Ungnaden!

TEUFEL Also Er möcht sich von mir verabschieden?

LAUTERBACH Ich denk halt, wenn man so ein paar Jahr immerhin beieinander war, dann ziemt es sich nicht, so mirnix-dirnix auseinander zu gehen, als wär gar nix passiert, zwar offen gesagt: so sehr wohl hab ich mich ja grad nicht gefühlt bei Euer Ungnaden!

TEUFEL Wem sagt Er das?

LAUTERBACH Aber es war vorteilhaft für meine Entwicklung, daß ich das alles durchgemacht hab – – und jetzt möcht ich halt nur danken dafür.

TEUFEL O bitte, bitte! *Beiseite*. Rührend, wirklich rührend! *Zu Lauterbach*. Na, nur Kopf hoch! Jetzt gehts ja dann empor hinauf! Im Himmel ist es ganz passabel. Sie werdens ja gelernt haben, daß ich auch mal droben war?

LAUTERBACH Genau.

TEUFEL Ich erinner mich nicht ungern zurück. Man war zwar nur untergeordnet, aber immerhin war man daheim – – zum Beispiel, wenn draußen im All der Ursturm die kosmischen Nebel so richtig durcheinandergebrodelt hat, da war es schon recht gemütlich hinter dem himmlischen Ofen. Schad, daß es nicht immer gebrodelt hat, sonst säß ich vielleicht heut noch droben! Damals hab ich mich nie rasieren müssen und hab Flügel gehabt, heut muß ich mich täglich zweimal rasieren und hab einen Schwanz.

LAUTERBACH Ja, man verändert sich.

TEUFEL Allerdings.

VIZETEUFEL *tritt aufgeregt ein:* Aufzuwarten! Es ist was passiert, das heißt: eigentlich ist nichts passiert, aber es sollt was passieren, wollt sagen, es muß was passieren!

TEUFEL *sehr ungeduldig:* Also, was ist denn schon passiert?!

VIZETEUFEL Aufzuwarten, die Öfen gehen aus, die Daumenschrauben verrosten und die spanischen Stiefel haben verhatschte Absätz!

TEUFEL Was hör ich?! Die spanischen Stiefel verrosten, die Daumenschrauben gehen aus, und die Öfen haben verhatschte Absätz?! Na servus, eine Schlamperei ist das in meiner Höll! Kommt davon, wenn man die Dienstboten zu gut behandelt! Zitter nicht, sag ich dir, zitter nicht! *Er geht grimmig auf und ab.* Skandal! Blamage! Unerhört! *Er hält vor Lauterbach und seufzt.* Lieber Herr, Sie könnten mir eigentlich mit einem kleinen Gefallen einen großen Gefallen tun.

LAUTERBACH Gern!

TEUFEL Ich werd mich auch revanchieren.

LAUTERBACH O bitte!

TEUFEL Die Sach ist nämlich die: eigentlich müßt ich nämlich heut noch auf einen Sprung auf die Erde hinauf, ich hab da droben nämlich so diverse Kontrakte geschlossen und da muß man halt immer wieder persönlich nachkontrollieren – –

LAUTERBACH Aha!

TEUFEL Aber die Sach ist jetzt die, daß ich momentan unmöglich weg kann von hier. *Er fährt den Vizeteufel an.* Immer diese ewigen Reparaturen!

VIZETEUFEL *zittert sehr:* Aufzuwarten!

TEUFEL Unerhört! *Zu Lauterbach.* Also die Sach ist die: vor zirka dreißig Jahr hab ich mit so einem nichtsnutzigen Menschen einen Kontrakt geschlossen, den üblichen Kontrakt: er hat mir für fünftausend Jahr seine unsterbliche Seele verkauft und dafür ist er halt eine Persönlichkeit geworden. Ein Intendant.

LAUTERBACH Also eine künstlerische Persönlichkeit.

TEUFEL Ist ja egal! Was mir aber nicht egal ist, ist, daß er mich jetzt wieder mal betrügen möcht, und zwar ganz schamlos betrügen! Trotzdem, daß ich seinen verflixten Kontrakt um sieben fette Jahre verlängert hab! Er hat mir zwar eine neue Seel für die Ewigkeit geliefert, einen lyrischen Sopran, aber jetzt, wo sein Termin fällig wird, kommt er mit lauter lächerliche Einwänd daher, mit Paragraphen außer Kraft und vermauerte Hintertürln, ja sogar am Datum hat er schon herumradiert! Lieber Herr Lauterbach, Sie kommen doch jetzt in den Himmel und da fliegens doch sowieso an der Erde vorbei, geh, gebens da diesen Brief dem Intendanten ab – – *Er überreicht ihm ein Kuvert.* Es ist mein allerletztes Wort, sonst bescher ich ihm einen Todeskampf, an den er bis zum jüngsten Tag denken wird!

LAUTERBACH *betrachtet das Kuvert:* Was seh ich? Den kenn ich ja, diesen Intendanten! Und der hat einen Vertrag mit Ihnen?!

TEUFEL Allerdings!

LAUTERBACH Hab ich mir doch immer schon gleich gedacht!

TEUFEL Also bittschön seins so schlecht und erledigens mir die Sach! Ob Sie jetzt eine halbe Stunde früher oder später in den Himmel kommen, spielt doch bei der Ewigkeit keine nennenswerte Rolle. Logischerweise!

LAUTERBACH Das auch!

Dunkel

Auf der Erde

In Luise Steinthalers Künstlergarderobe. Überall liegen und stehen Blumen. Es ist während des ersten Aktes und man hört Luise auf der Bühne singen. Auch die Stimmen ihrer Partner und die Klänge des Orchesters dringen herein.

Die Garderobenhex sitzt an einem Tischerl und tut sich Kartenschlagen. Es klopft an der Garderobentür.

HEX Herein.

LAUTERBACH *tritt ein mit dem Kuvert vom Teufel:* Pardon, bin ich hier recht in der Künstlergarderobe der Opernsängerin Steinthaler?

HEX Jawohl, das sind wir. Aber die Madame empfängt keine Seel!

LAUTERBACH Ich benötig ja auch nicht die Madame, sondern den Intendanten, und man hat mir gesagt, daß er hier drinnen weilt. Ich soll ihm nur diesen Brief da übergeben – –

HEX *nimmt ihm das Kuvert aus der Hand:* Gebens her, ich gibs ihm schon!

LAUTERBACH Aber sicher, denn es dreht sich um etwas ungewöhnlich Wichtiges, sozusagen um ein verkehrtes Seelenheil. Eigentlich müßt ichs ihm ja persönlich übergeben.

HEX Dann wartens halt draußen.

LAUTERBACH Nein, nein! *Beiseite.* Hätt ja diesem intendantischen Schmieranten gern persönlich einen ergebensten Schwefelgruß vom Teufel selbst ins Gsicht ausgricht, aber ich werd mir doch wegen dem seinem verzwickten Kontrakt keine ganze halbe Stund vom Himmel abzwicken! *Er verbeugt sich vor der Hex.* Hab die Ehre!

HEX Grüß Gott!

LAUTERBACH Wird besorgt! *Ab.*

LUISE *kommt rasch im Kostüm:* Hu, haben aber jetzt die Leut gerast, getobt und applaudiert, direkt zum Fürchten. Und in der fünften Reih ist ein Kritiker ohnmächtig geworden vor lauter Begeisterung – – *Sie tritt vor den*

Spiegel und richtet sich, unterstützt von der Hex, für ihren nächsten Auftritt her.

INTENDANT *tritt ein; er sieht grau aus und betrachtet Luise einige Zeit; dann plötzlich:* Zufrieden?

LUISE Laß das!

INTENDANT *lächelt zweideutig:* Was sagst du zu deinem Glück? Welch Applaus, schon nach dem ersten Akt! Demonstrativ, und zwar nur für dich!

HEX Toi, toi, toi!

LUISE *zur Hex:* Laß das!

INTENDANT Ja, du brauchst nichts zu fürchten – – mit dir gehts aufwärts!

LUISE Findest du?

INTENDANT Noch aufwärts. *Er setzt sich.* Hier in diesem Hause, in dieser Garderobe haben deine beispiellosen Triumphe begonnen – – vor sieben Jahren.

LUISE Und hier in diesem Hause hast du mir einen Vertrag überreicht – –

INTENDANT *unterbricht sie scharf:* Den du unterschrieben hast!

LUISE Gewiß!

Stille.

INTENDANT Ich wollt, ich hätt m e i n e n Vertrag nie unterschrieben – –

LUISE *wendet sich ihm ruckweise zu.*

INTENDANT *lächelt:* Gewiß. Mit mir gehts abwärts. Abwärts im wahren Sinne des Wortes – –

LUISE Soll ich dich bedauern?

INTENDANT *grinst:* Wir sehen uns wieder.

LUISE Und sprechen uns noch.

INTENDANT Früher oder später.

LUISE *fährt ihn an:* Na also!

INSPIZIENT *erscheint in der Garderobentür:* Zweiter Akt – – in sechs Minuten! *Ab.*

INTENDANT *halb für sich:* Wenn ich nur wieder schlafen könnt.

LUISE Das hab ich auch schon gesagt. Erinnerst du dich?

INTENDANT Nein.

LUISE Egoist!

INTENDANT Und du? Was bist denn du?

LUISE Ich auch. Aber trotzdem.

Stille.

INTENDANT *erhebt sich und tritt dicht an Luise heran; väterlich:* Mein Kind. Ich weiß, daß du es nicht glauben kannst, was ich dir jetzt zu sagen habe; ich hab nämlich auch Freude daran gehabt, daß du so große Erfolge – –

LUISE *unterbricht ihn wütend:* So lüg doch nicht so!

INTENDANT Kannst das Gute nicht mehr glauben? Armes Luiserl!

LUISE »Armes« Luiserl! Und das sagst du mir auch noch? Knapp vor meiner großen Arie im zweiten Akt?!

INSPIZIENT *erscheint wieder:* Ihr Auftritt, Madame! *Ab.*

LUISE Ich komme! *An dem Intendanten vorbei.* Erstick! *Ab.*

INTENDANT *will ihr nach.*

HEX Herr Intendant! Hier ist ein Brief, den hab ich jetzt fast vergessen! *Sie überreicht ihm das Kuvert.*

INTENDANT *erbricht es, liest den Brief und hält die Hand vor die Augen.*

LUISE *singt nun ihre große Arie auf der Bühne.*

INTENDANT *für sich:* Dann muß es halt sein. Kommt davon, wenn man seine unsterbliche Seele verkauft, um als amusischer Sterblicher eine künstlerische Persönlichkeit zu werden – – wär ich doch nur der kleine unbegabte Statist geblieben, wie gerne wär ich verhungert, dann wär ich jetzt im Himmel!

Dunkel

Im Himmel

Vor dem geschlossenen Himmelstor. Lauterbach kommt und zieht an der überaus silbern klingenden Himmelsglocke.

ST. PETRUS *öffnet das Himmelstor.*

LAUTERBACH *verbeugt sich tief:* Küß die Hand und ich meld mich zur Stell, ich bin gebessert!

ST. PETRUS *kühl:* Es ist zwar nicht Usus, daß eine arme Seel auf dem Wege vom Fegefeuer zu uns herauf einen Abstecher in Künstlergarderoben macht, aber bei derartigen Dingen drücken wir ja noch gern beide Augen zu.

LAUTERBACH Ist ja auch nicht so arg!

ST. PETRUS Nanana! Daß du schlampert bist, ist ja nix Neues – – aber daß du unterwegs herauf dem Teufel einen Gefallen tust, also das ist schon empörend schlampert! Schickt sich denn so was für eine gebesserte Person?! Hätt gute Lust und ließ dich gar nicht rein in den Himmel!

LAUTERBACH Moment, Herr! Ich hab doch selbigen Auftrag mit dem Kuvert nur aus selbigem Grund übernommen, weil ich mich dem Herrn Teufel gewissermaßen verpflichtet gefühlt hab.

ST. PETRUS *grimmig:* »Gewissermaßen«!

LAUTERBACH Schauns, er hat mich doch immerhin gebessert und ich wollt ihm halt dafür mit einem kleinen Gefallen einen großen Gefallen tun.

ST. PETRUS Du sprichst so blöd, wie ein gescheiter Mensch! Aber das kann ich dir heut schon sagen: Hier drinnen ist kein Platz für dich, verstanden?!

LAUTERBACH Ja, soll ich denn wieder zurück?

ST. PETRUS Wahrscheinlich!

LAUTERBACH Brrr.

Stille.

ST. PETRUS *etwas gütiger:* Schämst dich denn gar nicht?

LAUTERBACH Ich hab doch nur was Gutes tun wollen – –

ST. PETRUS Gutes? Jetzt hat der nach dem Fegefeuer noch kein Fingerspitzengefühl dafür, daß man dem Teufel nix Gutes tun kann!

LAUTERBACH Schad!

ST. PETRUS Na, nur Kopf hoch! *Er klopft ihm auf die Schulter.* Rein darfst ja nicht, aber bis auf weiteres kannst ja vor dem Himmelstor logieren – – *Er will ab.*

LAUTERBACH Dankschön. Petrus! Krieg ich dann jetzt auch schon meine Flügel?

ST. PETRUS Erst muß die Sachlag mit all ihren möglichen und unmöglichen Konsequenzen geklärt werden. Abwarten!

LAUTERBACH Dann krieg ich also jetzt keine Flügel?

ST. PETRUS Nein. *Ab und er schließt das Himmelstor.*

LAUTERBACH *allein:* Schad. Eine angenehme Überraschung ist das – – bin im Himmel und hab keine Flügel. Warum hab ich mich denn auch nur bei dem Teufel bedankt?! Mir scheint, der hat mich zu sehr gebessert und ich bin ein bisserl zu gut geworden! Mit so Teufeln soll man gar nicht reden! Raus aus der Höll und weg! *Er lauscht der Sphärenmusik und sieht sich dann um.* Auf alle Fäll ist es schön hier, wenn ich auch noch nicht ganz drinnen bin. Und diese himmlische Luft! *Er atmet tief und betrachtet seine Hände.* Da wird man direkt durchsichtig und sieht dabei nix, ein schönes Gefühl für eine arme Seel – –

ST. PETRUS *erscheint wieder im Himmelstor:* Also die Sachlag ist geklärt: Du bist der sogenannte typische Fall: zu gut für die Höll, zu schlecht für den Himmel – – so bleibt uns nur eines: Du mußt wieder von vorne beginnen, damit wir uns mit dir endgültig auskennen können!

LAUTERBACH Versteh kein Wort!

ST. PETRUS Los, los! Runter mit dir, hast noch nicht genug gelebt!

LAUTERBACH Ja, soll ich denn jetzt wieder auf die Erde?

ST. PETRUS Im Himmel ist kein Platz für dich! Noch nicht! Habe die Ehre! *Ab und er schließt wieder das Himmelstor.*

LAUTERBACH *allein:* Auweh, auweh! Sich wieder einschalten in den Lauf dieses erdgebundenen Planeten, wo man Gutes möcht und Böses darf? Also packens wirs an, aber diesmal ohne Illusion! Und wahrscheinlich, leider – – *Er betrachtet seine leeren Taschen* – ohne Rum. Auweh, auweh!

Dunkel

Auf der Erde
und später auch
In der Hölle

LUISE *läßt sich in ihrer Künstlergarderobe von der Garderobenhex frisieren:* Wo steckt denn heut der Intendant?

HEX Heut hat ihn noch keine Seele gesehn. Sie werdn sich doch keine Sorgen machen wegen dem?

LUISE Das verstehst du nicht. Er hat mich doch immerhin entdeckt.

HEX Dieser unbegabte Mensch?

LUISE *grinst:* Kennst ihn denn so genau?

HEX Ich hab ihm mal aus den Karten prophezeit und was die Karten alles von sich gegeben haben! Wenn der nicht in der Höll endet, dann heiß ich Pospischil! So heilig kann der jetzt gar nimmer leben, daß ihn sich der Teufel nicht holt! Garantiert!

LUISE Du bist eine gute Haut!

VIZETEUFEL *erstattet tief drunten dem Teufel Rapport, und zwar in dessen höllischem Schlafzimmer:* Melde gehorsamst, besagter Intendant ist nun endlich, endgültig eingetroffen! Er wird bereits gestreichelt, umschmeichelt, geliebkost, gehätschelt, verzärtelt und leidet korrekte Qualen!

TEUFEL Gut so!

VIZETEUFEL Wir haben ihm alles abgenommen. Hier: ein ungespitzter Bleistift, sechs Freikarten, ein Zahnstocher, Smokinghemdknöpf, Frackhemdknöpf – – nur seine goldene Uhr haben wir ihm gelassen, damit er sieht, wie langsam bei uns die Zeit vergeht.

TEUFEL Recht so! *Er stöbert das Zeug durch.* Was ist das für eine Amateurphotographie? Ein schönes Weib! Prächtig! Gediegen! Wer ist das?

VIZETEUFEL Aufzuwarten, das ist ja selbige Luise Steinthaler, die mit Euer Ungnaden vor sieben Jahren einen Kontrakt geschlossen hat.

TEUFEL Mit mir? Ich bin so vergeßlich!

VIZETEUFEL Kein Wunder!

TEUFEL *herrscht ihn an:* Kusch! Es gibt keine Wunder! *Er betrachtet wieder die Photographie.* Nicht übel! Teufel, Teufel – – eine fesche Person! Stramm! Fest! Alles vorhanden! Knusprig!

VIZETEUFEL Sie soll ja herrlich singen – –

TEUFEL Ah was Stimm! Übrigens: mein Schwanz ist schon wieder nicht gebürstet worden, merk ich grad! Schweinerei, daß der staubig ist!

VIZETEUFEL Aufzuwarten!

INSPIZIENT *erscheint in der Garderobentür:* Ihr Auftritt, Madame! *Ab.*

LUISE Ich komme! *Rasch ab, um aufzutreten und bald hört man sie draußen wieder singen.*

VIZETEUFEL *lauscht andächtig.*

TEUFEL *kann sich von dem Anblick der Photographie im-*
mer noch nicht trennen: Ein herziger Käfer. Ein Klasse-
weib, ein Klassekäfer – – Meiner erzverdammten Seel,
wie lang war ich jetzt schon bei keiner Walpurgisnacht
mehr! Schon seit der blöden Aufklärerei im achtzehnten
Jahrhundert! Hätt ja zwar können, aber es macht mir
halt keinen Spaß, wenns hinterher meine Partnerinnen
nicht verbrennen. *Er wirft sich auf sein höllisches Bett.*
Mir scheint, ich hab mich zulang zurückgehalten – –
fatal! Apropos zurückgehalten: Dieses Weiberl erinnert
mich übrigens an eine stramme Hex aus Großwardein,
an der war auch alles dran und so ein Gschau hats
ghabt, ein feuriges – – *Er schnellt empor.* He Vizeteufel!
Und wenn du jetzt zerspringst, jetzt zieh ich mir meinen
lila Frack an und geh nauf! Ich hab heut so fatale
Gefühle, so walpurgatorische Gefühl! Her mit dem
Frack! *Er setzt sich an sein höllisches Toilettentischerl.*
Und schick ihr Blumen! Einen Strauß roter Rosen!

LUISE *betritt ihre Künstlergarderobe mit einem Strauß*
roter Rosen.

HEX O das herrliche Bouquet!

LUISE Grad hab ichs bekommen, aber sie riechen nach
nichts. Wirfs weg!

HEX Nein! *Sie tuts in Wasser.* Glaubens einer alten erfah-
renen Hex: ohne die Herren Mannsbilder der Schöpfung ist das kein Leben.

LUISE Das ist ein kompliziertes Kapitel.

HEX Schauns, die vielen Blumen, die vielen Verehrer! Aber
Sie lassen sie alle verwelken.

TEUFEL *zum Vizeteufel, der ihm beim Umziehen behilflich*
ist: So! Er sitzt ja noch, der Frack! Ich bin zwar ein
bisserl stärker geworden – –

VIZETEUFEL Kaum.

TEUFEL Parfum!

VIZETEUFEL *parfümiert ihn mit dem Zerstäuber.*

LUISE *fletscht die Zähne vor dem Spiegel:* Ich lebe nur meinem Beruf.

HEX Geh geh geh!

LUISE Absolut!

HEX Und wenns noch so starken Erfolg haben ein richtiges, ausgewachsenes Mannsbild ist immer eine Hilfe, schon weil jedes verliebte Mannsbild blöd ist!

LUISE *verbissen:* Ich brauch keine Hilfe!

TEUFEL *ruft empor:* Madame! Darf man gratulieren zu Ihrem phantastischen Triumph?!

LUISE *fährt furchtbar zusammen und läßt ein Parfumglaserl fallen, das klirrend zerbricht.*

HEX Was habens denn?!

LUISE *entsetzt:* Hast nicht gehört?

HEX Was? Nix!

LUISE Bitte laß mich allein!

HEX Sie sind überarbeitet, sollten mal pausieren – –

LUISE *schreit:* Laß mich allein!

HEX *ab.*

TEUFEL *stolziert auf Kavaliersart:* Ich liebe diese Künstlergarderoben, solch Atmosphäre scheinbarer Verwandlung und parfümierter Schöpfung!

LUISE *zerknirscht:* O bitte bemühen Sie sich nicht.

TEUFEL *ändert den Ton:* Ich bemüh mich ja gar nicht.

LUISE *springt auf und geht hin und her.*

TEUFEL *horcht:* Jetzt geht sie auf und ab, das leichtfüßige Reh – – kenn ich, kenn ich! Und dann setzt sie sich, entspannt die Muskulatur, legt ihr zartes Kinn auf die Stuhllehne und glotzt nicht gerade geistreich – – kenn ich, kenn ich.

LUISE *hatte sich gesetzt und ihr Kinn auf die Stuhllehne gestützt; mit sonderbar klarer Stimme:* Mein Herr. Ich

bin froh, daß wir reden, ich hab mich schon so danach
gesehnt – –

TEUFEL Gesehnt? Hör ich gern!

VIZETEUFEL Gratuliere!

TEUFEL Kusch!

LUISE Ich gehöre Ihnen ganz und gar.

TEUFEL Ihre Seele allerdings.

LUISE Und die Seele ist alles.

TEUFEL *lächelt mild:* Sie Kind! *Zum Vizeteufel.* Ein Kind!
Ein reizendes Kind!

VIZETEUFEL Aufzuwarten!

LUISE *erhebt sich:* Mein Herr! Bitte lösen wir unsern Vertrag!
Stille.

TEUFEL Was hör ich?

VIZETEUFEL Lösen?

TEUFEL Den Vertrag?

LUISE *stand starr und stierte ins Leere, bricht nun über
ihr Toilettetischerl nieder und wimmert:* Bitte, bitte,
bitte – – – – Sie weint leise.
Stille.

TEUFEL Na servus! *Er blickt nach dem Himmel empor.*
Möcht nur gern wissen, wer mir diese Tour wiedermal
vermasselt – –

LUISE *starrt in den Spiegel und spricht zu sich:* Luise!
Luise! – – bist allein im Zimmer und gehst durch alle
deine Zimmer und in jedem sitzt eine Luise, und nur im
Salon sitzen zwei, und die eine schwört: »Nie wieder,
nie wieder«. Und die andere sagt: »Du kannst doch
nicht schwören, du hast doch keine Finger, keine Hand,
keinen Arm« – –

TEUFEL Was sind denn das für Gefühle?!

LUISE *brüllt sich im Spiegel an:* Meine privatesten Gefühle. Pfui Teufel! *Sie spuckt sich im Spiegel an, fährt
hoch und eilt zitternd hin und her.*

TEUFEL »Privateste«? Aha! *Zum Vizeteufel.* Wer hat denn in einem Vertrag schon wieder einmal »privat« statt »privatest« geschrieben? Du! Diese Schlamperei schreit zum Himmel! Raus!

VIZETEUFEL *rasch ab.*

TEUFEL *sieht ihm grimmig nach:* Daß ich immer erniedrigt werden muß!

LUISE *stampft mit dem Fuß:* Hörst du mich da drunten?!

TEUFEL Gewiß, gewiß!

Stille.

LUISE *plötzlich leise vor sich hin:* Es schneit, es schneit – *Sie nickt.* Jaja, in einem Schlitten, er und ich, und ein Reh trat aus dem Wald. Ich sehs noch dort stehn im Schnee, wir fuhren nicht weit, dann kam die Nacht. Jetzt werdens bald sechs Jahr. »Gib acht«, hab ich gesagt, »gib acht, nein nicht!« Aber er wollte es so.

TEUFEL Wer wollte?

LUISE Mein Mann.

TEUFEL Du hast dich verheiratet?

LUISE Wir sind auseinander!

TEUFEL Drum!

LUISE Ich fühle noch seine Stimme, »Luise«, sagt er und er sagt es so furchtbar einfach, »ich wollt, ich könnt dich segnen« – – – – *Sie bricht plötzlich los.* Aber ich konnt doch kein Kind gebrauchen, versteht denn das niemand? Ich konnt doch meine Tourneen nicht absagen und überhaupt dieser ganze Beruf, ich war ja gefangen, Geld hätt ich zwar genug gehabt um dem Kind auch hundert Schaukelpferd zu kaufen, aber ich konnt es doch nicht haben wollen, weg, weg, weg! Hundert Schaukelpferd, hundert! Hörst du mich?!

TEUFEL Gewiß, gewiß!

LUISE So lösen wir doch unsern Vertrag!

TEUFEL Da müßt ich schön blöd sein!

LUISE Ich kann so nicht weiter – –

TEUFEL *unterbricht sie scharf:* Und dein Erfolg?! Und deine Triumphe?!

LUISE Die freun mich nicht!

TEUFEL Tu nicht so blasiert, ja?!

LUISE Gib mich frei! Die Zeit steht nicht still und ich hab Angst, was ich noch alles anstellen werd, damit ich mich vergessen kann!

INSPIZIENT *erscheint in der Garderobentür:* Ihr Auftritt, bitte! *Ab.*

LUISE *tonlos:* Ich komm schon – – *Sie rafft sich etwas zusammen, trocknet ihre Tränen, schminkt sich ein bisserl um die Augen herum und ab, um aufzutreten.*

TEUFEL *allein:* Peinlich, peinlich! Hab ich mir anders erwartet – – *Er zieht sich den Frack aus.*

LUISE *singt nun auf der Bühne.*

TEUFEL *horcht auf:* Schön. Wenn man bedenkt, so eine Prachtstimm kommt von mir und bringt ihr keine Freud – – *Er lauscht wieder ein bisserl.* Schad, daß die sich nicht freut, hätt mich gern ein bisserl mitgefreut – – und derweil? Wieder ein verpatzter Nachmittag! Hölle, Tod und ich selbst, was ich mach, mach ich falsch! *Er blickt in den Himmel empor.* Jetzt sollt ihr mich aber mal kennen lernen, ihr dort ganz droben über euren höchsten Wolken! Jetzt bin ich im Stand und zerreiß den Vertrag! *Er nimmt den Vertrag aus der Schublade seines Nachtkasterls, setzt sich auf den Bettrand und überfliegt ihn.* Das ist er, Name, ledig, oval, geboren wann, sterben wann, keine besonderen Merkmale – – *Er zerreißt den Vertrag.*

LUISE *hört plötzlich zu singen auf.*

TEUFEL *lauscht.*

Musik bricht ab und Tumult auf der Bühne.

TEUFEL Hat schon gewirkt! Jetzt kommt der Wirbel! *Er legt sich in sein Bett.* Gute Nacht!

Es wird dunkel in der Hölle.

LUISE *schwankt totenbleich in ihre Garderobe, gestützt auf den Inspizienten, gefolgt von dem Dirigenten und der Garderobenhex, die überaus aufgeregt ist.*

DIRIGENT Großer Gott, was hat sie denn nur?!

HEX Mitten im Duett!

DIRIGENT Hört auf zu singen! *Er beugt sich zu Luise, die an ihrem Toilettentischerl sitzt und einen abwesenden Eindruck macht.* Was habens denn, Kind?

LUISE Haben? *Sie betrachtet sich aufmerksam im Spiegel und lächelt dann glücklich verschwommen.* Nichts.

DIRIGENT Aber, aber! Stehen auf der Bühne und plötzlich hörens auf zu singen!

HEX Mitten im Duett!

LUISE *nickt ja; seltsam fest:* Weil ich meine Stimme verloren habe.

INSPIZIENT Verloren?

HEX Jesus Maria Josef!

Dunkel

Im Himmel

Wieder vor dem geschlossenen Himmelstor. Der Autogrammjäger kommt von der Erde, er ist rund neunzig Jahr alt geworden, auf dem Buckel trägt er eine Truhe und nun zieht er an der Himmelsglocke.

ST. PETRUS *öffnet das Himmelstor:* Na endlich! Fast einundneunzig Jahr, das ist ein altes Alter!

AUTOGRAMMJÄGER Und ich hab nicht umsonst gelebt.

ST. PETRUS *deutet auf die Truhe:* Jaja, die Autogramme! Wir wissen alles!

AUTOGRAMMJÄGER Es war meine einzige Leidenschaft und

ich hab mir meine Sammlung mit in meinen Sarg genommen – – interessante Autogramme! Zum Beispiel auch jene berühmte Steinthaler, die vorgestern ihre Stimm verloren hat!

ST. PETRUS Um Gottes Willen! *Er sieht sich scheu um.* Erzählens bittschön nur ja kein Sterbenswörtlein von dieser verlorenen Stimm einer gewissen Gerichtsvollzieherswitwe Steinthaler, das ist nämlich die Mutter!

AUTOGRAMMJÄGER Aber ich werd doch nicht lügen! *Er droht mit dem Zeigefinger.* Sankt Petrus, Sankt Petrus!

FRAU STEINTHALER *erscheint im Himmelstor, zu St. Petrus:* Sind keine neuen Tageszeitungen gekommen?

ST. PETRUS *etwas verwirrt:* Mir scheint, das Abendblatt von heut früh!

FRAU STEINTHALER *holt sich rasch die Zeitung aus dem Briefkastl und überfliegt sie:* Wieso? Kein Bild? Keine Kritik? Nicht einmal der Name?

AUTOGRAMMJÄGER *räuspert sich.*

FRAU STEINTHALER *erblickt ihn erst jetzt; zu St. Petrus:* Wer ist denn der Herr, weil er sich so unheimlich räuspert?

ST. PETRUS *leise:* Ein Pedant!

AUTOGRAMMJÄGER Tut mir leid, aber ich kann nicht lügen; das Fräulein Tochter haben vorgestern ihre Stimme verloren.

FRAU STEINTHALER Was?! *Sie starrt St. Petrus an.* Verloren?! St. Petrus, ist das die Wahrheit?!

AUTOGRAMMJÄGER Natürlich! Ich werd doch im Himmel nicht lügen.

ST. PETRUS *zu Frau Steinthaler:* Ich hätts Ihnen eigentlich schon sagen müssen, aber ich brachts nicht übers Herz.

FRAU STEINTHALER *tonlos:* Danke.

AUTOGRAMMJÄGER *zu St. Petrus:* Sagen Sie mal, wo krieg ich denn meine Flügel?

ST. PETRUS *etwas barsch:* Rechts hinten!

AUTOGRAMMJÄGER Hoffentlich nur keine cremefarbigen! Da sieht man nämlich jeden Fleck! *Ab durch das Himmelstor.*

ST. PETRUS *sieht ihm nach, für sich:* Ein Puritaner – –

FRAU STEINTHALER *faßt es noch immer nicht ganz:* Ihre Stimme verloren – – – – *Sie läßt die Zeitung fallen.*

ST. PETRUS Tröstens Ihnen liebe Frau, es ist besser für Ihre Luise und auch für uns alle, daß sie ihre unsterbliche Seele gerettet hat. Das mit dem lyrischen Sopran war nämlich Teufelswerk, schändlich verrucht und verdammtes Teufelswerk!

FRAU STEINTHALER Ja, hat sie sich denn mit dem Teufel eingelassen?

ST. PETRUS Leider.

Stille.

FRAU STEINTHALER Sie war halt immer schon ein bisserl leichtsinnig. Das arme Kind! Was wird sie jetzt leiden müssen! Betteln und hungern. Sie hat doch nichts ghabt außer ihrer Naturstimm – – *Sie schluchzt.*

ST. PETRUS *etwas verärgert:* Schon wieder? Schon wieder klagen?!

FRAU STEINTHALER *rafft sich zusammen:* Nein! Ich werd mich jetzt melden um ein bisserl Gnade für mein Kind. Und ich werd schnell bitten, denn die Zeit vergeht rasch auf Erden – – *Ab durch das Himmelstor.*

Dunkel

Auf der Erde

Billiges Café mit Nische. In der einen beschäftigt sich ein Liebespaar mit sich selbst, in einer anderen sitzt Luise, arm und krank; sie beendet soeben einen Brief.

LUISE *liest sich ihren Brief halblaut durch:* »Knapp vor
meiner langen Reise in die Ewigkeit – – – – und so
bitte ich die Polizei, nicht nachzuforschen, wer ich war.
Ich hab schönere Tage gesehen« – – Ja: schönere Tage –
Sie ruft. Zahlen! Zahlen!

LAUTERBACH *kommt; er lebt nun nämlich als Kellner:*
Zahlen bitte?

LUISE Einen kleinen Kaffee und eine Mohnsemmel.

LAUTERBACH Und das Briefpapier.

LUISE *lächelt verlegen:* Richtig, das hab ich vergessen – –

LAUTERBACH Siebenundachtzig.

LUISE *sucht lange, findet nichts:* O Gott im Himmel, jetzt
hab ich mich geirrt!

LAUTERBACH Aha!

LUISE Ich dacht, ich hätt noch was.

LAUTERBACH Das kennen wir schon.

LUISE Und wenn Sie mich auf den Kopf stellen – *Sie will
sich erheben.*

LAUTERBACH Halt! Ich werd Sie nämlich nicht auf den
Kopf stellen – Dageblieben! Bis die Polizei – *Ab.*

LUISE *nach einer kurzen Pause:* So laßt mich doch fort! So
stellt mich doch auf den Kopf! Ich mag ja nicht mehr!
Sie beugt sich über die Tischplatte und weint.
*Während des Folgenden wird es auf der Erde nicht
dunkel.*

Im Himmel

*Der Autogrammjäger sitzt auf einem Wölkchen, natürlich
bereits beflügelt (und zwar in grau). Neben ihm steht seine
Truhe und er ordnet gerade einen Haufen Autogrammzet-
tel.*

AUTOGRAMMJÄGER Heut hab ich also den Gabriel, den
Uriel, die Maria Theresia, Schumann, Schubert – –

Schad, daß der Cesare Borgia in der Höll sitzt, hätt gern ein Autogramm ghabt! *Er sieht sich um, weil er Schritte hörte.* Himmel, der Julius Cäsar!

JULIUS CÄSAR *geht vorbei.*

AUTOGRAMMJÄGER Ave Cäsar! Ich bitt um ein Autogramm!

JULIUS CÄSAR *unterschreibt sich und ab.*

AUTOGRAMMJÄGER Vergelts Gott! *Er reibt sich zufrieden die Hände.*

FRAU STEINTHALER *kommt aufgeregt glücklich:* Herr Autogrammjäger! Habens denn nirgends den Sankt Petrus gesehn?

AUTOGRAMMJÄGER Nein.

FRAU STEINTHALER Ich bin nämlich erhört worden, erhört!

AUTOGRAMMJÄGER *beiseite:* Oh diese Weiber! Selbst im Himmel gehens mir auf die Nerven!

FRAU STEINTHALER Ich bin nämlich direkt zum lieben Gott gegangen und wie ich angefangen hab zu reden, da hat er mich gleich unterbrochen und hat gesagt, er weiß schon alles von der Luise. Und er hat mich gefragt, ob mir denn mein armer Mann, der in der Höll sitzt, nicht auch leid tut, obwohl er immer das ganze Geld ins Wirtshaus getragen hat. Und wie mich der liebe Gott so gefragt hat, da tat es mir auf einmal so weh um meinen Mann und ich hab es bereut, daß ich ihm die Höll gegönnt hab – – und plötzlich hab ich bemerkt, wieviel Flecken noch an mir sind und was das für eine große Gnade ist, daß überhaupt einer von uns hier sein darf. Und da hab ich den lieben Gott gebeten, daß er meinen Mann erlöst – – und jetzt ist endlich Frieden in mir.

AUTOGRAMMJÄGER Ich bitt Sie, störens mich nicht! Sie sehen doch, daß ich da meine Sachen ordne!

FRAU STEINTHALER *lächelt still:* Sie habens auch noch nicht erfaßt.

AUTOGRAMMJÄGER Was?

FRAU STEINTHALER Daß man sich um die andern kümmern soll, um nicht gestört zu werden – – *Sie nickt ihm freundlich zu und ab.*

Dunkel

Auf der Erde

Luise sitzt noch immer über die Tischplatte gebeugt im Café.

LAUTERBACH *erscheint wieder und berührt ihren Arm:* Fräulein! Kommens, gehens!

LUISE *sieht ihn groß an.*

LAUTERBACH Ich habs mir nämlich überlegt! Ich werd doch da nicht die Polizei wegen der paar Groschen! Gehens zu! Was schauns mich denn so komisch an?

LUISE Weil Sie mir plötzlich so bekannt vorkommen – –

LAUTERBACH Möglich! Man trifft sich oft und denkt sich nichts, und später fällts erst einem ein, daß man sich hätt was denken sollen. Vielleicht sind Sie die, an die ich mich jetzt nicht mehr erinner.

LUISE *lächelt:* Das ist mir zu hoch.

LAUTERBACH Mir auch. Komisch.

LUISE Auch das.

Stille.

LAUTERBACH An wen habens denn da geschrieben? An den Herrn Gemahl?

LUISE *lächelt wieder:* Fast.

LAUTERBACH Tät mich wundern! Sie kommen mir nämlich so ungebunden vor.

LUISE Ich hab schon mein Teil hinter mir.

LAUTERBACH Das macht nix. Futsch ist futsch und man

muß über seine diversen Enttäuschungen hinweg, wenn ich nur keine Zahnschmerzen hätt!

LUISE Zahnschmerzen?

LAUTERBACH Ja. Und dabei spürt man dann immer wieder alles doppelt schwer, als hätt man schon einmal gelebt – wie lang möcht ich jetzt zum Beispiel schon ein korrekter Oberkellner sein und derweil bleib ich, mir scheint, bis an mein Ende nur so ein trauriger Hilfskellner! Schicksal!

LUISE Tut Ihnen der Zahn immer weh?

LAUTERBACH Nur wenn ich daran erinnert werde.

LUISE Pardon! Das wollt ich nicht!

LAUTERBACH Sonderbar. Jetzt tut er mir gar nicht weh, der Zahn, obwohl Sie mich daran erinnert haben – – Sehr sonderbar.

LUISE *lächelt wieder:* Das ist mir zu hoch.

LAUTERBACH Apropos zu hoch: Sie, jetzt hab ich eine Idee! Gehens nicht allein, bleibens noch da, in einer halben Stunde bin ich frei und dann kommens mit mir! Auf einen Tee mit ein bisserl mehr Rum! Na?

LUISE *lächelt abermals:* Gut.

STIMME Zahlen! Zahlen!

LAUTERBACH Sofort! *Er verbeugt sich vor Luise:* Also wartens bitte, man weiß nicht was kommt! *Ab.*

LUISE Wiedersehen – – *Sie lächelt still vor sich hin.* Ich warte. *Sie zerreißt wie in Gedanken ihren Brief.*

Dunkel

Im Himmel

St. Petrus geleitet den Gerichtsvollzieher Steinthaler, der soeben aus der Hölle angekommen ist, über die höchsten Wolken.

Sphärenmusik.

ST. PETRUS Die Hauptsach ist, daß es Ihnen gefällt, Herr Steinthaler!

STEINTHALER Und ob! Sagens, wem hab ich das eigentlich zu verdanken, diese meine Erlösung aus der Höll vor dem Termin?

ST. PETRUS Uneigentlich der Frau Gemahlin, Herr Steinthaler.

STEINTHALER Der? Also das gibts nicht!

ST. PETRUS Es ist aber so, auch wenns das nicht gibt! Ihre Frau erwartet Sie schon.

STEINTHALER Soso.

ST. PETRUS Scheint Sie nicht besonders zu freuen – –

STEINTHALER Schauns lieber Herr, ich war mit ihr siebzehn Jahr verheiratet und war jetzt zirka dreizehn Jahr in der Höll – – und der Unterschied?

ST. PETRUS *streng:* Der Unterschied?
Stille.

STEINTHALER No ja, seien wir gerecht! Besser wars schon mit ihr!

ST. PETRUS So ists brav, Herr Steinthaler!

STEINTHALER *plötzlich:* Wie gehts denn meiner Tochter der Luise? Ich weiß nämlich gar nichts von meiner Familie, weil ich mich im Leben nicht um sie gekümmert hab und man hat mir drunten nichts erzählt, obwohl ich mich immer erkundigt hab. Lieber Herr, eine Frage: kann man hier im Himmel eigentlich mal ein gutgepflegtes, frisches Krügel hier kriegen?

ST. PETRUS Auch mehrere Krügel! Dort drüben bei Ihrer Frau!

STEINTHALER Was?! Meine Frau wartet auf mich mit Krügel?!

ST. PETRUS Sogar mit einem ganzen Fassel!

STEINTHALER Jetzt steht die Welt nimmer lang! Wo ist

mein Bier, wollt sagen, meine Frau?! *Rasch ab nach dort drüben.*

Dunkel

In der Hölle

Tief drunten, wo die Verdammten im Kessel sitzen. Der Teufel kommt mit dem Vizeteufel und einigen Höllenschergen.

TEUFEL *blickt in den Kessel; zum Vizeteufel:* Rapport!

VIZETEUFEL Melde gehorsamst, ein Vizeteufel mit dreitausendvierhundertsechsundzwanzig verdammten Seelen!

TEUFEL Danke! Aber wo steckt denn die dreitausendvierhundertsiebenundzwanzigste – – dieser Gerichtsvollzieher Steinthaler?

VIZETEUFEL Melde gehorsamst, der ist fort – – *Er blickt mit einer Geste empor.*

TEUFEL Wie das? Schon erlöst?

VIZETEUFEL Leider!

TEUFEL Der hätt doch noch vierhundertdreiundachtzig Jahr und vier Sekunden da bleiben müssen!

VIZETEUFEL Melde gehorsamst, ich kann mir das nur so erklären, daß jemand für ihn gebetet hat.

TEUFEL Natürlich! Immer diese fremde Hineinmischerei, wie soll man da kalkulieren?!

VIZETEUFEL Bald sind wir aber wieder komplett – grad liegt die alte Pokorny im Sterben, die mit dem bewußten Salon!

TEUFEL Aha!

VIZETEUFEL Die gehört uns totsicher!

TEUFEL Unberufen! Nur nicht verschrein! Man kann das bei der unkalkulatorischen Güte da droben nie wissen.

Er geht grimmig hin und her. Es ist zum Schwanzaus-
reißen!
*Während der folgenden Szene wird es in der Hölle nicht
dunkel.*

Auf der Erde

*Der Mond scheint in ein Zimmer. In dem Zimmer steht
ein Bett und in dem Bett schlafen nebeneinander Luise und
Lauterbach.*

LUISE *schreckt plötzlich auf:* O!

LAUTERBACH *erwacht:* Was hast denn?

LUISE Ich hab grad so was Entsetzliches geträumt. Mir
scheint von dir – – ich weiß aber nicht mehr was. Ich
weiß nur, es ist dir was passiert, du hast dich verletzt
oder so – –

LAUTERBACH *verschlafen:* Geh beruhig dich nur und
träum fidel weiter!

LUISE Das ist nicht so einfach.

LAUTERBACH *gähnt:* Ich bin ja bei dir – –

LUISE Ja, das ist schön.

LAUTERBACH Sei mir nicht bös, ich bin so müd – – – – *Er
schnarcht.*

LUISE Auch wenn du müd bist, ruht sich bei dir meine
Seele aus!

Dunkel

In der Hölle
und später auch
Im Himmel

TEUFEL *geht tief unten noch immer grimmig hin und her:*
Skandal! Blamage! Unerhört! Wenn man nur wenigstens wüßt, wie lange daß einem von ganz dort droben immer wieder ins Handwerk gepfuscht werden
wird, dann könnt man sich seine Wut wenigstens ein-
teilen! Heut ein bisserl und morgen ein bisserl, aber
so?! *Er fährt den Vizeteufel an.* Grins nicht so teuflisch! Bilds dir nur ja nicht ein, daß ich dich hier drunten überleben werd, sonst zerreiß ich dir das Maul!
Skandal! Blamage! Unerhört! *Er ruft in den Himmel
empor.* Petrus! Petrus!

ST. PETRUS *erscheint im Himmel:* Wer ruft da?

TEUFEL Ich!

ST. PETRUS Du bist es? Was gibts?

TEUFEL Ich wollt mich nur erkundigen, ob Ihr es bei Euch
droben nicht bemerkt habt, daß ich großherzigerweise
einen Kontrakt zerrissen habe! Daß ich freiwillig eine
Seele freigegeben hab! Daß ich mal verzichtet habe!

ST. PETRUS Du meinst den Pakt mit jenem Sopran? Ja, das
wurde vermerkt.

TEUFEL Und sonst nichts.

ST. PETRUS Du hast ja die Frau nur aus Wut auf uns frei
gegeben – –

TEUFEL *fällt ihm ins Wort:* Ich k a n n doch nicht anders,
als aus Wut auf Euch! Aber ich möcht jetzt nur vermerkt
haben: Ich hab etwas Gutes getan!

ST.PETRUS Allerdings.

Sphärenmusik.

TEUFEL *lauscht:* Sag, Petrus – – werd ich noch lange so
Kontrakte schließen müssen?

ST. PETRUS Wenn du alle deine Kontrakte so löst, wie jenen, dann nimmer lang.

TEUFEL Bravo! Also auf Wiedersehn droben!

ST. PETRUS Wiedersehn, lieber Teufel! Wiedersehn!

Dunkel

ENDE

Das unbekannte Leben

Komödie in fünf Akten

Personen: Alexander Semper, Generaldirektor der Pandora-Filmgesellschaft · Dr. Peter Huelsen, sein Sekretär · Gustav Mayberg, Filmregisseur · Hell, Filmautor · Die Barbou, seine Kollegin · Claustal, sein Kollege · Claire Carry, Filmschauspielerin · Professor Bossard · Sein Assistent · Sein Pianist · Manuel · Die Unbekannte · Robert, ein ergrauter Mixer · Adolf, ein junger Mixer · Jack Traverson, ein Weltmeister · Der Marquis de Bresançon · Bientôt, sein alter Gärtner · Jean, sein Diener · Nevieux · Dessen Tante · Ein Bildreporter · Zimmerkellner im Hotel Terminus · Filmballpublikum

Ort der Handlung: Paris

Zeit: Gegenwart. Vom Nachmittag bis zum nächsten Morgen.

Erster Akt

*Büro des Generaldirektors der Pandora-Filmgesellschaft,
Alexander Semper. Links die Türe, rechts das Fenster und
im Hintergrund eine Tapetentür. An den Wänden Photos
der engagierten Publikumslieblinge. Einige Clubsessel. In
der Ecke Schreibtisch mit Telephon, dahinter eine Palme,
die in Kontrast steht zu der betont sachlichen Architektur
des Raumes und der Möbel.*

*An dem Schreibtisch sitzt Alexander Semper, ein dicker,
jedoch beweglicher Herr von fünfzig Jahren, energisch
mit rascher Auffassungs- und Kalkulationsgabe, überarbeitet und daher leicht hypochondrisch, gut angezogen
und zu unrecht immer etwas ungepflegt wirkend. Neben
ihm steht sein Sekretär: Dr. Peter Huelsen, ein Literat
Mitte dreißig mit resigniertem Blick, doch zu guter Letzt
praktischer Lebenseinstellung; überzeugt, daß die Welt
von Plebejern terrorisiert wird, überschätzt er dennoch
das Gewicht der schönen Literatur. Ein anständiger
Mensch.*

1. Auftritt

Semper. Huelsen.

SEMPER *überfliegt angekommene Briefe:* – – das Geschäft
ist perfekt, zwei Drittel Rest plus drei Prozent und
Propaganda – – aber großer Gott, was ist das für ein
mieser Titel?! »Was Ihr wollt«! Nein, das geht nicht!
Und außerdem hats doch den Film schon gegeben,
kommt mir bekannt vor – Doktor! Erinnern Sie sich?

HUELSEN Verzeihung! »Was Ihr wollt« war kein Film, sondern ist ein Lustspiel von Shakespeare.

SEMPER Schon faul! Nur keine Klassik! *Während er nun abgehende Post unterschreibt.* Shakespeare! An den habe ich grauenvolle Erinnerungen. Der Macbeth-Film – – brrr! Das einzig filmisch hübsche war der wandernde Wald – – aber wer geht schon in einen Film, um einen Wald wandern zu sehen! Unser Publikum besteht aus sechzig Perzent Weibern und vierzig Perzent Männern, und von diesen vierzig Perzent gehen neunzig Perzent in jenen Film, der ihnen von ihrer jeweiligen weiblichen Begleitung vorgeschlagen wird – – ergo haben wir mit einem Publikum von über fünfundneunzig Perzent Weibern zu rechnen, und die wollen etwas ganz anderes wandern sehen, als ein paar Tannenbäum! – – – – *Er überfliegt wieder Briefe.* Da schreibt uns die Diana GmbH. Vor denen ihrem Abenteurerfilm hab ich übrigens Angst. Keine Handlung, keine Spannung, schlechter Dialog. Der Regisseur ist ein Patzer, der Operateur ein Stimmungsmensch, die Moreno hat einen Zungenfehler, der Liebhaber Plattfüß und die Carry schielt: ein feiner Film!

HUELSEN Verzeihung Direktor, ich hab es leider ganz vergessen, daß sich die Carry angesagt hat, für halb fünf – –

SEMPER Großer Gott, was möcht sie denn?!

HUELSEN Sie möchte die Unbekannte spielen.

SEMPER Was für eine Unbekannte?

HUELSEN Unsere »Unbekannte der Seine« – – die Totenmaske.

SEMPER Wie bitte? Unsere Tote? Ja, woher weiß es denn das Frauenzimmer, daß wir diesen Film planen?! Ein Skandal! In dieser Branche hält keiner das Maul!

HUELSEN Sie wirds vom Hell erfahren haben. Mit dem hat sie was.

SEMPER *überrascht:* Absurd! Der Hell ist doch so klein

und sie ist so groß – – Kann ich mir nicht vorstellen! Auch ein Skandal. – – Und seit wann?

HUELSEN Seit vorgestern.

SEMPER *ehrlich bewundernd:* Sie wissen aber auch schon alles.

HUELSEN Direktor, als Ihr Sekretär erachte ich es leider für meine Pflicht, über die abwechslungsreichen und manchmal verworrenen privaten Beziehungen unserer Mitarbeiter immer am laufenden zu sein – – im Interesse eines reibungslosen Geschäftsganges.

SEMPER Sie sind ein Genie! Und der Hell ist ein elender Schwätzer.

HUELSEN Und ein elender Autor.

SEMPER Das dürfen Sie nicht sagen! Ich erinnere nur an die »Geheiligte Liebe«! War das eine Kasse, sieben Monat im Kristallpalast und ausverkauft! Dieser Hell ist auch ein Genie.

HUELSEN Einmal ist ihm etwas eingefallen und das hat er von Zola abgeschrieben.

SEMPER Es kommt nicht darauf an, was man abschreibt, sondern wie man abschreibt! In der gesamten internationalen Kunst kommt es auf das »Wie« und niemals auf das »Was« an – – soviel versteh ich auch von der Belletristik! Ich versteh aber auch, warum Sie mir immer mies machen wollen vor unseren bewährten Autoren: ich soll immer neue, junge heranziehen, wie? Hab doch schon alles versucht! Und was hab ich geerntet? Was ich gesät hab: da kommen die Herren Poeten mit neuen Ideen, die sich von keiner Seite photographieren lassen! Haben Ideale im Herzen und Wimmerl auf der Stirn und wenns ein paar Groschen Vorschuß haben, werdens größenwahnsinnig, klopfen mir auf die Schulter und behaupten, mehr vom Betrieb zu verstehen, wie ich! Lassens mich aus mit Ihren jungen Dichtern!

HUELSEN Es gibt natürlich auch solche – –

SEMPER *fällt ihm ins Wort:* Es gibt nur solche! Aber, sagens mal Doktor: warum schreiben denn Sie uns keinen Film?

HUELSEN Es liegt mir nicht.

SEMPER So spricht ein Mensch, der seit zwei Jahren mein Sekretär ist! Kennt jeden Film, beherrscht die Technik, ist allgemeingebildet, belesen, schreibt klassisch und hat viel freie Zeit!

HUELSEN Letzteres ist ein Irrtum. Ich bin nämlich auch noch Mitarbeiter der »Neuen Tage«.

SEMPER Was ist das?

HUELSEN Eine literarische Zeitschrift.

SEMPER »Literarisch« – – und darauf sind Sie stolz, was?

HUELSEN Es ist mein eigentlicher Beruf.

SEMPER Verstehe. Der Film ist Ihnen zu dumm – – nicht?

HUELSEN Das hab ich nie behauptet.

SEMPER Aber ich behaupt es. Ich sage Ihnen, der Film ist das dümmste was es überhaupt nur gibt!

HUELSEN *lächelt:* Vielleicht.

SEMPER Aber die Leut, die den Film produzieren, die sind nicht dumm, nur die, die zuschaun und dafür bezahlen – – denen ist es sogar ihre Pflicht, dumm zu sein!

HUELSEN Meiner Meinung nach läßt sich das nicht verallgemeinern. Die Menschen müssen sich eben unterhalten und wollen nicht immer denken.

SEMPER Weil sie gar nicht denken können! Nur keine Ausrederein, Doktor! Und wenn Sie noch so hochgeistig in Ihrer literarischen Zeitschrift artikeln, leben tun Sie hier von der Dummheit!

HUELSEN Ich weiß, Sie haben recht.

Telephon

HUELSEN *am Apparat:* Ja – – *Zu Semper.* Herr Regisseur Mayberg.

SEMPER Schon da? Soll hereinkommen!

HUELSEN *am Apparat:* Herr Generaldirektor lassen bitten!

SEMPER Das »General« schenke ich Ihnen! Aber nur Ihnen!

HUELSEN *lächelt:* Zu gütig.

SEMPER *droht Huelsen wohlwollend:* Alter Ironiker – –
  Es klopft an der Türe links.

SEMPER Herein!

2. Auftritt

Semper. Huelsen. Mayberg.
Gustav Mayberg ist ein Regisseur mit überdurchschnittlichen Ambitionen und einem graumelierten Künstlerkopf; älter wie Semper, sieht er trotzdem jünger aus, wirkt sehr gepflegt und kultiviert; er ist ein eitler Mensch und man könnte fast von einem homme des femmes sprechen, wenn er nicht ausschließlich chinesisches Porzellan sammeln würde. Nun betritt er mit einem kleinen Paket das Büro.

SEMPER Willkommen, Mayberg!

MAYBERG Nicht böse sein, daß ich mich sozusagen verfrüht habe – –

SEMPER Wer sich schon so oft verspätet hat, der darf sich auch einmal verfrühn! Was bringen Sie uns Interessantes?

MAYBERG Allerlei. Könnt ich Sie etwas unter vier Augen?

HUELSEN *zieht sich durch die Tapetentüre zurück.*

SEMPER *ruft ihm nach:* Schreiben Sie den Leuten, daß »Was Ihr wollt« nicht geht!

Semper. Mayberg.

MAYBERG *packt das Paket aus:* Zunächst: hier habe ich
Ihnen die versprochene Totenmaske mitgebracht – –

SEMPER Das ist brav. Zeigen Sie her!

MAYBERG Sie kennen Sie tatsächlich nicht?

SEMPER Nein.

MAYBERG *überreicht ihm einen Abguß der »Unbekannten
der Seine«:* Eine zweite Mona Lisa.

SEMPER *betrachtet den Abguß:* Wie die lächelt – –

MAYBERG Aus einer anderen Welt.

Stille.

SEMPER Was es alles gibt.

MAYBERG In Millionen Exemplaren.

SEMPER Schon gut! Aber man schaut halt nicht hin – – *Er
betrachtet noch immer die Unbekannte.*

MAYBERG Erschütternd, was?

SEMPER *scheinbar keineswegs erschüttert:* Ja. – – Hier hat
sie einen Sprung. *Er legt die Totenmaske auf den
Schreibtisch.* Und man weiß wirklich nichts von ihr?
Keinen Namen, keinen Stand, keine Nationalität?

MAYBERG Nicht einmal wie sie starb, geschweige denn
wie sie lebte. Vor ungefähr vierzig Jahren zog man eine
Mädchenleiche aus der Seine, irgendeine junge Selbstmörderin: das ist alles.

SEMPER Besser als nichts.

MAYBERG Niemand hat sich gemeldet, der ihr im Leben
begegnet war. Erst nach ihrem Tode eroberte sie die
Welt.

SEMPER Man solls nicht für möglich halten. Gott, ist das
ein Film! Da kann man alles machen, weil man nichts
weiß!

MAYBERG Apropos Film, nun komme ich zu meinem

eigentlichen Thema: wir alle sind uns darüber klar und ich darf es wohl ohne Selbstüberhebung aussprechen, daß für die Regie eines Filmes mit diesem unsterblichen Antlitz auf unserem Kontinent einzig und allein nur ich in Frage komme.

SEMPER Leider.

MAYBERG *verdutzt:* Wieso?

SEMPER Sonst wären Sie nämlich billiger, aber ohne Konkurrenz – –

MAYBERG *lacht gezwungen.*

SEMPER *lacht auch, gießt zwei Gläschen Cognak ein und erhebt das seine:* Prost, Unikum! *Er leert es.* Na und was hätten wir noch auf dem Herzchen?

MAYBERG *leerte auch sein Gläschen und wird plötzlich sehr feierlich:* Sagen Sie, Herz bei Seite: bin ich ein Intrigant?

SEMPER *etwas überrascht:* Ist mir noch nicht aufgefallen – –

MAYBERG Danke! Herr Generaldirektor Alexander Semper! Ich bin gezwungen mich zu beschweren, und zwar über Ihren Sekretär, Herrn Doktor Peter Huelsen. Sie wissen, daß es einzig und allein meine Idee war, einen Film mit dem Titel »Die Unbekannte der Seine« zu drehen – –

SEMPER *unterbricht ihn:* Ich erinnere mich.

MAYBERG Danke! Und außerdem hätt ich auch Zeugen dafür: es war am zweiundzwanzigsten September, abends im Restaurant Erika, da ist mir diese Idee gekommen, wir waren zu vieren, die Carry war auch dabei – –

SEMPER *unterbricht ihn abermals:* Die Carry? Ach, daher weiß die davon!

MAYBERG Wahrscheinlich! Also: wir saßen zu vieren und ich sprach über überdurchschnittliche Filmmöglichkeiten, da sah ich plötzlich vor der Bar durch das Treiben der Tanzenden hindurch dies einsame Antlitz mit seiner lächelnden Trauer – – – – ich habe diese meine Vision seinerzeit gleich weitererzählt, so gepackt war ich davon. Und am nächsten Morgen rief ich Sie an, es war am dreiundzwanzigsten September.

SEMPER Stimmt! Ich erinner mich genau, weil ich damals Geburtstag hatte.

MAYBERG Oh! Darf man nachträglich gratulieren?

SEMPER In meinem Alter?

MAYBERG Nur nicht bescheiden! Aber um fortzufahren: Ihr Sekretär, Herr Doktor Peter Huelsen behauptet, die Verfilmung dieser Totenmaske wäre nicht meine Idee!

SEMPER Was?! Das behauptet er?

MAYBERG Ich bitte um Ihren Schutz. Gustav Mayberg hat es nicht nötig, sich schief anschaun zu lassen!

SEMPER Natürlich hat er das nicht nötig! Na das werd ich sofort klären – – *Am Apparat.* Hallo! Doktor, kommen Sie sofort! *Er hängt ein; zu Mayberg.* Zigarre gefällig?

MAYBERG Tausend Dank! Hab es mir abgewöhnt – – mein Herz!

SEMPER Schon?

MAYBERG Das Leben und dieser Beruf!

SEMPER Ja, man müßt mehr an sich denken. Ich eß jetzt oft Rohkost – – brrr. *Er stockt, da Huelsen durch die Tapetentüre eintritt.*

4. Auftritt

Semper. Mayberg. Huelsen.

SEMPER Doktor, es dreht sich um die Unbekannte! Mayberg behauptet, Sie behaupteten, die Verfilmung wäre nicht seine Idee – –

HUELSEN Das hab ich niemals behauptet!

SEMPER Na also!

HUELSEN Ich behaupte nur, daß ich am fünfzehnten September ein Exposé erhalten habe mit dem Titel »Die Unbekannt der Seine« – – und daß Herr Regisseur Mayberg am zweiundzwanzigsten September nachmittags auf meinem Zimmer drüben seiner Gewohnheit gemäß in den eingegangenen Manuskripten herumgeblättert hat, und am selben Abend ist es ihm dann eingefallen.

MAYBERG Unerhört! Perfid! Ich habe Ihr Exposé niemals gesehen! Auch nicht den Titel!

HUELSEN *zuckt die Schultern.*

MAYBERG Zucken Sie nicht mit den Schultern!

SEMPER Aber meine Herren! Wie oft haben wir das schon erlebt, daß uns allen zu gleicher Zeit dasselbe eingefallen ist! Sowas ist doch kein Streitobjekt, sondern ein günstiges Omen für einen Film! Es liegt eben in der Luft!

HUELSEN Es liegt auch noch drüben bei mir auf dem Tisch.

MAYBERG Junger Mann, was erlauben Sie sich?! Ich lasse mir das nicht bieten, ich nicht!

SEMPER Nur keine Aufregung wegen nichts, bitt ich mir aus! Mayberg, denkens an Ihr schwaches Herz!

MAYBERG *greift sich sofort ans Herz und wendet sich ab.*

SEMPER *zu Huelsen:* Und Sie, zucken Sie nicht mit den Schultern!
Pause.

HUELSEN Es liegt mir fern, Herrn Mayberg aufzuregen. Was ich betone, betone ich im Interesse der Firma, da jene Person, die jenes Exposé ohne Zweifel als Erste eingereicht hat, ohne Zweifel rechtliche Ansprüche erheben wird – –

SEMPER *unterbricht ihn:* Also das Recht ist eine labile Geschichte!

HUELSEN Allerdings.

MAYBERG *plötzlich zu Huelsen:* Kennen Sie jene Person?

HUELSEN Ja.

MAYBERG Aha!

HUELSEN Da gibst kein Aha!

MAYBERG *zu Semper:* Er kennt die Person.

HUELSEN *trotzig:* Sehr gut sogar!

MAYBERG *zu Semper:* Interessant! Hören Sie Ihren Sekretär!

SEMPER Ich höre.

HUELSEN Ich muß Sie enttäuschen, Herr Mayberg: ich bin zwar mit jener Person sehr befreundet, trotzdem muß ich sagen, daß das Exposé völlig unbrauchbar ist, schlecht und unfilmisch – –

SEMPER *unterbricht ihn; zu Mayberg:* Hören Sie meinen Sekretär? *Zu Huelsen.* Bravo, Doktor!

5. Auftritt

Die Vorigen. Carry.
Claire Carry ist eine dreißigjährige blondgefärbte Sou-
brette, sie kam von der Operette zum Film und hat eine
Schwäche für tragische Rollen; spielt seit zehn Jahren
junge Mädchen und hat daher auch im Leben einen infan-
tilen Ton.

CARRY *öffnet langsam die Türe links und steckt den Kopf*
herein: Direktorchen!

SEMPER Großer Gott!

MAYBERG Ach, Claire Carry! Clairchen – – *Er geht auf sie*
zu und küßt ihr beide Hände. Das aber nett!

SEMPER Sehr nett.

CARRY Ich bin nur auf einen Augenblick hereingeflogen,
hoffentlich störe ich nicht!

SEMPER Gar nicht.

CARRY Liebstes Direktorchen, Sie müssen mich retten, ich bin ein Opfer – – jawohl, ein erbarmungswürdiges Opfer! Ich soll bei der Diana spielen, diese affige Rolle, so eine vorlaute, uninteressante Siebzehnjährige in diesem unqualifizierbar dummen Abenteuerfilm.

SEMPER Das stimmt!

CARRY Retten Sie mich, Direktorchen! Ach, retten Sie mich – – es kostet Sie ein Wort und der Vertrag ist gelöst, ein Wort! Und, und: lassen Sie mich die Unbekannte spielen! Hören Sie, ich liebe dies Antlitz, es hängt über meinem Bettchen, ich schlaf mit ihrem Lächeln ein und wach damit auf! Und außerdem ist ja dieser Film auch meine Idee.

SEMPER Ihre Idee?

CARRY Wessen denn sonst? Ich war es, die Mayberg auf diesen Film gebracht hat, im Restaurant Erika – –

SEMPER *unterbrich sie:* Was hör ich?!

MAYBERG Aber Clairchen, ich muß schon bitten, bleiben wir bei der Wahrheit: im Erika sprach doch ich davon!

CARRY Nachdem ich davon angefangen hab! Wer hat denn bei der Bar durch das Treiben der Tanzenden hindurch plötzlich die Vision gehabt? Ich!

MAYBERG Ungeheuerlich! Ungeheuerlich, mir das ins Gesicht zu schleudern – – mit solch eiserner Stirne!

CARRY *als würde sie plötzlich verstehen:* Ach! So wird hier gespielt – –

SEMPER Hier wird gar nichts gespielt!

CARRY Oh doch! Die gute Claire Carry soll verschoben werden und da wird eben einfach geleugnet – mit eiserner Stirne!

MAYBERG Toll!

CARRY Aber Herr Gustav Mayberg irrt sich, denn ich habe Zeugen – – Und Sie irren sich auch, Direktorchen!

SEMPER Ich irr mich gar nicht. Es ist vollständig wurscht, wer bei der Bar dort die Vision gehabt hat! Vision her, Vision hin, ich hab auf alle Fäll ein Exposé, das mir eine geschlagene Woch vorher eingereicht worden ist! Stimmts, Doktor?

HUELSEN Jawohl.

CARRY *lacht spitz:* Das soll ich glauben!

SEMPER Wir können es jederzeit beeiden.

CARRY Ph!

Pause

SEMPER Und mit was kann ich sonst noch dienen, Gnädigste? Sie müssen entschuldigen, aber wir haben jetzt gleich eine Autorenkonferenz – –

CARRY *erhebt sich:* Ich flieg schon weiter – – und nichts für ungut, Direktorchen! *Sie trällert.* Revanche, Revanche! *Sie bleibt noch einmal vor der Türe links stehen; zu Semper.* Man ist doch heut abend auf dem Filmball?

SEMPER Ich muß.

CARRY Es wird mir eine besondere Wonne sein, Sie begrüßen zu dürfen!

SEMPER Ganz meinerseits!

CARRY Ich werde auch mit jemand erscheinen, den Sie schon lange engagieren wollen – –

SEMPER Freut mich!

CARRY Wiedersehen, Direktorchen! *Ab durch die Türe links.*

SEMPER Zerspring!

6. Auftritt

Semper. Mayberg. Huelsen.

MAYBERG Eine infantile Furie!

SEMPER Wenn man bedenkt, sowas hab ich zum Film entdeckt – – hab ich aber einen ordinären Geschmack!

MAYBERG Trösten Sie sich! Vor zwölf Jahren war sie reizvoller.

SEMPER Sie war nie reizvoll. – – *Er betrachtet wieder die Totenmaske.* Gott, bin ich scharf auf diesen Film, je länger ich diese Maskerade betracht! Ich seh sie schon auf allen Plakatsäulen kleben, so von innen heraus illuminiert!

MAYBERG Was mich an diesem Film begeistert, ist die einfache Größe des Vorwurfes, der mir endlich Gelegenheit gibt, etwas wahrhaft künstlerisches zu schaffen.

SEMPER Also nur keine brotlose Kunst! Kasse, Kasse, Herrschaften!

MAYBERG Machen Sie sich nicht schlechter, als Sie sind!

SEMPER *grinst:* Geld verdirbt den Charakter!
Telephon.

HUELSEN *am Apparat:* Ja? – – *Zu Semper.* Die Autoren sind da.

SEMPER Alle drei?

HUELSEN Alle.

SEMPER Herein damit!

HUELSEN *am Apparat:* Herr Direktor lassen bitten! *Er hängt ein.*

SEMPER Jetzt kommt das notwendige Übel!

MAYBERG Hoffentlich ist ihnen etwas eingefallen.

SEMPER Ich bin schon froh, wenn ihnen was eingefallen ist, was sie abschreiben können!
Es klopft.

SEMPER Herein!

Die Vorigen. Hell. Claustal. Die Barbou.
Die drei Filmautoren, betreten das Büro. Hell ist ein fixer
Bursche, klein, schlagfertig und penetrant begabt; Claus-
tal ein schwerblütiger, hemmungsloser Feuilletonist; die
Barbou eine alte Dame, geschäftstüchtig und voller Seele.
Allgemeine Begrüßung: »Willkommen! Habe die Ehre,
Generaldirektor! Meine Hochachtung, gnädige Frau! Gu-
ten Tag, Doktor! Servus, Mayberg!« Huelsen, Hell und
Claustal schieben die Clubsessel mehr in die Nähe des
Schreibtisches, so daß während des folgenden alle im
Halbkreis um Semper sitzen.

SEMPER Bitte, bitte, machen Sie es sich nur bequem!

MAYBERG Ich bin unsagbar gespannt, was wir zu hören
bekommen, nachdem mein Freund, Generaldirektor
Semper, auf mein Anraten hin, unsere drei prominentesten Autoren beauftragt hat, über dieses einzigartig
gewaltige Thema nachzudenken.

CLAUSTAL Leider war die Zeit sehr kurz. Drei Tage!

SEMPER Ein genialer Blitzeinfall ist die Frage einer Zehn-
telsekunde. Nur frisch drauflos, meine Herrschaften!
Der Sängerkrieg kann beginnen!

HELL Sind wir Sänger?

SEMPER Bin ich die Wartburg?

BARBOU Ich bitte ums Wort. Herr Generaldirektor! Ich
empfinde diese Behandlungsform geistiger Menschen
nicht ganz würdevoll, Sie trommeln uns hier zusammen
und jeder soll nun sein Ding, mit dem er gerungen hat,
gewissermaßen noch im Rohzustand – –

CLAUSTAL *unterbricht sie:* Keine Angst, Madame! Ich klau
keine Ideen!

BARBOU Ich weiß, lieber Claustal, daß Sie nicht klauen!

HELL Also zielts auf mich.

BARBOU Da wir gerade beim Zielen sind, könnten wir auch schießen. Jawohl, Herr Hell! Erinnern Sie sich nur an die »Liebesnacht im Park«! Sie haben mir aus meiner Liebesnacht einen Akt gestohlen!

HELL Madame! Wenn ich abschreib, schreib ich nicht von Ihnen ab!

SEMPER Was ist? Wird hier gedichtet oder geplauscht?

BARBOU Semper, Sie sind ein Sadist!

SEMPER Was ich für private Spezialitäten hab, steht hier nicht zur Debatte! Wir haben keine Zeit zu verlieren – –

CLAUSTAL *fällt ihm ins Wort:* Ich auch nicht. In einer halben Stund muß ich bei der Atlantis sein.

SEMPER Ach, Sie arbeiten für die Konkurrenz?

CLAUSTAL Warum nicht?

SEMPER *schluckt:* Früher haben die Dichter Bröseln gegessen – –

CLAUSTAL Und manche Filmdirektoren haben Hosen verkauft.

SEMPER Zielt das auf mich?

CLAUSTAL Nein.

SEMPER Drum. Ich hab nie Hosen verkauft.

CLAUSTAL Na also.

Stille.

SEMPER *schlägt plötzlich mit der Faust auf seinen Schreibtisch:* Ist es vielleicht eine Schande, daß ich aus der Konfektion komm?!

MAYBERG Aber meine Herren!

Telephon.

HUELSEN *am Apparat:* Ja? – – *Zu Hell.* Herr Hell wird gewünscht.

HELL Danke! *Am Apparat.* Hier Hell! Ach, Putzi! Wie stehts? – – – – Na pa, mein Liebstes, bin in einer Konferenz! Pa, Putz! *Er hängt ein; zu den Anwesenden.* Pardon! *Er nimmt wieder seinen Platz ein.*

CLAUSTAL Ich bin dafür, daß ich beginne. Also, ich habe mir das Problem durch den Kopf gehen lassen: es ist nicht leicht ein Filmschicksal zu erfinden, das einerseits diesem Titel gerecht wird, andererseits aber auch Kassen füllt, da wir von vornherein auf ein Happy-end verzichten müssen, denn sonst könnte man ja den Film überhaupt nicht drehen.

MAYBERG Richtig!

CLAUSTAL Nun, ich rede jetzt nur so ins Blaue hinein: ich sehe ein junges Weib, Typ unbekannt, allein in der großen, lockenden Stadt; niemand kennt sie, vielleicht wurden ihr durch tragische Umstände die Ausweispapiere gestohlen, worauf sie vielleicht vor Gericht kommt, unschuldig in etwas Kriminelles verwickelt, vielleicht eine Diebstahlsaffäre – –

SEMPER *unterbricht ihn:* Schon wieder? Zwei Diebstähle in einem Film?

MAYBERG Ja, das ist zu viel.

BARBOU Aber Mord wollen wir keinen haben – – oder?

SEMPER Warum nicht? Mord sehen die Leut immer gern!

HELL Die Hauptsache ist, daß der Mörder seine gerechte Sühne findet!

SEMPER So ists!

CLAUSTAL Nun, und dann dachte ich mir ferner, vielleicht könnte diese Unbekannte eine junge Mutter – –

MAYBERG *unterbricht ihn:* Mutter? Aber Claustal, dies zarte, göttliche Mädchenantlitz!

CLAUSTAL Möglich! Offen gesagt: es ist mir noch nichts Brauchbares eingefallen.

HELL Hand aufs Herz: Sie wollen nur nicht erzählen weil ich zuhör?

CLAUSTAL Irrtum, Hell! Sie meine ich nicht.

BARBOU *scharf:* Vielleicht ich?!

CLAUSTAL Erraten! Da Sie mich öfters bestohlen haben,

werde ich mich hüten! Denken Sie nur an die Idee von »Figaros Hochzeit«!

BARBOU Die ist doch von Mozart! Von Wolfgang Amadeus Mozart!

CLAUSTAL Aber ich hab sie gehabt! Ich hab sie vorgeschlagen! Doch übrigens: ich kann diese »Unbekannte« nicht schreiben!

MAYBERG Claustal! Ein Autor, wie du, der die zartesten Mädchenfilme geschrieben hat – –

CLAUSTAL *unterbricht ihn:* Sei mir nicht böse, aber mit gutem Gewissen kann ich keine Mädchenfilme mehr schreiben! Ich will mich nicht spezialisieren!

SEMPER *grimmig:* Lobenswert, sehr lobenswert! Und der Vorschuß?

CLAUSTAL Was geht mich der Vorschuß an?! Ich schreib doch nicht wegen eines lumpigen Vorschusses! Man kann doch einem Künstler nicht sagen, da hast du Geld, so, und jetzt laß dir etwas einfallen! Mir fällt halt nichts ein! Man muß auch als Filmdichter ein gewisses Verantwortungsgefühl haben – – *Er sieht auf seine Uhr.* Pardon, ich muß jetzt fort! Gnädige Frau! Herr Generaldirektor! Servus, Mayberg! *Rasch ab durch die Türe links.*

SEMPER *ruft ihm nach:* Schönen Gruß an die Konkurrenz!

8. Auftritt

Die Vorigen. Ohne Claustal.

BARBOU Herr Semper, ich bin über diesen Claustal ehrlich empört! Das Menschenkind soll ein Kind haben – – nein, das wäre ja unverantwortlich! Meiner innersten Meinung nach ist das ein Engel gewesen, der wegen irgend einer kosmischen Schuld auf unser irdisches Jammertal hat hinab müssen und dann erst durch den Tod erlöst worden ist. Daher dies rätselhafte Lächeln.

MAYBERG Das ist schön.

BARBOU Ich habe, schon lange bevor ich Ihren Filmplan erfuhr, eine kleine Novelette skizziert: Paris, Montmartre, Sacré-Cœur. Ein Bildhaueratelier, verschwiegen unter schiefem Dach, durch das hohe Fenster grüßt immer wieder Sacré-Cœur. Ein junger Bildhauer haust dort droben, arbeitet an einer süßen Madonna, zu der ihm ein keusches Waisenhausmädchen Modell steht, fernab der Tagesmeute. Nur selten veranstaltet unser junger Künstler karnevalistische Atelierfeste, aber dann um so bacchantischere, wild rauschende, lebenshungrige Jugend, ein Poet spielt Klavier – –

SEMPER *unterbricht sie:* Klavier war schon sehr oft da!

HELL Vielleicht könnt er Zither spielen?

BARBOU *empört:* Zither? In Paris?!

SEMPER Was heißt hier Paris? Zither ist sehr gut!

BARBOU Nun, er könnte ja vielleicht ein junger Tiroler sein, der in Paris studiert – –

HELL Oder ein Schweizer.

SEMPER Schweizer ist besser, ist mehr international!

HELL Westschweizer!

SEMPER Richtig! Ein Waadtländler!

BARBOU *verzweifelt:* Also ein Waadtländler!
Telephon.

HUELSEN *am Apparat:* Ja? *Zu Hell.* Für Sie – –

HELL Pardon! *Am Apparat.* Hier Hell! Ach, Äffchen! – – Aber natürlich! – – – – Nicht bös sein, ich bin grad in einer Konferenz! Pa, Kleines! *Er hängt ein.*

BARBOU Immer diese ewigen Hürchen!

HELL Das Hürchen diesmal war Ihr Fräulein Tochter.

BARBOU Tilli?!

HELL Jawohl, Tilli. Sie will, daß ich sie protegier, sie möcht doch zum Film.

BARBOU Als könnt ich sie nicht selbst protegieren! Aber das Mädel soll doch nicht zum Film! Nein, nur nicht in diese Branche!

SEMPER Nur nicht das eigene Nest beschmutzen! Fahren Sie lieber in Ihrer Novelett fort, gnädige Frau!

HELL Moment! Verzeihung, daß ich einsteige bevor Madame weiterfährt: ich möchte nur feststellen, daß mir auf Ehrenwort tatsächlich etwas ganz ähnliches eingefallen ist, wie Montmartre, Bildhaueratelier, Sacré-Cœur und Modellwirtschaft.

BARBOU Eine Schmach!

HELL Aber sogleich, wie es mir eingefallen ist, hab ich es bereits auch eingesehen, daß dieses Milieu falsch ist – –

MAYBERG *unterbricht ihn:* Wieso? Find ich keineswegs! Waisenhausmädchen und Modell!

SEMPER Das Heilige und das Pikante – – ausgezeichnet!

HELL Wenn Sie wünschen, kann ich es ja wieder verwenden – –

BARBOU Meine Idee?!

HELL Beruhigen Sie sich, ich hab auch meine eigenen Ideen! Allerdings dachte ich mir die Handlung mehr in einem mondänen Rahmen, den Bogen weiter und höher gespannt, nicht so sehr an individuellem Schicksal haftend, eventuell verquickt mit einer Spionage-Geschichte – –

SEMPER Bravo! Spionage hat immer Hand und Fuß!

HELL Und ich dachte auch an den männlichen Partner: einen vollendeten Kavalier, etwa in der Art – – in der Art, wie Sie, Mayberg!

MAYBERG *abwehrend, doch geschmeichelt:* Aber, Hell!

BARBOU Doch! Mayberg ist ein Kavalier! Da muß ich sogar Hell beipflichten! Alte Schule!

SEMPER *zu Mayberg auf die Barbou deutend:* Eine Erobe-
rung!

MAYBERG Meine Herrschaften! Ich hätte einen plötzli-
chen, kühnen Vorschlag: könnten unsere Autoren nicht
vielleicht zusammenarbeiten – –

BARBOU *unterbricht ihn:* Ich mit dem?! Ausgeschlossen!
Wo denken Sie hin?!

MAYBERG Aber gnädigste Frau – – *Er beugt sich über
ihren Clubsessel und spricht leise mit ihr.*

HELL *zu Semper:* Bei mir ist nicht ausgeschlossen – –

SEMPER Bekanntlich!

HELL Ich arbeit auch mit des Teufels personifizierter
Großmutter, vorausgesetzt, daß das ausgemachte Honorar nicht schrumpft – –

SEMPER Absurd! Wir sind doch keine Piraten! Überhaupt
wo auch ich diese Kombination für eine glückliche Idee
halt!

MAYBERG *zur Barbou, die sich noch etwas zögernd erhebt:*
Kommen Sie, Gnädigste! Hell ist eine Vernunftbega-
bung und ich benötig zu dieser Arbeit Ihr weiblich-
mütterliches Gefühl.

BARBOU *geschmeichelt:* Sie schmeicheln, lieber Mayberg.

MAYBERG Ich werd dem Burschen die Zügel schon anlegen––

BARBOU Aber feste, feste!

MAYBERG *zu Semper:* Frau Barbou ist einverstanden.

SEMPER Gratuliere!

MAYBERG Kommen Sie, Hell! Wir gehen zu mir und sprechen alles in Ruhe durch! Mir ist auch noch einiges
eingefallen.

HELL Mir auch. *Zu Semper.* Habe die Ehre, Herr General!

SEMPER *freundschaftlichst:* Kusch!

MAYBERG Wiedersehen, Semper! Heut abend auf dem
Ball! *Ab mit der Barbou und Hell durch die Türe links.*

SEMPER Meine Hochachtung! Glück auf!

Semper. Huelsen.

SEMPER *schnauft auf:* Das wär erledigt. Machen Sie das
  Fenster auf, ich erstick vor lauter Rauch! Und zünden
  Sie die Lampen an, es wird Nacht!

HUELSEN *folgt.*

SEMPER So ists brav. Na, Herr Doktor: und was sagen Sie
  als Literaturmensch zu unserem Film?

HUELSEN Es ist Mist.

SEMPER Dann ist es richtig!

HUELSEN Letzter Mist! Über ein totes Wesen zu schreiben,
  von dem man nichts weiß – – da kann man sich ja
  tausend Motive ausklügeln, dazu paßt jedes tragische
  Mädchenschicksal, zu dumm! Auf alle Fälle müßte man
  es offen lassen, ob die Filmunbekannte die wirkliche
  Unbekannte ist oder nicht ist!

SEMPER Zu kompliziert!

HUELSEN Wenn man nur irgend einen Anhaltspunkt hätte,
  irgend etwas aus ihrem Leben – –

SEMPER *fällt ihm ins Wort:* Aus ihrem Leben? Sie möchten
  gleich das ganze unbekannte Leben, was? Sie gebens
  nicht billiger, wie?! Ich gäbs schon billiger! Die Zwei
  werden uns schon was passendes zusammenstehlen,
  irgend einen Obermist! Wenn ich nur wüßt, wer die
  Unbekannte spielen soll! Ich seh niemand auf weiter
  Flur, keine! Man müßt eine neue entdecken!

HUELSEN *gibt sich einen Ruck und nimmt aus seiner Brieftasche eine Photographie heraus:* Herr Direktor! Es ist
  zwar nicht meine Aufgabe, aber ich kenne eine junge
  Schauspielerin – –

SEMPER *unterbricht ihn:* Was Sie nicht sagen!

HUELSEN *unangenehm berührt:* Ich kenne sie nur so, als
  Künstlerin – –

SEMPER Er wird rot wie ein Mädchen!

HUELSEN Aber ich muß schon bitten!

SEMPER Ihr Vorgänger hat auch immer entdeckt – – Himmel tu dich auf, was der dahergebracht hat! Also zeigens schon her das Photo! *Er nimmt ihm das Bild ab und betrachtet es.* Hm, ganz hübsch. Hat sie schon gefilmt?

HUELSEN Nein. Sie war ein Jahr in der Provinz engagiert, aber ich bin überzeugt, daß sie außergewöhnlich begabt ist.

SEMPER Werden sehen! *Er will das Bild einstecken.*

HUELSEN *rasch:* Bitte das Bild!

SEMPER Das behalt ich.

HUELSEN Es steht was drauf. Hinten. Etwas privates – –

SEMPER Also doch! Pardon Diskretion! Da habens Ihr Fräulein Braut – – *Er gibt es ihm wieder.*

HUELSEN *steckt es ein und lächelt:* Ich bin ein schlechter Manager.

SEMPER Das spricht für Sie.

Telephon.

HUELSEN *am Apparat:* Ja? Wer? – – – – *Zu Semper.* Ein Professor Bossard möchte Sie sprechen.

SEMPER Bossard? Kenn ich nicht. Fragen Sie, was er möcht!

HUELSEN *am Apparat:* Hier ist der Privatsekretär, um was dreht es sich bitte? *Er lauscht, sein Ausdruck wird immer gespannter.* Was?! Einen Augenblick!

SEMPER Na?

HUELSEN *überaus erregt:* Professor Bossard behauptet, er hätte von unserem Film gehört, und er behauptet von der Unbekannten, mit ihr gesprochen zu haben – – gesprochen!

SEMPER Großer Gott! Lebt sie denn noch?!

HUELSEN Ich weiß es nicht, wann er sie getroffen hat! Ob wir ihn besuchen wollten, im Hotel Terminus – –

SEMPER *außer sich:* Und ob wir wollen! Natürlich! Sofort!

HUELSEN *am Apparat:* Herr Generaldirektor werden sogleich erscheinen. *Er hängt ein.*

SEMPER Ich zitter direkt! Doktor, wenn der mit ihr diskuriert hat – – nicht auszudenken! Dann schmeiß ich die Barbou raus, die Carry, den Mayberg, den Hell und alle! *Er wirft durch eine hastige Geste die Totenmaske vom Schreibtisch, die auf dem Boden zerschellt.*

HUELSEN Scherben bringen Glück!

Vorhang

Zweiter Akt

Appartement des Professor Bossard im Hotel Terminus.
Salon Louis-seize. Links eine Türe nach den übrigen Zim-
mern, im Hintergrund Tür auf den Korridor. Rechts ein
Fenster, davor ein prächtiger schwarzer Flügel, der in Kon-
trast steht zu der Architektur des Raumes und der Möbel.
An dem Flügel sitzt ein Pianist und phantasiert vor sich
hin, besonders Akkorde in Moll; er ist ein junger sympa-
thischer Mann und macht einen gewandten Eindruck. Ein
anderer junger Mann (wir wollen ihn » Assistent« nennen)
steht links vor einem Wandspiegel, betrachtet sich immer
wieder und treibt mimische Studien; aus einem Köffer-
chen holt er sich Requisiten, Bärte und Kopfbedeckungen,
wie ein Imitator beim Varieté.

1. Auftritt

Pianist. Assistent.

ASSISTENT *kämmt sich die Locke in die Stirne und setzt*
sich ein Kissen auf den Kopf: Napoleon!

PIANIST *nickt ihm abwesend zu und phantasiert weiter.*

ASSISTENT *setzt sich eine Glatze auf und bindet sich ein*
Band um die Stirne: Julius Caesar!

PIANIST *wie vorhin.*

ASSISTENT *nimmt die Glatze ab und setzt sich eine Ri-*
chard-Wagner-Mütze auf: Wer ist das?

PIANIST *spielt das Gralsmotiv.*

ASSISTENT Richtig! *Er nimmt die Mütze wieder ab, klebt*
sich rasch einen Offenbach-Bart, setzt Perücke und
Zwicker auf, ergreift einen Taktstock und klopft damit
nach Kapellmeisterart an den hölzernen Spiegelrahmen.

PIANIST *blickt hin und hört momentan auf zu phantasieren.*

ASSISTENT *dreht sich ihm ruckartig zu mit erhobenem Taktstock.*

PIANIST *spielt leise Offenbach.*

ASSISTENT *dirigiert.*

Es klopft an der Türe im Hintergrunde.

PIANIST *bricht das Spiel mittendrin ab, erhebt sich rasch und klappt den Flügel zu.*

ASSISTENT *reißt sich hastig die Maske ab und verstaut alles schnell im Köfferchen.*

Es klopft abermals.

ASSISTENT Herein!

2. Auftritt

Assistent. Pianist. Zimmerkellner.

ZIMMERKELLNER *erscheint in der Türe:* Herr Generaldirektor Semper und Sekretär wünschen Herrn Professor Bossard!

ASSISTENT Schon?

PIANIST *rasch ab durch die Türe links.*

ASSISTENT *zum Zimmerkellner:* Wir lassen bitten!

ZIMMERKELLNER *zieht sich zurück und läßt Semper mit Huelsen ein.*

3. Auftritt

Assistent. Semper. Huelsen.

ASSISTENT *verbeugt sich:* Herr Generaldirektor! Einen Augenblick nur, werde Herrn Professor sofort verständigen, bin sein Assistent – – *Ab mit seinem Köfferchen durch die Türe links.*

4. Auftritt

Semper. Huelsen.

SEMPER *sieht sich um; er ist sehr aufgeregt:* Assistenten hat er auch. Was glauben Sie, was das für ein Professor ist?

HUELSEN *deutet auf den Flügel:* Vielleicht Musik – –

SEMPER Man hätt sich erkundigen sollen.

5. Auftritt

Semper. Huelsen. Bossard.
Professor Bossard ist ein sechzigjähriger Weltmann mit Hornbrille, groß und hager; manchmal hat er Bewegungen und eine Aussprache, als würde er eine Rolle spielen.

BOSSARD *kommt durch die Türe links und verbeugt sich kaum merkbar vor Semper:* Bossard! Ich danke Ihnen, daß Sie gekommen sind – –

SEMPER Meinerseits! *Er stellt vor.* Doktor Huelsen, mein Sekretär!

BOSSARD *verbeugt sich noch steifer und bietet beiden stumm Platz an; man setzt sich:* Wie ich Ihnen bereits telephonierte, las ich im »Journal«, daß Sie einen Film mit dem Titel »Die Unbekannte der Seine« – –

SEMPER *unterbricht ihn; zu Huelsen:* Wieso steht das schon im »Journal«?!

HUELSEN *zuckt die Schultern.*

SEMPER *zu Bossard:* Vorerst planen wir ihn nur, den Film.

BOSSARD Umso vorteilhafter! Denn auf Grund meiner wissenschaftlichen Forschungen bin ich vielleicht in der Lage, Ihnen einige sensationelle Ergebnisse mitzuteilen. Ich hoffe kaum, daß Sie Ihren Besuch bereuen werden – –

SEMPER *fällt ihm gierig ins Wort:* Sie haben mit ihr gesprochen?

BOSSARD Gewiß. Des öfteren.

SEMPER *schluckt vor Aufregung:* Verzeihung! Was sind
denn Herr Professor für ein Professor?

BOSSARD Ich bin Mediziner. Irrenarzt.

SEMPER *schreckt etwas zusammen.*

BOSSARD *lächelt leise:* Ich leitete jahrelang die größte Privatheilanstalt in Rio – – aber meine heimliche Liebe
galt der Magiobiologie, vor allem der Metapsychologie, Paraphysiologie und Magiophysik. Meine theoretische Verarbeitung dieses Tatsachengebietes reicht
Jahrzehnte zurück, meine experimentelle vierzehn
Jahre. Ich habe, wohl auch vom Glück begünstigt,
erstaunliche Resultate erzielt, so bei der Durchdringung der Materie, zahlreichen Apporten und im Spezialgebiet der vierten Dimension. Bis vor kurzem lehnte
ich die spiritistische Hypothese radikal ab – – muß aber
heute gestehen, daß ich aus einem Saulus ein Paulus
geworden bin. Ich sprach mit einem Alchimisten aus
Padua, einem Leutnant, der bei Padua fiel, ich sprach
mit Ermordeten, die uns ihre unausgeforschten Mörder
verrieten – – die Polizei bestätigte mir hernach, die
Richtigkeit der Enthüllungen. So klärten wir einige
kriminelle Fälle und endlich wagte ich mich daran, ein
ganzes unbekannt gebliebenes Leben klären zu wollen.
Ich sprach mit der Unbekannten der Seine. *Er macht
eine Kunstpause.* Vor drei Monaten gelang es mir durch
mein Medium zum ersten Mal mit ihr in Kontakt zu
kommen. Anfangs kamen nur Klopfzeichen, doch bald
materialisierte sie sich, und dann – – dann, meine Herren, kam das stärkste Erlebnis meines Lebens: ich hörte
ihre Stimme. *Er erhebt sich.* Herr Generaldirektor! Ich
bat Sie hierher, um einer Seance beizuwohnen – – Sie

sollen selbst sehen und hören. Ich bin nur ein bescheidener Diener am Werke des menschlichen Geistes, der in das Rätselhafte dringt, immer in der edlen Hoffnung, einen kleinen Baustein zu liefern, auf daß die Vernunft die Welt einst beherrschen möge. Entschuldigen Sie mich einen Augenblick! *Ab durch die Türe links.*

6. Auftritt

Semper. Huelsen.

SEMPER Das also steckt dahinter! Hokuspokus, Tischlerrückerei.

HUELSEN So einfach darf man die Dinge nicht abtun. *Er steht beeindruckt auf und geht hin und her.* Es gibt gewiß Tatsachen, die wir noch nicht enträtselt haben, und diejenigen, die Neuland betreten und kühn vordringen, die haben immer schon Hohn und Spott erdulden müssen!

SEMPER Was hör ich? Sie glauben an Gespenster?

HUELSEN Was wissen wir schon über den Tod!

SEMPER Hin ist hin!

HUELSEN Sie meinen, daß Sie einfach aufhören?

SEMPER Ich hoff es!

HUELSEN Ich nicht.

Pause.

SEMPER Gelungen! Eine Intellektualität glaubt an Himmel und Hölle. Glaubens lieber mir: dieser Professor ist ein Scharlatan oder ein Narrenarzt, der selber ein Narr geworden ist!

HUELSEN Nein! Das Wort zuvor, das er sprach, von der ersehnenswerten Herrschaft der Vernunft, dies Wort hat mich verwandtschaftlich berührt. Jawohl, es ist unsere Aufgabe, Licht in das Dunkel zu bringen!

Die Vorigen. Bossard. Manuel. Assistent. Pianist.
Manuel ist ein schmächtiger Jüngling mit rotunterlaufe-
nen, wässerigen Augen und einer bläulich kranken Haut;
er geht unsicher und Bossard führt ihn, indem er ihn am
Oberarm stützt, durch die Türe links herein, gefolgt von
den beiden Anderen.

BOSSARD *stellt vor:* Meine beiden Assistenten! Und mein
   Medium Manuel Estraduros. Er ist Portugiese.

SEMPER *zu Manuel:* Habla español?

MANUEL *sieht hilfesuchend auf Bossard.*

BOSSARD *wechselt mit ihm einen raschen Blick:* Nein.
   Manuel – – ist stumm.

SEMPER Großer Gott!

ASSISTENT *zu Semper und Huelsen:* Bitte die Herren – – *Er*
   deutet auf Plätze neben dem Flügel im Vordergrunde.

PIANIST *hat sich an den Flügel gesetzt und phantasiert*
   seine Akkorde in Moll.

BOSSARD *setzt den apathischen Manuel mitten im Raum*
   auf ein Stühlchen, faßt ihn am Kinn, sieht ihm einige
   Sekunden routiniert in die Augen, streicht dann väter-
   lich über das pomadig schwarze Haar, tritt hinter das
   Stühlchen und gibt dem Assistenten ein Zeichen, ohne
   sein Medium aus den Augen zu lassen.

ASSISTENT *dreht auf das Zeichen hin das Licht aus, bis auf*
   eine dunkelgrüne Birne; dann geht er auf Fußspitzen zur
   Türe links und öffnet weit ihre beiden Flügel, so daß
   Manuel in das stockdunkle Nebenzimmer starren muß;
   hierauf begibt er sich wieder ebenso leise auf seinen
   Platz beim Lichtschalter neben der Türe im Hinter-
   grunde.

SEMPER *der mit Huelsen Platz genommen hat, leise zum*
   Pianisten: Darf man rauchen?

PIANIST Ungeniert.

SEMPER *holt sich eine Zigarre hervor; leise zu Huelsen:* Die Akkorde, die der da spielt, sind sehr stimmungsvoll, die müßt man sich merken für Titelvorspann, Einleitungsmusik – – *Er zündet ein Streichholz an.*

BOSSARD *wendet sich ruckartig Semper zu und gibt ihm einen energischen Wink, sich richtig zu verhalten.*

SEMPER *unterdrückt:* Oh Pardon! *Er bläst das Streichholz hastig aus.*
Pause.

PIANIST *hört mittendrin auf zu spielen und lauscht, als hätte er etwas gehört. Stille – – aber dann ertönt plötzlich, anfangs sehr leise, eine traurig-weiche Mädchenstimme, die eine Art wehmütiges Wiegendlied vor sich hinsummt.*

ALLE *außer Manuel, horchen gespannt auf das rätselhafte Organ, das aus dem Nebenzimmer zu dringen scheint; plötzlich bricht es jäh ab.*

MANUEL *stürzt von seinem Stühlchen und liegt bewußtlos auf dem Teppich.*

BOSSARD *schnell zu ihm hin:* Licht!

ASSISTENT *dreht das Licht an, holt rasch ein Kästchen mit Injektionsspritzen und bemüht sich mit Bossard um das Medium.*

PIANIST *zu Semper und Huelsen, die aufgesprungen sind:* Keine Angst, meine Herren! Manuel ist lediglich geschwächt durch die zahlreichen Seancen – – einige Injektionen und er ist wieder aktiv.

SEMPER *sehr blaß mit der Hand auf dem Herz:* »Aktiv« nennt er das. »Einige Injektionen« – – ein Gemütsmensch! *Er setzt sich wieder langsam; zu Huelsen.* Haben Sie auch gehört?

HUELSEN *starrt fortgesetzt auf Bossard:* Natürlich.

SEMPER Nein, so singt niemand. Mir scheint, Doktor, Sie

haben recht: das Sterben ist kein Schluß. Armer Portugiese! Schaut aus, als wär das Stummerl schon drüben!

PIANIST Die Wissenschaft fordert ihre Opfer.

SEMPER Ja, mir ist auch übel – – *Er zündet sich eine Zigarre an.*

HUELSEN *betrachtet noch immer Bossard:* Eigentümlich, aber wie mich zuvor der Professor ansah, war es mir, als hätt ich diese Augen schon irgendwo – –

SEMPER *fällt ihm ins Wort:* Vielleicht in einer Illustrierten. Ist ja ohne Zweifel eine Kapazität! *Er bläst den Zigarrenrauch genießerisch von sich.*

HUELSEN *der Bossard nicht aus den Augen läßt:* Ohne Zweifel hat er eine starke hypnotische Kraft.

SEMPER Mich kann man nicht hypnotisieren! *Er wendet sich, bereits wieder erholt, an den Pianisten.* Sagen Sie, von wem waren die Akkorde zuvor, die Sie da gespielt haben?

PIANIST Von mir.

SEMPER Bravo. Haben Sie schon mal Filmmusik?

PIANIST Nein, das heißt: ich interessiere mich sehr und würde gerne mal – –

SEMPER *unterbricht ihn:* Kommens morgen zu mir ins Bureaux!

PIANIST *hastig:* Sicher!

SEMPER *zu Huelsen:* Ein begabtes Talent!

ASSISTENT *dreht das Licht wieder aus, da Manuel wieder hergestellt auf seinem Stühlchen sitzt, bewacht von Bossard.*

PIANIST *fängt wieder an zu phantasieren.*
Pause.

MANUEL *krümmt sich, als hätte er heftige Leibschmerzen.*

Die Vorigen. Unbekannte.
In dem Licht der dunkelgrünen Birne erscheint nun die
Unbekannte in der offenen Türe links; ihre Augen sind
geschlossen, auf ihrem Antlitz liegt ein weißgrüner
Schein; sie scheint schwarz gekleidet zu sein und ist kaum
zu erkennen.

ALLE *außer Manuel, der halbtot zu sein scheint, starren*
sie fasziniert an, besonders natürlich Semper und Huel-
sen, aber auch der Pianist hat sich erhoben.

UNBEKANNTE *öffnet die Augen und hebt langsam den*
Kopf, als würde sie zu einem großen Manne, der neben
ihr steht, emporblicken; dann fängt sie an zu sprechen,
doch ungemein leise, mit ihrem rätselhaften Lächeln:
– – schau mich doch an – – ich warte. Ich warte mit
grünen Augen weit im grünen Meer – –

HUELSEN *schnellt plötzlich empor und schreit:* Halt! Halt
um Gottes Willen!

ASSISTENT *dreht sofort das Licht aus, einen Augenblick ist*
es stockdunkel, bevor es wieder ganz hell wird; die
Unbekannte ist verschwunden und Manuel sitzt auf
seinem Stühlchen mit dem Genick über der Lehne und
verglasten Augen.

9. Auftritt

Die Vorigen. Ohne Unbekannte.
BOSSARD *starrt Huelsen entsetzt an.*
HUELSEN *außer sich:* Was sprach die da?! Was sprach sie,
was sprach sie?!
SEMPER Was denn los, Doktor?!
HUELSEN Nein, dieser Abgrund! Dieser Zynismus! *Er läßt*

sich auf seinen Platz fallen und hält die Hände vors Gesicht.

BOSSARD *zu Semper:* Es gibt leider Übernervöse, die derartige Seancen – –

SEMPER *fällt ihm nervös ins Wort:* Verstehe, verstehe!

HUELSEN *schnellt plötzlich wieder empor:* Professor oder wer Sie sind, wer war dieses Weib?!

BOSSARD *scharf:* Das wissen Sie! *Er fixiert ihn und ändert dann den Ton.* Beruhigen Sie sich – –

HUELSEN Ich hab es deutlich gesehen – –

BOSSARD *unterbricht ihn scharf:* Nichts haben Sie gesehen! Nichts!

HUELSEN *verzweifelt:* Ich bin doch nicht blind!

SEMPER Sie sind blind!

BOSSARD *ergreift Huelsens Handgelenk:* Puls anormal – –

HUELSEN *reißt sich los:* Lassen Sie das! Ich bin nicht krank!

SEMPER Sie sind krank!

HUELSEN *höhnisch zu Semper:* Sie müssen es ja wissen!

SEMPER Unerhört!

BOSSARD *beschwichtigt Semper:* Er wird sich beruhigen – –

SEMPER Ist ja unvorstellbar! Absurd!

HUELSEN *wie zu sich selbst:* »Mit grünen Augen« – – sie war es, sie war es!

SEMPER *grimmig:* Natürlich war sie es! *Zu Bossard.* Professor, Sie haben mich bekehrt; so spricht kein Mensch!

BOSSARD Es war die Stimme eines – –

HUELSEN *unterbricht ihn drohend:* Sprechen Sie das Wort nicht aus, Sie nicht!

SEMPER Warum soll er denn nicht?!

BOSSARD *fest:* Es war die Stimme eines Engels.
Stille.

HUELSEN *lächelt grimmig-wehmütig:* Ja. Aber eines gefallenen Engels – –

BOSSARD *deutet Semper mit einer Geste auf die Stirn an, daß Huelsen total verwirrt ist, und zieht ihn etwas weiter weg und zu sich:* Und nun, Herr Generaldirektor, muß ich Ihnen noch eine Eröffnung machen. Der tiefere Grund, weshalb ich Sie hierher bat, dürfte Sie besonders interessieren: es ist mir bereits des öfteren gelungen, die Erscheinung der Unbekannten zu photographieren, ja wir haben sie sogar, natürlich nur mit einer Amateurkamera, gefilmt.

SEMPER Gefilmt?!

BOSSARD Herr Generaldirektor! Ich bin überzeugt, es muß uns gelingen, die Hauptrolle Ihres Filmes mit der herbeizitierten Unbekannten besetzen zu können – – und ihr wahres Leben zu verfilmen, das sie uns allerdings leider nur bruchstückweise erzählt!

SEMPER Das ist zuviel. Ich werd verrückt!

BOSSARD *zum Assistenten:* Theodor! Bringen Sie die Probeaufnahmen!

ASSISTENT *der mit Hilfe des Pianisten sich um Manuel bemüht hat, so daß jener nun apathisch wieder auf seinem Stühlchen sitzt, eilt in das Nebenzimmer und schließt bei dieser Gelegenheit die Türe links.*

10. Auftritt

Die Vorigen. Ohne Assistent.

BOSSARD *zu Semper:* Ich muß Sie nur bitten, da sich unsere filmischen Versuche gewissermaßen noch im Rohstadium befinden, alles, was Sie hier sahen und hörten, unter strengster Diskretion – –

SEMPER *unterbricht ihn:* Ehrenwort!

BOSSARD Danke! Ich bitte aber auch um das Ehrenwort Ihres Herrn Sekretärs – –

HUELSEN *der auf seinem Platz vor sich hinbrütete, zuletzt jedoch zuhörte, kurz:* Geb ich aber nicht!

SEMPER *schluckt vor Wut; dann scharf:* Vergessen Sie nicht, daß Sie als Festangestellter Pflichten haben!

HUELSEN Ist mir egal!

SEMPER Mir aber nicht! Ein Festangestellter hat sich mit Leib und Seel und Ehrenwort für das Wohl und Weh seiner Firma einzusetzen, bitt ich mir aus!

BOSSARD *mit Betonung:* Und für das Wohl und Wehe mancher Menschen!

HUELSEN *zuckt zusammen, wendet sich ruckartig Bossard zu, lächelt ironisch, nickt vor sich hin, macht eine wegwerfende Geste und erhebt sich ernst; tonlos:* Mein Ehrenwort – – *Langsam ab durch die Tür im Hintergrunde.*

11. Auftritt

Die Vorigen. Ohne Huelsen.

SEMPER *sieht Huelsen nach:* Was ist? Nicht einmal grüßen?!

BOSSARD Lassen Sie ihn! Ich glaube, es ist eine vorübergehende Abulie, eine harmlose Form der Persönlichkeitsspaltung. Eine Art Besessenheit – –

SEMPER Großer Gott!

BOSSARD Morgen ist er wieder gesund.

SEMPER Hoffentlich! Er ist meine rechte Hand.

12. Auftritt

Die Vorigen. Assistent.

ASSISTENT *kommt mit einer kleinen Filmrolle aus dem Nebenzimmer.*

251

BOSSARD *nimmt sie ihm ab und überreicht sie Semper:*
Hier bitte, die Probeaufnahmen! Zu treuen Händen – –
SEMPER *sehr aufgeregt:* Millionen Dank! Ich werd sie mir
selber allein vorführen! Schad, daß mein Privatapparat
defekt ist, sonst tät ichs sofort, noch bevor ich zu
diesem Filmball heut Nacht – –
BOSSARD *fällt ihm ins Wort:* Aber nur absolute Diskretion!
SEMPER Heiligstes Ehrenwort! Und sollten die Aufnahmen was sein – – Herr Professor! Für dieses Manuskript, diese Regie, diese Besetzung, für dieses Originalleben ist mir kein Honorar zu teuer!
BOSSARD *verbeugt sich steif:* Würde mich freuen, wenn
ich dadurch in die Lage versetzt werden könnte, meine
kostspieligen wissenschaftlichen Forschungen weiter
auszubauen – –
SEMPER Sie werden Sie ausbaun, unberufen! Und wie gesagt: ich werd Ihr Vertrauen zu lohnen wissen! Herr
Professor! Meine Herren! Wiedersehen morgen in aller
Früh! *Ab durch die Tür im Hintergrunde, die der Assistent hinter ihm schließt.*
BOSSARD Meine Hochachtung!

13. Auftritt

Die Vorigen. Ohne Semper.
ALLE *atmen befreit auf.*
ASSISTENT Allerhand!
BOSSARD Sperr zu!
ASSISTENT *sperrt die Türe im Hintergrunde rasch zu.*
PIANIST Er hat sie natürlich erkannt, wie ich es euch pro-
phezeite!
BOSSARD Er wird schweigen!

PIANIST Werden sehen!

BOSSARD Keine Angst! Die erste Schlacht ist gewonnen, Semper ist fasziniert. Vorausgesetzt, daß wir zusammenhalten und keiner abspringt – – *Er wendet sich ruckartig an den Pianisten:* Du wirst doch nicht extra verhandeln? Ich hab es gehört!

PIANIST Fällt mir nicht ein!

ASSISTENT *etwas spöttisch:* Unberufen!

MANUEL *zu Bossard:* Du warst herrlich! Und die schlagfertige Geistesgegenwart, ich sei ein stummer Portugiese! Ich hab mich so anstrengen müssen, daß ich nicht loslach! *Er lacht nervös.*

ALLE *lachen ebenso mit.*

14. Auftritt

Die Vorigen. Unbekannte.

UNBEKANNTE *erscheint, noch immer weiß geschminkt, in der Türe links:* Ich hör euch da lachen – – ist er weg?

PIANIST Ah, unser Gespenst!

MANUEL Göttlich warst du!

BOSSARD Vollendet! Ich gratuliere – –

UNBEKANNTE Und ich kondoliere. *Sie braust auf.* Ihr seid ja unverantwortliche Trottel!

PIANIST Wie bitte?!

BOSSARD *beruhigt lächelnd seine Mitarbeiter:* Ruhe! Unser Geist hat Temperament!

ASSISTENT *grinst:* Gefällt dir? Alter Sünder!

MANUEL Mir auch.

UNBEKANNTE *zittert innerlich vor Wut; höhnisch:* Wie interessant! Nein, was seid ihr doch für interessante Trottel – –

ALLE *verbeugen sich spöttisch vor ihr.*

UNBEKANNTE *braust wieder los:* Verbeugt euch nur! Schad, daß ich nicht der Semper bin, ich tät euch heimleuchten. Da hetzt man sich ab mit der Unbekannten, und was ist dann?! Ein teuflischer Leichtsinn ist dann: kein Wort mir zu sagen, daß der Huelsen dabei ist!

BOSSARD Absichtlich! Du wärest sonst befangen gewesen – –

UNBEKANNTE *fällt ihm ins Wort:* Ich bin nie befangen! Das hab ich mir abgewöhnt!

MANUEL Walte Gott!

UNBEKANNTE Ich bitt dich, laß den lieben Gott aus unserem Spiel! Anstatt daß ihr hier überlegen lächelt, überlegt euch lieber unsere Situation!

BOSSARD Ausgeschlossen, daß er dich erkannt hätte!

UNBEKANNTE Genauestens sogar!

ASSISTENT Bei dieser Beleuchtung? *Er schaltet für einen Augenblick nur die dunkelgrüne Birne ein.*

UNBEKANNTE Licht spielt keine Rolle!

BOSSARD Und die Stimme allein sagt nichts!

UNBEKANNTE Allerdings! Aber ich habe seinen Text gesprochen.

BOSSARD *perplex:* Was für einen Text?

UNBEKANNTE Gestern abend hat er mir aus seinem Roman vorgelesen und da hab ich mir diesen Satz mit den grünen Augen und dem grünen Meer gemerkt.

PIANIST *schlägt einen Akkord an, als würde er damit ausdrücken wollen:* »Himmel tu dich auf, jetzt ist alles aus!«

UNBEKANNTE Er wird sich natürlich Gedanken machen.

BOSSARD *faßt energisch Mut:* Soll er doch! Ich bin überzeugt, auch wenn er dich genauestens erkannt hätte: er wird dich nicht bloßstellen.

UNBEKANNTE Das weiß ich nicht!

BOSSARD Er wird dich doch nicht verraten, wenn er dich liebt!

MANUEL Er ist doch kein Unmensch!

UNBEKANNTE Das nein – – – – Aber bei dem steht die Pflicht an erster Stelle und dann kommt noch ewig nichts! Wie oft hab ich ihn schon gebeten, mich nur ein bisserl zu protegieren!

PIANIST Wenn ich Doktor Peter Huelsen wäre, dann würdet ihr alle Hauptrollen spielen!

MANUEL Ich Wilhelm Tell. *Er deutet auf den Assistenten.* Er Napoleon. *Er deutet auf Bossard.* Und jener den Pagen von Hochburgund!

ALLE *außer der Unbekannten, lachen.*

UNBEKANNTE Oh, diese Schauspieler! Ihr wißt anscheinend gar nicht, was in dieser Sekunde über euch hängt!

MANUEL *lustig:* Doch nicht ein Damoklesschwert?

UNBEKANNTE Jawohl, denn Peter ist ein absoluter Pflichtmensch und traut einem immer gleich alles Schlechte zu.

PIANIST *für sich:* Hübsch!

UNBEKANNTE Ich hab ihm doch auch mein Exposé von der Unbekannten gegeben – – zuerst sagte er, er täte es prinzipiell nicht weiterleiten, weil er bei der Firma angestellt ist, dann erklärt er es für unfilmisch und miserabel – – nicht einmal versuchen will er es, wo ich es doch ohne Zweifel als Erste eingereicht habe!

Nun rüttelt es an der Türe im Hintergrunde und man hört Huelsens Stimme von draußen: »Aufmachen! Aufmachen!«

UNBEKANNTE *entsetzt unterdrückt:* Heiliges Känguruh!

BOSSARD Rasch! Raus!

UNBEKANNTE *eilt in das Nebenzimmer.*

BOSSARD *gibt dem Assistenten ein Zeichen.*

ASSISTENT *öffnet die Türe.*

Bossard. Manuel. Assistent. Pianist. Huelsen.

HUELSEN *stürzt verstört herein und hält dicht vor Bossard:*
Herr! Sie haben zuvor behauptet, ich sei verwirrt – –
Stimmt! Sie wissen genau, weshalb!

BOSSARD *mit hart erzwungener Ruhe:* Ich weiß gar nichts.

HUELSEN Ich fordere Aufklärung! Ihr Gespenst vorhin
sprach meinen Text!

BOSSARD Verstehe kein Wort.

HUELSEN Das Gespenst sprach Sätze aus meinem unver-
öffentlichten Roman, und es gibt nur ein Wesen, das ihn
kennt – – Sie wissen genau, wer das ist! Das Wesen steht
mir nahe, sehr nahe, und es tut mir weh, sehen zu
müssen, wie es unter Schwindler geraten ist! Jawohl,
Betrüger und Schwindler!

BOSSARD Mein Herr! Wenn ich nicht Irrenarzt wäre – –

HUELSEN *unterbricht ihn:* Sie ein Irrenarzt?! Ich werde
mich informieren!

BOSSARD *schluckt:* Bitte! Übrigens: wir haben die Gewohnheit, alles was unsere Herbeizitierten sagen, peinlichst mitzustenographieren – – *Zum Assistenten.*
Theodor! Lesen Sie vor, was die Unbekannte heute
sprach!

ASSISTENT Sogleich! *Er holt einen Zettel hervor und tut,
als würde er lesen.* Oh komm, Geliebter. Warum bist du
nicht ein Mann? Mein Mann mit starkem Arm und
mildem Sinn.

BOSSARD *zu Huelsen:* Ist das Ihr Text?

HUELSEN *betreten:* Nein. Aber das hat sie nicht gesagt!

BOSSARD *scharf:* Das hat sie gesagt!

Stille.

HUELSEN *fährt sich mit der Hand über die Augen und
lächelt verlegen:* Sollte ich so verwirrt sein? Ich bin

allerdings überarbeitet – – Entschuldigen Sie!

BOSSARD *erleichtert:* Bitte, bitte!

HUELSEN *starrt ihm plötzlich forschend in die Augen.*

BOSSARD *unangenehm berührt; unsicher:* Was haben Sie?

HUELSEN Jetzt hab ich Sie. Sie! Jetzt weiß ich, woher ich
diese Augen kenne – – natürlich, natürlich! Sie sind ein
Statist von der Filmbörse!

BOSSARD *verfärbt sich und wankt etwas.*

MANUEL *schreit Huelsen plötzlich an:* So schauns doch
endlich, daß Sie verschwinden!

HUELSEN *sehr leise fast gehässig:* Jetzt laß ich Euch hoch-
fliegen, noch heute Nacht. Jetzt ohne Rücksicht auf
irgendeine Person. *Er schreit.* Ohne Rücksicht! *Rasch
ab durch die Türe im Hintergrunde, die er hinter sich
krachend zuschlägt.*

16. Auftritt

Bossard. Manuel. Assistent. Pianist. Unbekannte.

UNBEKANNTE *stürzt aus dem Nebenzimmer und rast an die
Türe im Hintergrunde:* Peter! *Sie reißt die Türe auf und
ruft auf den Korridor hinaus.* Peter! – – *Sie dreht sich
langsam um.* Weg ist er. Ich hab alles gehört.

BOSSARD *setzt sich.*

UNBEKANNTE *überlegt:* Ich muß ihn sprechen, bevor er mit
Semper spricht – – *Mit einem Ruck als hätte sie plötzlich einen Entschluß gefaßt, eilt sie vor den Wandspiegel
und schminkt sich rasch ab.*

BOSSARD *mutlos:* Daß der mich erkannt hat – – ich mach
mir Vorwürfe!

UNBEKANNTE Lieber Alfred, du hast genug geleistet!

MANUEL Übermenschlich!

BOSSARD *winkt ab:* Wieder nichts. Heut morgen wird

man zweiundsechzig – – und diesmal wahrscheinlich noch Polizei.

PIANIST Ich war immer dagegen!

BOSSARD Beginnt schon!

UNBEKANNTE *immer noch vor dem Wandspiegel:* Nichts beginnt, weil nichts beginnen darf! »Polizei« wär gelacht – – so, fertig! *Sie hat sich nun abgeschminkt und knöpft sich hastig die Bluse auf.* Ihr müßt mir nur noch paar Groschen, damit ich mir ein Taxi – – los, legts zusammen! Der Huelsen fährt immer nur Untergrund! Ich werd schon alles in Ordnung, zieh mich nur um! *Sie will in das Nebenzimmer eilen, sich die Bluse bereits ausziehend.*

ASSISTENT Wohin?

UNBEKANNTE *bereits in der Türe:* Auf den Filmball.

PIANIST Ohne Karte, ohne Geld?

UNBEKANNTE Überlaß das mir! Ich komm durch den Notausgang hinein! *Rasch ab in das Nebenzimmer.*

Vorhang

Dritter Akt

*Auf dem Filmball. In der Bar, dort wo der Bartisch den
ganzen Hintergrund einnimmt. An ihm sitzt nur ein ein-
ziger Gast: der Marquis de Bresançon, ein vornehmer
Mann, sieht aus wie Ende vierzig, ist aber älter, und
ebenso undefinierbar ist auch etwas an seinem Wesen; er
scheint von einem »Geheimnis umwittert« zu sein und
erweckt also nicht nur die Neugierde junger Frauen. – –
Der Mixer heißt Robert und hat eine pergamentene Haut,
ist ein wenig gebückt, doch immer noch rasch und gewandt, trotz eines langen nächtlichen Lebens.
Während des ganzen Aktes hört man aus dem Ballsaal
gedämpft die Tanzmusik.*

1. Auftritt

Marquis. Robert.

ROBERT *zeigt dem Marquis einen Zigarettenspitz:* Belieben zu schauen, Herr Marquis, diesen Spitz hat mir der
selige Graf Zebulon testamentarisch hinterlassen.

MARQUIS Schön.

ROBERT Elfenbein und Gold – – das waren exklusive Zeiten!

MARQUIS *lächelt:* Wir werden alt – – *Er sieht sich um.* Still
ist es bei Ihnen, lieber Robert!

ROBERT *beschäftigt sich in seinem Revier:* Ist noch zu früh,
Herr Marquis! Jetzt müssen die Prominenten noch drinnen im Saal hübsch artig ihre Plätze einnehmen, damit
man ihr »Privatleben« betrachten kann, wie sie essen
und trinken – – das Volk ist halt neugierig! Bei uns in der
Bar wirds erst später lebendig. Nach Mitternacht.

MARQUIS *sieht auf seine Uhr:* Also in zwanzig Minuten.

2. Auftritt

Die Vorigen. Mayberg.

MAYBERG *kommt aufgeregt:* Könnt ich mal telephonieren?

ROBERT Bitte!

MAYBERG Danke! *Am Apparat.* Hallo! – – Hallo! Semper, sind Sies? Na Gott sei Dank! Wir sind schon in größter Sorge, wo bleiben Sie denn so lange? – – – – Wie? Noch was zu tun gehabt? Jetzt, beim Filmball? – – So wichtig? Na die Hauptsache, es ist Ihnen nichts zugestoßen, Sie kommen doch gleich? Gut! *Er hängt ein und ab.*

3. Auftritt

Marquis. Robert.

ROBERT Das war Gustav Mayberg, der hat den berühmten Film inszeniert: »Geheiligte Liebe«.

MARQUIS So? Den hab ich gesehen.

ROBERT Ein Welterfolg.

MARQUIS Stimmt. Ich hab ihn in Sidney gesehen. Hören Sie, Robert: dieser Mann erwähnte zuvor den Namen Semper. Kommt mir bekannt vor, weiß nur nicht wo ich ihn hintun soll – –

ROBERT Generaldirektor der Pandora.

MARQUIS *kurz:* Den kenn ich nicht.

Pause.

MARQUIS Ich kenn überhaupt kaum mehr Menschen – –

ROBERT Sie sterben halt weg.

MARQUIS Auch das.

Pause.

ROBERT Ich hab mich riesig gefreut, wie ich Herrn Marquis zuvor wiedergesehen hab! Nach sechsundzwanzig Jahren – –

MARQUIS *unterbricht ihn:* Achtundzwanzig!

ROBERT *perplex:* Schon?

MARQUIS *lächelt:* Habens mich gleich wieder erkannt?

ROBERT Sofort!

MARQUIS Ich Sie auch.

Pause.

ROBERT Aber jetzt bleiben Herr Marquis doch zuhaus?

MARQUIS Nein.

4. Auftritt

Die Vorigen. Adolf.

ADOLF *der zweite Mixer, ein junger Mann, kommt von links; zu Robert:* Im zweiten Rang gabs gerade eine kleine Sensation: ein Mädel wollt durch den Notausgang herein, aber man hat sie hinausexpediert. Ziemlich unsanft sogar.

MARQUIS *ist unangenehm berührt.*

ADOLF Sie wollt den Feuerwehrmann hintergehen, angeblich raffiniert. Der Feuerwehrmann ist noch ganz außer sich.

ROBERT War sie hübsch?

ADOLF Wie alle. Wahrscheinlich eine Statistin – – *er stockt und starrt fasziniert nach rechts.* Hoppla!

Die Vorigen. Unbekannte.

UNBEKANNTE *kommt rasch und scheu; sie ist in einer billi-*
gen Balltoilette und man merkt es ihr noch an, daß sie
vor kurzer Zeit »unsanft hinausexpediert« wurde, denn
ihr Kleid ist an der einen Seite weiß von der Wand; sie
sieht, daß man sie interessiert betrachtet und hält; un-
sicher: Bitte – – wo sitzt Generaldirektor Semper? Ich
suche die Pandoraloge.

ADOLF Ihr Kleid ist weiß. Da! *Er zeigt es ihr an sich.*

UNBEKANNTE Oh! *Sie klopft das Weiße rasch ab.* Hoffentlich gibts keinen Fleck! *Sie lächelt verlegen.* Ist schon
raus!

ADOLF Apropos raus: ein Notausgang darf nur bei Lebensgefahr benützt werden.

UNBEKANNTE *schreckt zusammen.*

ADOLF Bei Lebensgefahr!

UNBEKANNTE *wird immer unsicherer:* Das weiß ich – –

ADOLF Na also! Ein Notausgang ist zum Hinauslaufen da,
aber nicht zum Hineinschleichen.

UNBEKANNTE *fast dem Weinen nah:* Ich verstehe Sie
nicht – –

ADOLF Noch immer nicht? Kommen Sie, Fräulein, und
bitte ohne unliebsames Aufsehen! *Er will zu ihr hin, um*
sie hinauszubegleiten; zu Robert. Ich bring sie nur
raus – –

MARQUIS Halt! Die Karte der Dame habe ich bei mir. Darf
ich bitten – – *Er überreicht Adolf diskret eine Bank-*
note.

ADOLF *verbeugt sich und geht wieder an seinen Platz.*

UNBEKANNTE *schaut den Marquis, der ihr erst jetzt auf-*
fällt, groß an: Ich danke – –

MARQUIS Wieso? Ich hatte doch nur Ihre Karte bei mir.

UNBEKANNTE Trotzdem. *Sie fühlt sich verpflichtet, ihm eine Erklärung abzugeben.* Ich suche nämlich einen Menschen, den ich um etwas bitten muß. Aber – – *Sie sieht sich um.* Vielleicht ist er schon da – – *Sie stockt, da sich ihre Blicke treffen.*

MARQUIS Möglich.

Pause.

UNBEKANNTE *reißt sich von seinem Blick los:* Ich schau nur nach! *Rasch ab nach links.*

6. Auftritt

Die Vorigen. Ohne Unbekannte.

MARQUIS *erhebt sich langsam; zu Robert:* Ich komm gleich wieder – – *Er geht nach links.*

ADOLF *zu Robert; ironisch:* Er sieht nur nach.

MARQUIS *hörte die Bemerkung, hält und wendet sich an Adolf:* Gewiß. Ich sehe nur nach, ob jener Dame drinnen im Saal nicht abermals ein geistvoller Vortrag über das Aufgabengebiet offiziöser Notausgänge gehalten wird – – *Er lächelt und ab nach links.*

7. Auftritt

Robert. Adolf.

ROBERT Da hast dus! Ein Kavalier der alten Schule.

ADOLF Imponiert mir nicht.

Die Vorigen. Huelsen.

HUELSEN *kommt rasch von links:* Dürft ich mal telephonieren?

ROBERT Bitte!

HUELSEN Danke! *Am Apparat.* Hallo! – – Ja, hier Doktor
Huelsen. Bitte Herrn Generaldirektor Semper persönlich – – Wie? Schon unterwegs? Danke! *Er hängt ein,
will nach rechts und trifft perplex die Unbekannte, die
soeben suchend von rechts kommt.*

9. Auftritt

Die Vorigen. Unbekannte.
*Während der folgenden Szene können Huelsen und die
Unbekannte von den beiden Mixern nicht gesehen wer-
den, infolge der Architektur des Raumes.*

UNBEKANNTE Endlich! Bist grad erst gekommen?

HUELSEN *unnahbar:* Ja.

UNBEKANNTE *atmet kurz auf:* Du hast also noch nicht mit
Semper – –

HUELSEN *fällt ihr ins Wort:* Doch! Ich habe mit Semper
sofort, noch vom Hotel aus, telephoniert, daß alles ein
glatter Betrug ist!

UNBEKANNTE *entsetzt:* Peter! Dann ist alles aus!

HUELSEN Ich hab es ihm auseinandergesetzt, klipp und klar
und konsequent – – aber er hat es mir nicht geglaubt.

UNBEKANNTE Wie bitte?!

HUELSEN Wen die Götter vernichten wollen, bei dem beginnts im Hirn.

UNBEKANNTE *lächelt glücklich:* Mir scheint, mich wollen
die Götter beschützen – –

HUELSEN Bild dir es nur ein!

UNBEKANNTE Oh Gott, bin ich froh!

HUELSEN Keine Ursache. Ich lasse nicht locker.

UNBEKANNTE Er hat es dir nicht geglaubt – – Armer Peter!

HUELSEN Lach mich nur aus! Auf diese Art zerstörst du
auch noch den letzten Rest: die Erinnerung.

UNBEKANNTE Du siehst mich in einem falschen Licht.

HUELSEN Nein. Ich sehe dich klar im Schein einer dunkelgrünen Birne. Dieser jämmerliche Zauber, diese plumpe
Jahrmarktsregie!

UNBEKANNTE Die Regie war von mir.

HUELSEN Das auch noch. Ich hoffte heimlich, du seiest nur
eine Verführte – – derweil: eigene Regie!

UNBEKANNTE Was du jetzt denkst, ist falsch!

HUELSEN Es genügt! Zwar seh ich noch nicht klar, was Ihr
mit diesem Betrug bezwecken wollt – –

UNBEKANNTE *unterbricht ihn:* Dann will ich es dir erzählen: der Bossard, der Theodor und das »Medium«, es
heißt Maikowski, und ich, wir sind arme Schauspieler,
und der Klavierspieler ist ein armer Klavierspieler – –

HUELSEN *fällt ihr ins Wort:* Zur Sache!

UNBEKANNTE So laß mich doch einleiten! Also, wir fünf
Arme mußten mitansehen, daß wir nicht vorkommen,
geschweige denn drankommen, und da haben wir uns
diese spiritistische Seance ausgedacht und einstudiert,
nur damit uns dein Semper endlich mal zu sehen bekommt! Endlich wollten wir mal zeigen dürfen, was wir
künstlerisch leisten können – – und wenn deinem Semper morgen früh meine Probeaufnahme als Gespenst
gefällt, dann haben wir auf der ganzen Linie gesiegt!

HUELSEN Ich kann diesen Blödsinn nicht hören! Ein Großfilm mit einem Gespenst als Star! Ja, glaubt Ihr denn
auch nur einen Augenblick, daß du als Geist unter
Jupiterlampen?!

UNBEKANNTE Ich bin doch nicht hirnverbrannt! Wir wollten doch deinen Semper nur von unseren schauspielerischen Fähigkeiten überzeugen, wir sprachen ihm sozusagen nur vor, allerdings ins Leben transponiert!

HUELSEN Dieser Ausdruck ist nicht von dir!

UNBEKANNTE Der ist von Bossard.

HUELSEN Ach! Du lernst von dem alten Statisten?

UNBEKANNTE Der alte Statist hat fünf Semester Universität!

HUELSEN Gratuliere. Weiter!

UNBEKANNTE Kommandier mich nicht! Also, wir haben uns im Terminus eingemietet, wie wir das Appartement bezahlen werden, ist mir zwar noch etwas unklar – –

HUELSEN *fällt ihr ins Wort:* Nett, sehr nett!

UNBEKANNTE Ob nett oder nicht nett: man kann doch nicht verkümmern! Ich nicht! Und wenn dein Semper – –

HUELSEN *fällt ihr abermals in Wort:* Warum sagst du immer »dein« Semper?

UNBEKANNTE *trotzig:* Du kennst ihn doch gut!

HUELSEN Stimmt! »Mein« Semper ist ein ungebildeter Enthusiast. Wenn der Euren Spiritismus erfährt, dann spielt Ihr garantiert keine Rolle! Er verzeiht alles, nur keine persönliche Blamage!

UNBEKANNTE Überlaß das mir!

HUELSEN Denk nur ja nicht, daß dir alles gelingt!

UNBEKANNTE Alter Pessimist.

HUELSEN Dein hemmungsloses Vertrauen zum eigenen Glück wird dich nochmal ins Unglück stürzen!

UNBEKANNTE Alte Unke! Qua, qua, qua!

HUELSEN Quak nur zu! Ohne Zweifel: Was Du da treibst, ist und bleibt Betrug!

UNBEKANNTE Deine Schuld!

HUELSEN *perplex:* Wie bitte?

UNBEKANNTE Klar. Warum protegierst du mich nicht ein bisserl? Weil du nicht willst! Weil du ganz unpraktische Ehrbegriffe hast! Wer hat denn das erste Exposé eingereicht? Ich! Aber du hast es nicht einmal weitergeleitet!

HUELSEN Ist ja gar nicht wahr! Alles hab ich versucht, aber alles ist aussichtslos! Und außerdem ist das Exposé miserabel.

UNBEKANNTE So gut, wie dein Roman, ist es immer noch!

HUELSEN *schlägt sich auf die Stirne:* Richtig! Jetzt kommt die Hauptsache! Du hast die Stirne besessen, den Satz mit den grünen Augen zu einer elenden Charlatanerie zu mißbrauchen! Was ich schreibe, ist meine Seele, und du hast meine Seele degradiert! Ach, das hab ich ja jetzt ganz vergessen! Wie gut, daß es mir eingefallen ist!

UNBEKANNTE Ich bitt dich, sei nicht so eitel!

HUELSEN *fixiert sie:* Der Abgrund wird immer tiefer.

UNBEKANNTE Und warum? Warum sagst du es nicht deinem Semper, daß du eine junge, begabte Schauspielerin kennst − −

HUELSEN *unterbricht sie:* Hab ich doch schon! Aber ich kann dieses plebejische Lächeln nicht sehen, dieses vertrauliche Zuzwinkern − − ich kann es nicht vertragen, wie du vor mir selbst erniedrigst wirst!

UNBEKANNTE Du überläßt also alles mir? Ich soll mich selber erniedrigen, was?!
Pause.

HUELSEN *fixiert sie:* Wie kommst du hier eigentlich herein?

UNBEKANNTE *trotzig:* Sag ich nicht.

HUELSEN Woher hast du die Karte, das Geld?

UNBEKANNTE *frech aus Unsicherheit:* Na und du?

HUELSEN Ich hab doch Freikarte!

UNBEKANNTE Ich auch.
Pause.

HUELSEN Woher?

UNBEKANNTE Da du mir nie Freikarten verschaffst, hat mir ein Herr eine Karte geschenkt.

HUELSEN Wer?

UNBEKANNTE Irgendein Herr.

HUELSEN Wird ja immer netter.

Pause.

UNBEKANNTE Was denkst du jetzt?

HUELSEN Ja. *Er läßt sie stehen und ab nach links.*

UNBEKANNTE *sieht ihm nach; dann leise:* Ach so. *Sie dreht sich ruckartig um und will rasch nach rechts ab, stößt jedoch dabei mit Semper zusammen, der gerade erscheint; sie erkennt ihn.* Heiliger Himmel! *Sie läuft an ihm vorbei ab.*

10. Auftritt

Robert. Adolf. Semper.

SEMPER *sieht ihr nach und ordnet seine Frackbrust; er ist sehr aufgeräumt:* Was ist? Überfährt einen am hellichten Tag! Bin ich ein Passant?! *Er ruft der Unbekannten nach.* Fräulein! Sie haben kein Schlußlicht! *Er tritt an die Bar; zu Robert, der im 9. Auftritt Rechnungen ordnete, während Adolf Zeitung las.* Einen Kognak!

ROBERT Habe die Ehre, Herr Generaldirektor!

ADOLF *legt rasch die Zeitung beiseite und bedient Semper.*

SEMPER Grüß Sie Gott, Robert! Einen doppelten Kognak! Ich hab das größte Erlebnis meines Lebens hinter mir!

ROBERT Werden Sie heiraten?

SEMPER Unberufen im Gegenteil! Ich leb doch schon sechs Jahr in Scheidung und seit wann sind Advokaten Erlebnisse?! Das sind Sorgen, Misere, Nervosität! Aber heut!

Heute! Wenn Gott will, hab ich heut nacht den leuchtendsten Stern entdeckt!

ADOLF Eine neue Frau?

SEMPER *blickt empor:* Einen Engel! Ein absolut einmaliges Talent – – Kasse, Kasse! Morgen laß ich mir in aller früh die Probeaufnahmen vorführen, unberufen! Robert, haltens mir den Daumen!

ROBERT Zu Befehl, Herr Generaldirektor!

SEMPER *leert hastig das Glas.*

11. Auftritt

Die Vorigen. Marquis.

MARQUIS *erscheint links, erblickt Semper und beobachtet ihn interessiert.*

SEMPER *zu den Mixern:* Hört mal her, Ihr zwei Begabungen! Glaubt Ihr an Gespenster?

ADOLF An was?

SEMPER An Gespenster. Geister. Spuk.

ROBERT Nein.

ADOLF Ich auch nicht.

SEMPER Ich aber ja! Und zwar seit heut! Noch einen doppelten Kognak!

ADOLF *schenkt ein:* Bitte, Herr Semper – –

MARQUIS Ach! *Er erkennt ihn plötzlich.* Herr Semper!

SEMPER *dreht sich ihm unfreundlich zu:* Sie wünschen?

MARQUIS Schauen Sie mich mal an.

SEMPER *betrachtet ihn mißbilligend.*

MARQUIS *lächelt:* Robert hat mich sogleich erkannt – –

SEMPER *frostig:* Na und? – – – – *Er stockt und erkennt ihn.* Großer Gott! Der Marquis! Der Herr Marquis de Bresançon! Ich dacht, Sie wären schon längst tot! Ist das aber eine Freud!

MARQUIS Ich gratuliere übrigens: Generaldirektor ist allerhand!

SEMPER Nicht auszudenken! Eine Karrier, eine schwindelerregende! *Er lacht; dann zu den Mixern.* Hört mal her: was glaubt Ihr, woher wir zwei uns kennen?

ROBERT Aus Australien?

SEMPER Sie sind verrückt! Was soll ich in Australien. Bin ich ein Beduine? Nein! Der Herr Marquis de Bresançon und Alexander Semper kennen sich aus dem Atelier Swoboda.

MARQUIS Aber Semper!

SEMPER Swoboda! Das ist ein reeller Begriff! Damals war ich dort Zuschneider und hab dem Herrn Marquis seine Hosen genäht.

MARQUIS Lieber Freund, zuvor galt meine Bewunderung Ihrer Karriere, aber jetzt verehre ich Sie; man findet selten einen Generaldirektor, der es selbst erzählt, daß er Hosen genäht hat.

SEMPER Ich kann es mir leisten! Ich werd nur wild, wenn mir einer sagt, daß ich Hosen verkauft hab! Ich hab immer gearbeitet!

ADOLF Hoch der Herr Generaldirektor!

SEMPER Ausreden lassen! Ich hab aber nie gern gearbeitet! Prost, Marquis!

MARQUIS Prost, Semper!

SEMPER *blickt empor:* Wo ist die Zeit! Damals war die ganze Filmerei noch gar nicht erfunden!

MARQUIS *lächelt:* Nana! So alt bin ich noch nicht!

SEMPER Auf alle Fäll stak damals der Film erst in den Kinderschuhen, denn wie ich dazu kam, kam er in die Flegeljahr. Jetzt mutiert er grad, und das nennt man Tonfilm – – *Er erhebt sich.* Kommens, Marquis, ein bisserl in den Saal, ich muß mich dem Volk zeigen.

MARQUIS *zu Robert:* Bin gleich wieder da. *Er folgt Semper.*

SEMPER *hält plötzlich und dreht sich dem Marquis zu;*

leise: Marquis, Sie sind doch ein Mann von Wort – –
und ich muß mit jemand darüber reden, es druckt mir
die Luft ab! Sie werden aber schweigen?

MARQUIS *lächelt:* Gewiß.

SEMPER *sieht sich forschend um, ob auch niemand zuhört; sehr leise:* Sie haben doch schon was von der
»Unbekannten der Seine« gehört, oder?

MARQUIS *zuckt etwas zusammen:* Ja.

SEMPER Von der Totenmask?

MARQUIS Natürlich. Wieso?

SEMPER Ich plane jenes tote Mädel als Film.

MARQUIS *erleichtert:* Interessant.

SEMPER Und ich bin der wahren Geschichte auf der Spur.
Was sagen Sie jetzt?

MARQUIS *starrt ihn entgeistert an; tonlos:* Nichts.

SEMPER Da kann man auch nichts sagen!

MARQUIS *bekämpft seine Erregung; lauernd:* Wie – – sagen Sie: wie sind Sie dahinter gekommen?

SEMPER Geheimnis!

MARQUIS So reden Sie doch!

SEMPER Warum denn so aufgeregt? Soll ich mein Ehrenwort brechen?

MARQUIS *beherrscht sich:* Nein.

SEMPER Kommens, Marquis! *Ab mit ihm nach links.*

12. Auftritt

*Robert. Adolf. Huelsen. Unbekannte. Filmballpublikum.
Es ist nun nach Mitternacht und aus dem Saal kommen
Herren und Damen; sie nehmen an der Bar Platz, während
Huelsen und die Unbekannte rechts erscheinen; er führt
sie an der Hand.*

HUELSEN *gedämpft:* Ich bitt dich, komm – – hier ist der

einzige Platz, wo uns niemand sieht. So versteh mich doch, daß ich dich beleidigen mußte! Begreifst es denn nicht, daß ich außer mir war, weil ich prinzipiell derartige Methoden ablehne?

UNBEKANNTE Mit dem Prinzip kommt man nicht weiter.

HUELSEN Richtig! Nachdem du mir deinen Notausgang erklärt hast, bekomm ich eine völlig neue Einstellung zur Aktivität. Ich schäme mich vor dir.

UNBEKANNTE *gibt ihm plötzlich einen langen Kuß und er umarmt sie; dann:* Du bist ein anständiger Mensch.

HUELSEN Aber!

UNBEKANNTE Und ich werd dich auch nicht mehr quälen, daß du mich protegierst – –

HUELSEN Und ich werde alles widerrufen, was ich dem Semper telephoniert hab und werde schweigen – – Ja, ich war wirklich verwirrt! Was ist doch die Pflicht für ein abstrakter, zweideutiger Begriff! Sind wir nicht vielmehr verpflichtet, solch eine Begabung zu fördern, als auf einer pflichtgemäßen Methode herumzureiten, die nur zu einem Abgrund führt – – zu einem Abgrund, der zwei Menschen trennt. Wie lächerlich, wie albern! Jetzt seh ich erst, wie falsch mein letztes Romankapitel ist – – ich werd es ändern! Komm, laß diese Leute hier, ich les es dir bei mir zuhaus vor!

UNBEKANNTE Morgen.

HUELSEN *stutzt.*

UNBEKANNTE Nicht böse sein, bitte – – aber ich muß hier noch jemand kennen lernen.

HUELSEN *wird wieder mißtrauisch:* Wen?

UNBEKANNTE *lächelt:* »Deinen« Semper.

HUELSEN *erschrocken:* Semper?

UNBEKANNTE *wie zuvor:* Nur keine Angst! Jetzt protegiert sich die Unbekannte selbst – – *Sie nickt ihm zu und ab nach rechts.*

HUELSEN *sieht ihr nach:* »Angst«? Ich bin doch nicht feig!
Er setzt sich verärgert an die Bar. Einen Kognak! Einen
doppelten Kognak!

13. Auftritt

Robert. Adolf. Huelsen. Barbou. Hell. Filmballpublikum.
Die Kapelle im Saal spielt nun einen Walzer und Hell tanzt
mit der Barbou von links herein, bis vor den Bartisch.

HELL *löst sich von ihr und reicht ihr, wie ein altmodischer*
Kavalier, den Arm: Darf ich bitten, Madonna!

BARBOU *ist beschwippst:* Oh Gott, bin ich echauffiert! Ich
brenne lichterloh! *Sie nimmt mit Hell an der Bar Platz.*

HELL *zu Adolf:* Einen Waggon Nordpol für die feuerige
Tänzerin! *Er erblickt Huelsen.* Servus, Doktor!

HUELSEN Gute Nacht.

BARBOU Was ist denn mit Ihnen, Peter Huelsen? Sind Sie
unter die Eremiten gegangen, wo alles der Lust frönt?

HUELSEN *lächelt gezwungen:* Ich hab nur etwas Kopfschmerzen – –

BARBOU Nein, diese heutige Jugend! Entweder habens
Kopfschmerzen oder sie haben überhaupt keinen Kopf!
Sie erhebt ihr Glas. Es lebe die Vergangenheit!

HELL *prostet ihr zu:* Spezielles, Madonna!

BARBOU Warum nennen Sie mich konstant »Madonna«?

HELL *spielt auf ihr schwarzes Spitzenkleid an:* Weil Sie mir
heut so italienisch vorkommen – –

BARBOU Ach ja, Italien! Mein Italien! *Sie lehnt sich sinn-*
lich an den Bartisch und singt mit geschlossenen Lidern
ein neapolitanisches Volkslied vor sich hin.

HELL *zwinkert Adolf zu und beide grinsen über die Bar-*
bou.

Die Vorigen. Traverson. Zahlreiche Damen.
Jack Traverson ist der Weltmeister im Halbschwerge-
wicht; er hat eine ungemein tiefe Stimme, die so gar nicht
zu seinem Kindergesicht paßt; er ist ein sehr beliebter
Sportsmann und erscheint von rechts, verfolgt von zahl-
reichen Damen jeden Alters, die um Autogramme betteln
und ihn immer wieder nicht weitergehen lassen.

ADOLF *zu Hell:* Da kommt Jack Traverson.

ALLE AN DER BAR *wenden sich Traverson zu und glotzen*
ihn an.

HELL Sein letzter Großkampf: allerhand!

ADOLF *begeistert:* Klasse, was? Leber, Herz, Milz, Kinn – –
trotz einer Serie klarer Tiefschläge! Der Junge ist eine
Naturkraft.

HELL Eine aufgehende Sonne.

BARBOU Nana!

ADOLF Der sollt mal filmen!

HELL Wird er auch! Nach unseren Rundfragen hat er bei
den Weibern bedeutend mehr Chancen als die Summe
unserer prominentesten Liebhaber.

BARBOU Was ist ein Traverson neben einem jungen Kainz?
Ein Schatten!

HELL *zur Barbou:* Nicht so laut!

TRAVERSON *hat sich nun bis in die Nähe des Bartisches*
durchgekämpft; zu seinem Gefolge: Eine Sekunde! *Zu*
Robert. Haben Sie nicht Frau Carry gesehen?

HELL *spitzt die Ohren.*

ROBERT Nein, Herr Traverson!

ADOLF *diensteifrig:* Ich auch nicht, Herr Traverson!

TRAVERSON Schade. Wir haben uns leider verloren – – *Ab*
nach links, gefolgt von seinen Autogrammdamen, und
auch ein Teil der Bargäste schließt sich ihnen an; über-

*haupt wird es während der folgenden Szene in der Bar
wieder still.*

15. Auftritt

Robert. Adolf. Huelsen. Hell. Barbou.

HELL *sieht Traverson nach; wie zu sich:* »Leider verloren« — —?

BARBOU Eifersüchtig?

HELL Verschonens mich, bitte, mit Ihren antiquierten
Werturteilen!

BARBOU Ich stelle nur fest, daß unser Clairchen sich immer mit der aufgehenden Sonne ins Bett zu legen pflegt.

HELL Ich hab gar nicht gewußt, daß Sie so witzig sein
können, Sie venezianische Gondel!

16. Auftritt

Die Vorigen. Carry. Mayberg.

MAYBERG *hinter der Carry her von rechts:* Aber Clairchen, geh nicht zu weit!

CARRY *hält:* Da Clairchen die Unbekannte nicht spielen
darf, muß sich Clairchen eben revanchieren! Semper ist
scharf auf Traverson, aber Traverson wird nicht bei
ihm filmen, weil er es seinem liebsten Clairchen versprochen hat! Revanche! Revanche! *Sie will an dem
Bartisch vorbei nach links ab.*

HELL *erblickt sie:* Halt! *Er eilt auf sie zu und spricht mit ihr.*

BARBOU *zu Robert:* Noch einen Flip! *Zu Mayberg, der
sich neben sie setzt und Huelsen stumm grüßt.* Wie
stets, bester Mayberg?

MAYBERG Man ärgert sich so durch.

BARBOU Heute? Wo wir das Problem der Unbekannten endlich gelöst haben?! Haben Sie es schon Semper erzählt?

MAYBERG Vor zwanzig Minuten. Doch schien er mir sonderbar abwesend, hörte kaum zu – –

BARBOU Hörte kaum zu? *Zu Huelsen.* Doktor! Ich, Mayberg und Hell, wir haben uns drei Stunden abgequält, haben das Lächeln der Unbekannten enträtselt, und Ihr Direktor hört nicht zu!

MAYBERG *scharf:* Was hatte denn Semper bis Mitternacht zu tun?

HUELSEN Darüber darf ich nichts reden. Auf Ehrenwort.

MAYBERG Reichlich mysteriös.

BARBOU *zu Robert:* Noch einen Flip! *Zu Mayberg.* Übrigens muß ich gestehen, daß ich Ihren kleinen Hell unterschätzte. Das Kind hat wirkliche Einfälle und formuliert originell.

HELL *zur Carry:* Der Traverson ist ein Muskelprinz und pfeift auf dich!

CARRY Soll er! Meine Rache ist mir einen Pfiff wert!

HELL Aber Putzi – –

CARRY *unterbricht ihn:* Ich bin kein Putzi, du Kretin!

BARBOU *ruft:* Clairchen, wir warten!

HELL *zur Barbou:* Sofort, Madonna! *Zur Carry.* Komm, Bestie, wahren wir die Form – – *Er reicht ihr den Arm und geleitet sie an den Bartisch.*

BARBOU *zur Carry:* Ich bin überglücklich, denn nun wissen wir, warum unser göttliches Geschöpf in die Seine ging! Weil sie sich schicksalhaft für ihren Herzallerliebsten opferte.

CARRY *mit bösem Blick auf Hell:* Die Rolle meines Lebens!

HELL *um die Carry zu ärgern:* Auf das Wohl der Unbekannten!

ALLE *außer der Carry, leeren ihre Gläser.*

Die Vorigen. Semper. Marquis. Unbekannte.

UNBEKANNTE *kommt in Sempers Gesellschaft mit dem Marquis von links.*

HUELSEN *ist sehr überrascht.*

CARRY *mit falscher Freude:* Ach, das Direktorchen!

SEMPER *grüßt allseits:* Willkommen, willkommen! *Zum Marquis.* Ein Teil meiner Menagerie! *Er erblickt Huelsen.* Was seh ich? *Zu Huelsen.* Mein Herr Sekretär sind auch da? Für Sie wärs besser zuhaus im Bett und kalte Umschläg um die Füß! *Er hat mit dem Marquis und der Unbekannten am Bartisch Platz genommen.*

MAYBERG *spöttisch:* Ist er denn krank, unser lieber Doktor?

BARBOU Er hat Kopfschmerzen.

CARRY *leise zu Mayberg; deutet auf den Marquis:* Wer ist denn das?

MAYBERG Ein Jugendfreund Sempers.

CARRY *boshaft:* Ein Schneider?

MAYBERG Nein. Irgendein Marquis. Lebt in den Kolonien, schon seit Jahrzehnten. Das Mädchen scheint seine Freundin zu sein.

HUELSEN *hörte, ohne zu horchen, schnellt empor und starrt die Unbekannte an.*

BARBOU *zu Hell:* Nicht möglich!

HELL Aber wenn ich es Ihnen sage: Das Mädel ist eine kleine Schauspielerin! *Er winkt der Unbekannten zu.* Pa, Putzi!

UNBEKANNTE *wird unsicher.*

MARQUIS *zur Unbekannten:* Kennen Sie den Herrn?

UNBEKANNTE *lügt:* Nein.

MARQUIS Ein befremdendes Benehmen – –

UNBEKANNTE Auf einem Ball ist das oft so.

semper *zu Huelsen:* Was starren Sie, Doktor! Habens einen Starrkrampf?! Kommens lieber her!

huelsen *folgt.*

semper *zum Marquis:* Darf ich vorstellen: mein Privatsekretär, Doktor Huelsen, ein sehr ein feingeistiger Mensch. Sie dürfen nicht denken, daß wir beim Film keine literarischen Ambitionen haben!

marquis *verbeugt sich vor Huelsen.*

semper *zur Unbekannten:* Gestatten, meine Dame: Doktor Huelsen – –

huelsen *kann sich nicht mehr halten und unterbricht ihn:* Wir kennen uns schon.

semper *überrascht:* Woher?

unbekannte *faßt sich:* Flüchtig! Von einem literarischen Tee.

huelsen Wie bitte?!

unbekannte *bestimmt:* Von einem literarischen Tee bei der Baronessa Kalkowska.

huelsen Das ist zuviel!

unbekannte *rasch:* Wie bitte?!

semper *zur Unbekannten:* Pardon, aber er ist heut ein bisserl wirr! *Er zieht Huelsen mit sich bei Seite.* Jetzt gibts nur zweierlei, entweder krieg ich einen Anfall oder Sie! Aber ich kann besser toben, mach ich Sie aufmerksam! Kein Wort! Mit einem Besessenen kann man nicht plauschen, ich hab noch genug von Ihrer Telefoniererei zuvor! Mein Erlebnis soll ein Schwindel gewesen sein?! Mich kann man nicht betrügen, höchstens betrüg ich, Sie Anfänger! Sehens die junge Dame vom Marquis, die hat mir alles genau erzählt! Sie kennt Rio de Janeiro und kennt natürlich auch Professor Bossard! Er verkehrte im Haus ihrer Eltern. Natürlich hab ich kein Sterbenswörtlein über unsere Seance gesagt, Ehrenwort ist auch bei mir ein Ehrenwort! So, und jetzt gehens mit

Gott! Habe die Ehre und gute Besserung! Adieu! *Er läßt ihn stehen.*

HUELSEN Ja, gute Nacht – – *Ab nach links.*

UNBEKANNTE *wirft ihm einen kurzen, besorgten Blick nach.*

18. Auftritt

Die Vorigen. Ohne Huelsen.

BARBOU *zu Semper, der wieder am Bartisch Platz genommen hat:* Ich bin sehr zuversichtlich in puncto Unbekannte.

SEMPER *desinteressiert:* Freut mich.

HELL Es wird eine Kasse wie »Geheiligte Liebe«, unberufen!

SEMPER *zuckt mit den Schultern:* Möglich.

BARBOU Wir sind in drei Wochen fix und fertig.

HELL Drehreif!

SEMPER *gelangweilt:* Schon? Vielleicht eilt es gar nicht so.

MAYBERG *tut überrascht:* Ich dachte wir hätten keine Zeit – –

SEMPER Lieber Mayberg, das Leben ist oft stärker als die Kunst!

HELL *horcht auf; zur Barbou:* Er kriegt das Buch billiger, der Gauner!

BARBOU Von wem?

HELL Von Claustal natürlich!

BARBOU *stutzt, überlegt und seufzt:* Oh Semper, Semper!

SEMPER Man soll meinen Namen nicht eitel nennen!

MAYBERG *zu Semper; innerlich erregt:* Ich kann Ihr mysteriöses Verhalten nicht deuten: komme etwa ich als Regisseur vielleicht auch nur »vielleicht« in Frage?

SEMPER Vielleicht!

MAYBERG Ein Skandal! Meine ureigene Idee! – – Und unser Vertrag?!

SEMPER Der hängt von Ihnen ab!

MAYBERG Sie sind verrückt!

SEMPER Das bitt ich mir aus!

MAYBERG *zu Robert:* Zahlen!

19. Auftritt

Die Vorigen. Traverson.

TRAVERSON *kommt von links; zur Carry:* Ach, da seid ihr! *Er setzt sich neben sie.*

CARRY *leise:* Semper sitzt hier.

TRAVERSON Wo?

CARRY Dort! *Zu Mayberg.* Jetzt kommt die Revanche!

MAYBERG Jetzt fühle ich mit dir – – *Er drückt ihr empört die Hand.*

TRAVERSON *hebt sein Glas:* Prost, Semper!

SEMPER *entdeckt ihn erst jetzt:* Ah! *Er hebt rasch sein Glas.* Prost Weltmeister!

TRAVERSON Auf unsern Vertrag! *Er leert sein Glas.*

CARRY *zu Mayberg:* Der nie zustande kommt – – *Sie grinst.*

SEMPER *leerte auch sein Glas; ruft Traverson zu:* Kommens morgen zu mir ins Büro!

TRAVERSON In aller Früh!

CARRY *außer sich:* Was? Du gehst hin?!

TRAVERSON Ich schließ ab. Wenn Semper mir zweihundert Mill bar auf den Tisch – –

CARRY *unterbricht ihn:* Aber du hast doch geschworen – –

TRAVERSON *unterbricht sie:* Ich hab es mir überlegt! So ein Schwur ist wie ein Niederschlag: man steht wieder auf, kontert und siegt!

CARRY Oh Gott!

20. Auftritt

Die Vorigen. Bildreporter. Gehilfe.
Barbou, Carry, Mayberg und Hell sind nun bereits em-
pört im Gehen. Hell redet erregt auf Semper ein, der sich
ebenfalls entfernen will. Und auch Traverson zahlt.

BILDREPORTER *erscheint mit seinem Gehilfen von rechts*
und hält freudig überrascht vor dem Bartisch: Einen
Augenblick, meine Herrschaften! Ach, auch unser
Weltmeister – – bitte, bitte, nur noch eine einzige Aufnahme für das »Journal«! Soviel prominente Persön-
lichkeiten, das gibt ein sensationelles Bild!

ALLE *außer dem Marquis, gruppieren sich eng an der Bar,*
lächeln sich gegenseitig zu oder in den Apparat.

BILDREPORTER *visiert:* So ist es fein! *Zum Marquis.* Bitte,
etwas näher!

MARQUIS Ich gehör nicht dazu.

BILDREPORTER Pardon! *Zu der Gruppe.* Achtung!

UNBEKANNTE *drängt sich im letzten Augenblick vor mit*
einem Sektglas in der Hand.

GEHILFE *läßt das Blitzlicht aufflammen.*

BILDREPORTER Danke!

CARRY *wirft giftige Blicke auf die Unbekannte.*

DIE GRUPPE *löst sich auf.*

HELL *zu Semper:* Mich können Sie nicht! Und den Claustal, den werd ich erledigen!

SEMPER Der brave Claustal hat nichts damit zu tun.

HELL Ich hau ihm eine runter!

SEMPER Das dürfen Sie auf alle Fäll! *Ab nach rechts,*
verfolgt von dem wütenden Hell; und auch die Barbou,
Mayberg, die Carry und Traverson verlassen nach
rechts oder links die Bar.

Robert. Adolf. Marquis. Unbekannte. Bildreporter. Gehilfe.

BILDREPORTER *zur Unbekannten:* Verzeihen Sie, bitte: dürft ich um Ihren werten Namen bitten – – für das »Journal«.

UNBEKANNTE *überlegt; lächelt dann:* Mein Name spielt keine Rolle. Ich spiele nämlich nur die Hauptrolle im nächsten Großfilm der Pandora.

BILDREPORTER *begreift nicht ganz; automatisch:* Titel?

UNBEKANNTE Die Unbekannte der Seine.

BILDREPORTER Ach!

MARQUIS *horcht auf.*

BILDREPORTER *lächelt überlegen:* Verstehe! Ein genialer Reklametrick: die Unbekannte spielt die Unbekannte!

UNBEKANNTE Und zwar an Hand der wahren Begebenheit – –

BILDREPORTER Aber die kennt doch niemand!

UNBEKANNTE Doch. Wir wissen bereits alles.

BILDREPORTER Hochinteressant!

UNBEKANNTE Mehr darf ich nicht sagen.

BILDREPORTER Genügt überaus, Gnädigste! Heißen Dank! *Er verbeugt sich tief und rasch ab mit seinem Gehilfen nach links.*

22. Auftritt

Robert. Adolf. Marquis. Unbekannte.

UNBEKANNTE *wendet sich wieder der Bar zu.*

MARQUIS *hat sich erhoben, steht nun vor ihr und fixiert sie.*

UNBEKANNTE *hält vor ihm.*

MARQUIS *sehr erregt, doch beherrscht:* Ich hörte soeben, daß Sie die wahre Geschichte der Unbekannten kennen.

UNBEKANNTE Ja.

MARQUIS Also kennt sie Semper von Ihnen?

UNBEKANNTE Ja.

Pause.

MARQUIS *leise:* Woher kennen Sie den Tatbestand?

UNBEKANNTE *lächelt:* Sag ich nicht.

MARQUIS Weiß Semper alles?

UNBEKANNTE Nein. Das Wichtigste noch keineswegs, das kommt erst noch – – *Sie lächelt wieder.*

Pause.

MARQUIS *faßt sich ans Herz:* Was wünschen Sie von mir?

UNBEKANNTE *perplex:* Wieso?

MARQUIS *fährt sie unterdrückt an:* So sprechen Sie doch!

UNBEKANNTE *starrt ihn an.*

MARQUIS *beherrscht sich und nickt ihr fast ironisch zu:* Vorhin, als ich Sie im Saal herumirren sah, da hatte ich Mitleid mit Ihnen – –

UNBEKANNTE *verlegen:* Oh bitte!

MARQUIS *ändert wieder den Ton; sachlich:* Ich lege Wert darauf, daß diese Angelegenheit sofort, noch heute nacht, bereinigt wird. *Er sieht sich um.* Aber hier ist wohl nicht der Platz. Darf ich Sie zu mir bitten, die Adresse wird Ihnen wohl bekannt sein; trotzdem – – *Er überreicht ihr seine Karte.* Hier!

UNBEKANNTE *nimmt die Karte, liest sie und sieht ihn wieder groß an; fast ängstlich:* Zu Ihnen?

MARQUIS Fahren Sie vor, ich komme gleich nach.

UNBEKANNTE *zögert.*

MARQUIS So gehen Sie doch schon!

UNBEKANNTE *ab nach rechts, als würde sie träumen.*

Robert. Adolf. Marquis.

MARQUIS *sieht ihr in Gedanken versunken nach; dann zu Robert:* Könnt ich telephonieren?

ROBERT Bitte, Herr Marquis!

MARQUIS *am Apparat; leise:* Hallo. – – Ja, ich bin es. Hören Sie, es wird eine junge Frau kommen, sie soll warten. Und wecken Sie den alten Bientôt. *Er hängt ein; tonlos.* Zahlen – –

Vorhang

Vierter Akt

Das Arbeitszimmer im Palais des Marquis de Bresançon.
Durch ein hohes Fenster im Hintergrunde fällt der matte
Schein einer Straßenlaterne auf den Schreibtisch. Rechts
führt eine etwas geöffnete Türe in die Bibliothek, links
eine geschlossene in das Schlafzimmer. Neben dem Fen-
ster, fast schon in der Ecke, eine Tapetentüre. Alles im
Raum ist alt, einfach und wertvoll, mit einem Wort: kul-
tiviert.
Der Marquis de Bresançon kommt vom Filmball, er eilt
sofort in sein Arbeitszimmer im ersten Stock und entledigt
sich erst unterwegs seines Mantels, Schals und Hutes,
wobei ihm Jean, sein dicker Diener behilflich ist; dieser
schaltet auch das Licht ein, eine Lampe auf dem Schreib-
tisch, die aber genügend hell leuchtet, um den ganzen
Raum erkennen zu können.

1. Auftritt

Marquis. Jean.

MARQUIS *tritt durch die Tapetentüre ein:* Haben Sie den
  Alten geweckt?

JEAN Sehr wohl, Herr Marquis! Er sitzt in der Bibliothek – – *Er deutet auf die Türe rechts.* Und die avisierte
  Dame ist auch bereits eingetroffen, ich habe sie unten in
  den Salon geführt.

MARQUIS Lassen Sie sie warten, bis ich rufe.

JEAN Sehr wohl, Herr Marquis! *Er will ab.*

MARQUIS *als würde ihm plötzlich noch etwas einfallen:*
  Und: es wird noch ein gewisser Herr Nevieux kommen,
  den führen Sie sofort zu mir.

JEAN Sofort! *Er verbeugt sich und ab durch die Tapeten-*
türe mit Mantel, Schal und Hut.

2. Auftritt

Marquis.

MARQUIS *steht kurze Zeit mitten im Raum und denkt vor*
sich hin; geht dann langsam an seinen Schreibtisch,
öffnet eine Lade, holt ein Notizbuch hervor und scheint
Zahlen zu addieren; unten im Parterre schlägt eine alte
Uhr die dritte Stunde; nun hält er das Büchlein in der
Hand, als würde er es wiegen wollen — — plötzlich zuckt
er zusammen und lauscht: durch die Stille dringt aus der
Bibliothek leises Schnarchen, das allerdings immer
kräftiger wird; er muß unwillkürlich lächeln, erhebt
sich, geht an die etwas geöffnete Türe rechts, öffnet sie
ganz und ruft hinein: Bientôt! *Das Schnarchen bricht*
ab. Komm!

3. Auftritt

Marquis. Bientôt.
Bientôt ist ein Greis, der sein ganzes Arbeitsleben über
Gärtner im Hause Bresançon war und nun das sogenannte
Gnadenbrot ißt. Er taucht in der Türe rechts verschlafen
auf.

MARQUIS *freundlich:* Setz dich! Zigarre? *Er hält ihm ein*
Kistchen entgegen.

BIENTÔT *setzt sich unfreundlich in einen breiten Lehn-*
stuhl: Nein. Ich pflege nachts nicht zu rauchen, sondern
zu schlafen. Oder zu trinken.

MARQUIS *deutet auf ein Tischchen:* Dort steht Kognak!

BIENTÔT Wo? *Er erhebt sich wieder, geht auf das Tisch-*

chen zu und schenkt sich ein. Seltsam! Ich hab zuvor grad von Kognak geträumt – –

MARQUIS Tröste dich, du bist nicht der Einzige, den ich aus seinen Träumen reißen mußte – – Nevieux wird auch sogleich erscheinen.

BIENTÔT *stockt beim Trinken:* Nevieux? Dreht es sich also darum?

MARQUIS Ja. Immer hab ich gehofft und hab es doch klar gewußt, daß mit der Zeit auch dieser Augenblick seine Aufwartung machen wird – –

BIENTÔT Was für ein Augenblick?

MARQUIS Es kommt ans Licht.

BIENTÔT *schreit:* Ist nicht Ihr Ernst! Also ich hab kein Wort, keine Silbe! Nichts, nichts! Ich hab geschwiegen Sommer und Winter, Jahr für Jahr, Tag und Nacht! *Er leert verzweifelt sein Glas und schenkt sich rasch wieder ein mit zitternden Händen.*

MARQUIS *ruhig:* Warten wir auf Nevieux.
Stille.

MARQUIS *zuckt plötzlich zusammen; unterdrückt:* Hast du gehört?

BIENTÔT Was?

MARQUIS *bange:* Es geht jemand draußen – –

BIENTÔT Wer?

MARQUIS *wie zuvor:* Ich weiß es nicht.

BIENTÔT Es gibt keine Gespenster!
Die Tapetentüre öffnet sich langsam.

BIENTÔT Heilige Jungfrau!

MARQUIS *schnellt empor:* Wer da?!

4. Auftritt

Die Vorigen. Unbekannte.

UNBEKANNTE *erscheint in der Tapetentüre und sieht ängstlich herein.*

MARQUIS Ach, Sie – –

UNBEKANNTE *mit leisem Vorwurf:* Sie sind schon zuhaus und ich wart im Salon – –

MARQUIS Hat Sie der Diener herauf?

UNBEKANNTE Nein.

MARQUIS Hübsch.

UNBEKANNTE Wieso? Ich hab hier oben einen Lichtstrahl gesehen und bin halt herein – –

MARQUIS *ironisch:* Nur einen Lichtstrahl?

UNBEKANNTE *begreift plötzlich; empört:* Wo denken Sie hin?! Ich werd doch nicht spionieren! Aber Ihr Salon ist ja eine dumpfe Gruft, und da soll man warten, warten, warten, und weiß überhaupt nicht, auf was, warum und wieso?!

MARQUIS Später!

UNBEKANNTE *ruckartig entschlossen:* Ich geh jetzt.

MARQUIS *tritt ihr in den Weg:* Halt!

UNBEKANNTE Auf der Stell oder ich schrei!

MARQUIS *ruhig, doch bestimmt:* Nehmen Sie, bitte, Vernunft an.

BIENTÔT Richtig!

UNBEKANNTE *erblickt ihn erst jetzt und erschrickt heftig:* Da ist ja noch einer!

MARQUIS *deutet vorstellend auf Bientôt:* Herr Bientôt, mein Freund!

UNBEKANNTE *stutzt, mustert Bientôt; sieht den Marquis ungläubig an.*

MARQUIS Jawohl, mein Freund – – der treu meinem Hause diente.

UNBEKANNTE *lächelt:* Achso – –

MARQUIS *fixiert sie:* Sie werden warten.

UNBEKANNTE *unwillig:* Warum?!

MARQUIS *wie zuvor:* Es dreht sich immerhin um ein Leben.

UNBEKANNTE *sieht ihn groß an und schweigt.*

MARQUIS *sehr bestimmt:* Sie warten.

UNBEKANNTE Aber nicht in der Gruft!

MARQUIS *muß leise lächeln:* Dann hier – – *Er geleitet sie zur Türe rechts.* Sie werden es nicht bereuen.

UNBEKANNTE *frech aus Unsicherheit:* Sie müssen es ja wissen!

MARQUIS *plötzlich sehr ernst:* Gewiß! *Er schließt hinter ihr die Türe rechts.*

5. Auftritt

Marquis. Bientôt.

BIENTÔT *kichert vor sich hin:* Daß die über mich erschrocken ist – –

MARQUIS Freut dich?

BIENTÔT Ja. Wer war denn das?

MARQUIS *sitzt wieder am Schreibtisch und blättert in seinem Notizbuch:* Später!

BIENTÔT Seltsam! Die sieht ihr nämlich ähnlich – –

MARQUIS Wem?

BIENTÔT Ihr.

MARQUIS *herrscht ihn an:* Schweig!

Es klopft an die Tapetentüre.

MARQUIS *zuckt zusammen; dann:* Herein!

Die Vorigen. Jean.
JEAN *tritt ein:* Herr Nevieux!
MARQUIS *erhebt sich:* Ich lasse bitten!
JEAN *läßt Nevieux eintreten und schließt die Tapetentüre
    hinter sich.*

7. Auftritt

Marquis. Bientôt. Nevieux.
*Der Kohlenhändler Nevieux ist ein lebhafter Herr von
ungefähr fünfundvierzig Jahren; Kleidung, Sprache und
Benehmen nach ist er ein braver Kleinbürger, doch etwas
an seinem Wesen erinnert an einen passionierten Karten-
spieler. Er scheint recht nervös zu sein.*
NEVIEUX *verbeugt sich:* Marquis! *Er entdeckt Bientôt.* Ah,
    Bientôt! Noch gute Nacht oder schon guten Morgen,
    man weiß es nicht, was man wünschen soll!
BIENTÔT *schenkt sich Kognak ein:* Es wird bald hell.
MARQUIS Wir haben noch Zeit. Bitte – – *Er bietet Nevieux
    Platz an.*
ALLE *setzen sich.*
MARQUIS *leise:* Ich bat euch zu mir, um klar zu sehen, und
    zwar sofort. Wir drei sind die einzigen, die jene tragi-
    sche Verkettung alltäglicher Umstände – – doch nein-
    nein! Ich will mich nicht freisprechen! Es war und bleibt
    meine Schuld.
    Stille.
MARQUIS Ihr, meine Freunde, – – ich darf euch wohl so
    nennen?
NEVIEUX Aber Marquis!
MARQUIS *winkt ab:* Ich bin mir der Kluft bewußt zwischen

ehrbaren Menschen und meiner Person! Ihr seid die
einzigen Zeugen jener Tat, die mein Schicksal sein
sollte. Und Ihr habt meine Last mitgetragen, seit jener
verhängnisvollen Stunde, in der es geschah – – seit jener
Nacht, in der eine Seele erlosch durch meine Schuld.

NÉVIEUX *der nervös-gelangweilt zuhörte, als hätte er diese
Eröffnungen schon unzähligemal gehört, kann nun
seine Neugierde nicht mehr bezähmen:* Sie sagten mir
vorhin am Telephon, es müßte jemand gesprochen
haben?

BIENTÔT Also ich kein Wort!

NEVIEUX Auch nicht im Rausch?

BIENTÔT *böse:* Junger Mann, wenn ich einen Rausch hab,
dann werd ich totenstill!

MARQUIS Sprechen wir leise, es ist wer nebenan!

NEVIEUX Wer?

MARQUIS Jemand, der alles weiß.

NEVIEUX *erschrickt sehr:* Wie bitte? *Sehr aufgeregt.* Herr
Marquis, ich hab keinen Ton, keine Silbe, keine Andeutung, schon im ureigensten Interesse! Heiligstes Ehrenwort! *Er leert hastig ein Glas Kognak.*
Stille.

MARQUIS Es hat also jeder geschwiegen?

NEVIEUX *rasch:* Jeder!

MARQUIS Da sich also keiner von uns erinnert, gesprochen
zu haben, stehen wir vor einem Rätsel.

NEVIEUX *wird immer nervöser:* Vielleicht hat wer – –

MARQUIS *unterbricht ihn scharf:* Wer? *Er fixiert ihn.* Wer
weiß noch davon außer uns?

NEVIEUX *rasch:* Niemand! Verzeihung, Marquis, es war
nur eine gedankenlose Redensart – – *Er grinst verlegen.*
Verzeihung!

MARQUIS *mißtrauisch geworden:* Bitte!
Stille.

NEVIEUX *versucht seine Nervösität niederzuringen:* Sie
sagten zuvor, nebenan wäre jemand, der alles wüßte – –

MARQUIS Stimmt. Eine junge Frau.

NEVIEUX Ach!

MARQUIS Eine Schauspielerin, allerdings ohne Engagement.

NEVIEUX Aha. Erpressung?

MARQUIS Ich nehme es an.

NEVIEUX Was denn sonst!

BIENTÔT Dem Luder möcht ich mal meine Meinung ins
Gesicht – –

MARQUIS *unterbricht ihn:* Du wirst dich beherrschen!

NEVIEUX Hier hilft nur Geld, wenigstens meiner persönlichen Erfahrung nach. Nur Geld!

MARQUIS Werden sehen.

NEVIEUX Trumpf sticht!

MARQUIS *nickt:* Rien ne va plus.

NEVIEUX Die Kugel rollt – –

MARQUIS Rot oder schwarz.

Stille.

NEVIEUX Und wenn wir verspielen?

BIENTÔT »Wir«? Ich weiß nichts! Radikal nichts!

NEVIEUX Erzählen Sie das der Polizei!

MARQUIS *herrscht ihn unterdrückt an:* Nicht so laut! *Er
erhebt sich.* Ich danke euch!

BIENTÔT *erhebt sich ebenfalls:* Wiedersehen!

MARQUIS Ich kenne den Einsatz, ich kenne das Spiel. Zwar
besitz ich nur einen einzigen Trumpf, aber ich werde
mich wehren bis zum Nichts.

NEVIEUX *der sich auch erhoben hat, verbeugt sich:* Marquis! *Ab mit Bientôt, der die Kognakflasche mitgehen
läßt, durch die Tapetentüre.*

Marquis. Unbekannte.

MARQUIS *überlegt einen Augenblick, geht dann an die Türe rechts und öffnet sie:* Darf man bitten!

UNBEKANNTE *tritt ein.*

MARQUIS *hat sich an seinen Schreibtisch gesetzt:* Nehmen Sie Platz.

UNBEKANNTE *setzt sich verärgert neben den Schreibtisch.*

MARQUIS Haben sie drüben alles gehört?

UNBEKANNTE *empört:* Ich werd doch nicht horchen! Für was halten Sie mich denn?!

MARQUIS *unbeirrt:* Kennen Sie einen Herrn Nevieux?

UNBEKANNTE Nevieux? Ja. Warum?

MARQUIS Interessant.

UNBEKANNTE Ich kenn sogar zwei Nevieux. Der eine hat eine Fischhandlung und der andere ist ein Souffleur.

MARQUIS *ironisch:* Nur zwei?

UNBEKANNTE *braust auf:* Jetzt wirds mir aber zu bunt! Zuerst kommandierens mir auf dem Ball, ich soll sofort zu Ihnen, dann lassens einen in einer Gruft warten, dann schreiens mich an, ich spionier und ich horch, und dann wollens noch, daß ich einen dritten Nevieux kenn!

MARQUIS Man bittet um eine andere Taktik, Madame!

UNBEKANNTE Ich hab überhaupt keine Taktik, bitt ich mir aus!

MARQUIS Einen Augenblick! Sie erklärten mir auf dem Ball, Sie würden alles veröffentlichen, allerdings unter bestimmten Voraussetzungen.

UNBEKANNTE Stimmt! Nämlich unter der bestimmten Voraussetzung, daß ich die wahre Geschichte der Unbekannten erfahre. Ich kenne sie leider noch nicht.

MARQUIS *starrt sie an, als würde ihn momentan der Schlag*

getroffen haben; leise, doch außer sich: Was? Was reden Sie da?!

UNBEKANNTE Keine Ahnung!

MARQUIS *braust auf:* Aber Sie erklärten mir doch eindeutig, daß Sie einen Film an Hand der wahren Begebenheiten – –

UNBEKANNTE *unterbricht ihn:* Das hab ich nicht Ihnen erklärt, sondern dem Bildreporter vom »Journal«, und da haben Sie gehorcht, Sie und nicht ich! Sie haben mich ja überhaupt nicht zu Wort kommen lassen! Diesem blöden Reporter habe ich doch nur aus Reklamegründen etwas vorgeschwindelt, genau wie dem Semper, zu guter Letzt aus Selbsterhaltungstrieb und aus sonst nichts! Haben Sie eine Ahnung in Ihrem Palais, was dazu für ein Ränkespiel gehört, um als anständige Unbekannte eine Titelrolle zu erreichen! Was man sich da alles erklügeln muß – – ujjeh! Es war doch überhaupt meine Idee, einen Film mit dieser Totenmaske zu drehen, aber mein Exposé wird nicht anerkannt, wahrscheinlich aus Neid, und jetzt sitzen meine Kollegen verzweifelt im Terminus, weil Ihnen kein richtiges Motiv einfällt, warum daß die Unbekannte in die Seine gegangen ist! Und wie Sie mich dann auf dem Ball so seltsam gefragt haben, da hats mir einen direkten Stich gegeben und ich hab es gefühlt, daß Sie etwas wissen müssen, und bin her zu Ihnen, vielleicht um etwas zu erfahren, was wir verwerten können, filmisch und dergleichen! So, jetzt wissens alles!

MARQUIS Es genügt.

Stille.

UNBEKANNTE Gebens mir, bittschön, ein Glas Wasser!

MARQUIS *erhebt sich, schenkt ein und reicht es ihr.*

UNBEKANNTE Danke! *Sie trinkt aus.*

MARQUIS Hats geschmeckt?

UNBEKANNTE Sehr.

MARQUIS Das ist die Hauptsache – – *Er setzt sich und lächelt irr.*

UNBEKANNTE *wird wieder unsicher:* Ich mag nämlich eigentlich keinen Alkohol.
Stille.

MARQUIS *betrachtet sie:* Und Sie wollen die Unbekannte spielen?

UNBEKANNTE Ja.
Stille.

MARQUIS *wie zuvor:* Die war anders.

UNBEKANNTE *wird immer unsicherer:* Wenn ich mich anders frisiere – –

MARQUIS Nein. Ich meine, da drinnen – – *Er deutet auf sein Herz.*

UNBEKANNTE Das ist mein Fach.
Stille.

MARQUIS *fixiert sie:* Schämen Sie sich nicht?

UNBEKANNTE Wicso?
Stille.

UNBEKANNTE *sehr unsicher, möchte irgendetwas sagen:* Und – –

MARQUIS *fällt ihr scharf ins Wort:* Und?! *Er erhebt sich und geht auf und ab.* Es ist mir bewußt, daß ich leichtfertig annahm, Sie müßten alles wissen, was verborgen bleiben sollte. Da ich mich aber nunmal in diese Situation manövriert habe, wünsche ich keineswegs, daß sich die Legende auch meiner Person bemächtigt, ich will eine verlorene Position nicht länger verteidigen und ziehe die Wahrheit vor. Hören Sie: vor einem Menschenalter arbeitete hier im Hause, in der Gärtnerei, ein Mädchen. Der alte Bientôt, über den Sie vorhin erschraken, war damals noch keine Mumie. Er war ihr Chef – – und der Einzige unter der Dienerschaft, der sie nicht

immer prügelte, mit Worten, Blicken und sogar in der
Tat. Sie hatte keine Eltern, keine Freunde – – niemand.
Sie kam aus dem Heim zum guten Hirten.

UNBEKANNTE Ist das ein Waisenhaus?

MARQUIS Nein, das ist eine Korrektionsanstalt für verwahrloste weibliche Jugendliche. Die gesamte Dienerschaft, außer, wie gesagt, jene Mumie, fühlte sich durch
die Anwesenheit dieses Mädchens beleidigt, entehrt,
beschimpft, und gab es ihr tausendmal kund. Aber sie
trug jede Kränkung, allen Spott und Schimpf mit heiliger Geduld. Ich war überzeugt von ihrer absoluten
Anständigkeit. Um ihre Peiniger zu beschämen, gab ich
ihr eine Gelegenheit, ihre Ehrlichkeit beweisen zu können: ich sandte sie in die Stadt, eine größere Summe auf
der Bank abzuholen. Den ganzen Tag wartete ich. Sie
kam erst spät in der Nacht, und – – hatte das Geld
verloren. Erschüttert glaubte ich ihr kein Wort. Hier in
diesem Raume, da, da schrie ich es ihr ins Gesicht und
jagte sie vor versammelter Dienerschaft aus dem
Hause. Dort ging sie hinaus. Ich werde ihren Blick nie
vergessen, der mich traf. – – Eine halbe Stunde später
kam ein braver Mann mit dem Geld, er hatte es im
Eisenbahnabteil gefunden. Sie hatte es verloren.
Stille.

MARQUIS Als ich dann jene Totenmaske erblickte, erkannte ich sie sofort. Ich und Bientôt, sonst keiner – –
denn keiner hatte sie im Leben jemals lächeln gesehen.
Ja, es ist das Lächeln eines Engels, das Lächeln der
Unschuld. Und ich bin ihr Mörder.

UNBEKANNTE *entsetzt:* Nein!

MARQUIS Doch!

UNBEKANNTE *wie zuvor:* Sie sind doch kein Mörder, das
seh ich Ihnen an!

MARQUIS *scharf:* Was sehen Sie mir an, was wissen Sie von

mir?! Was wissen Sie von Ihrem Geliebten, Ihren Eltern, Freunden, Bekannten?! Nichts! Sie kennen die Fassade eines Hauses, vielleicht einige Zimmer, das ist alles! Decken Sie die Dächer ab: welche Verbrechen würden Sie entdecken! Hier! *Er reicht ihr hastig aus seiner Brieftasche einen vergilbten Brief.* Lesen Sie ihren Abschiedsbrief! Ihr letztes Wort, das sie mir gab – – – – Lesen Sie!

UNBEKANNTE *liest den Brief und legt ihn dann langsam auf den Schreibtisch:* Die Schrift gefällt mir nicht – –

MARQUIS *faßt sich ans Herz:* Ich muß Sie bitten, in einem anderen Ton über dieses Wesen zu sprechen, das mein Schicksal geworden ist. Ich bitte um mehr Ehrfurcht. – – So, nun gehen Sie hin und drehen Sie Ihren Film!

UNBEKANNTE *schluchzt.*

MARQUIS *horcht auf und ändert den Ton; fast sanft:* Was ist Ihnen?

UNBEKANNTE *fährt sich mit dem Taschentuch an die Augen; sehr leise:* Ich weiß es nicht. Vielleicht, weil Sie mich für etwas Schlechtes halten – –
Stille.

MARQUIS Verzeihen Sie einem alten Mann – –

UNBEKANNTE *weinend:* Lächerlich! Sie sind doch kein alter Mann!

MARQUIS *horcht wieder auf.*
Es klopft auf die Tapetentüre.

MARQUIS *zuckt zusammen:* Herein!

9. Auftritt

Die Vorigen. Jean.

JEAN *tritt durch die Tapetentüre aufgeregt ein:* Marquis, ein aufgeregter Mann möcht Sie sofort sprechen, er hat mich sogar bedroht! Ein Doktor Huelsen!

UNBEKANNTE Heiliges Känguruh, mein Bräutigam!

JEAN *feig:* Wer?!

UNBEKANNTE *entsetzt zum Marquis:* Rettens mich, rettens mich! Der glaubts mir ja nie und nimmer, daß ich nur wegen Ihnen bei Ihnen bin!

MARQUIS *perplex:* Wegen mir?

UNBEKANNTE Oder wegen uns! Ist ja gehupft, wie gesprungen! Rettens mich, der bringt mich noch um!

MARQUIS Nana!

JEAN Sicher!

UNBEKANNTE *zum Marquis:* Sie kennen seine Novellen nicht!

MARQUIS Leider – – *Er muß lächeln und deutet dann auf die Türe rechts.* Bitte! Ich werde schweigen.

UNBEKANNTE *wirft ihm einen ängstlich-dankbaren Blick zu:* Oh, Sie sind lieb – – *Rasch ab in die Bibliothek.*

MARQUIS *horcht abermals auf; dann zu Jean:* Ich lasse bitten!

JEAN *verbeugt sich hastig, läßt Huelsen ein und schließt stumm aufatmend die Tapetentüre hinter sich.*

10. Auftritt

Marquis. Huelsen.

HUELSEN *stürzte befrackt, ohne Hut und Mantel herein, er ist außer sich.*

MARQUIS *erkennt ihn überrascht:* Ach! Ich hatte bereits die Ehre – –

HUELSEN *bitter:* Gewiß! Auf dem literarischen Tee bei der Baroneß Kalkowska! Marquis! Lange Worte haben wenig Sinn: bei Ihnen ist meine Braut. Ich weiß es unfehlbar! In der Bar, vom Mixer!

MARQUIS *kann es nicht fassen:* Von Robert?

HUELSEN Vom Jüngeren!

MARQUIS *beruhigt:* Ach so.

HUELSEN Er hörte Sie telephonieren, daß eine junge Frau zu Ihnen kommen würde. Leugnen hat keinen Sinn! Ich fuhr sofort mit der Untergrund her, leider ist die Verbindung in der Nacht miserabel – –

MARQUIS *fällt ihm ins Wort:* Ihr Mixer hat sich geirrt. Hier im Hause befindet sich keine junge Dame.

HUELSEN Ehrenwort?

Stille.

MARQUIS *leise:* Ja. Ehrenwort.

HUELSEN Danke! Ich bin historisch bewandert und es ist mir bekannt, daß ein Marquis de Bresançon noch nie sein Ehrenwort brach, ja, daß Ihr Geschlecht den Adel dem Tatbestand verdankt, daß einer Ihrer Vorfahren sein Wort, selbst auf der Folter, nicht gebrochen hat.

MARQUIS Ja.

HUELSEN *fixiert ihn:* Er ist lieber gestorben.

MARQUIS Sie haben recht.

Stille.

HUELSEN Verzeihung! *Er verbeugt sich steif verabschiedend.*

MARQUIS Bitte!

HUELSEN *rasch ab durch die Tapetentüre.*

MARQUIS *sieht ihm in Gedanken versunken nach.*

11. Auftritt

Marquis. Unbekannte.

UNBEKANNTE *erscheint behutsam:* Diesmal hab ich gehorcht – –

MARQUIS *hört kaum hin; wie zu sich selbst:* Andere sind zwar lieber gestorben – –

UNBEKANNTE *perplex:* Wie bitte?

MARQUIS *nickt ihr wehmütig lächelnd zu:* Sie haben alles gehört?

UNBEKANNTE Nicht alles. Nur, daß Sie nichts gesagt haben, das hab ich gehört – – *Sie lächelt dankbar.* Und ich werde auch nichts sagen. Auf Ehrenwort.

MARQUIS *gereizt:* Schweigen Sie, bitte!

Stille.

UNBEKANNTE *faßt es nicht, warum er sie angefahren hat; sachlich aus Gekränktheit:* Darf man jetzt weg?

MARQUIS *deutet auf die Tapetentüre.*

UNBEKANNTE *wendet sich langsam der Tapetentüre zu, am Fenster vorbei, blickt unwillkürlich hinaus und erschrickt sehr; unterdrückt:* Oh Gott! Ich kann nicht fort! Er steht vor dem Fenster!

MARQUIS *nickt ihr traurig zu:* War zu erwarten – – *Er tritt an das Fenster und blickt hinaus; nach einer kleinen Pause.* Stimmt. Er ist historisch bewandert, aber das Wort eines Bresançon gilt ihm nichts – –

UNBEKANNTE Der hat auch zu mir kein Vertrauen. Er ist ein geborener Pessimist.

Stille.

MARQUIS Es regnet.

UNBEKANNTE *ängstlich:* Jetzt sieht er mich an.

MARQUIS Er kann uns nicht sehen.

UNBEKANNTE *wie ein Kind:* Weil er geblendet ist?

MARQUIS Stimmt. *Er verläßt das Fenster.*

Stille.

UNBEKANNTE Der wird sich noch eine Lungenentzündung holen, und ich bin so müd – – *Sie verbeißt ein Gähnen.*

MARQUIS *schenkt sich einen Whisky ein:* Wenn Sie befehlen steht Ihnen jederzeit mein Schlafzimmer zu persönlicher Verfügung – – *Er deutet auf die Türe links.*

UNBEKANNTE Wo denken Sie hin?!

MARQUIS *sieht sie groß an:* Mein Kind, ich denk schon lange nichts mehr – – *Er leert hastig seinen Whisky.* Da es Ihr Bräutigam mir nicht glauben will, daß Sie nicht hier sind, zwingt er Sie, noch hier zu bleiben. Leider besitz ich keinen Notausgang – – *Er lächelt abermals wehmütig.*

UNBEKANNTE Oh, Sie sind lieb! *Sie muß heftig gähnen. Jetzt fahren die Scheinwerfer eines Autos durch das Zimmer, man hört aber keinerlei Geräusch.*

UNBEKANNTE Ein Auto! Es hält.

MARQUIS Hier?

UNBEKANNTE Ein Herr steigt aus.

MARQUIS *tritt wieder ans Fenster; überrascht:* Nevieux!

UNBEKANNTE Ach, das ist der dritte?

MARQUIS *rasch:* Ich muß Sie bitten, in der Bibliothek – –

UNBEKANNTE *fällt ihm ins Wort:* Ist da ein Divan drin?

MARQUIS Nein.

UNBEKANNTE Also nur Bücher – – *Sie lächelt.* Dann vielleicht doch lieber dort – – *Sie deutet nach links und droht ihm mit dem Zeigefinger.* Aber nur zur allerpersönlichsten Verfügung.

MARQUIS *ungeduldig:* Ohne Zweifel! *Er geleitet sie nach links.*

UNBEKANNTE Man ist doch kein Bücherwurm – –

MARQUIS Schlafen Sie gut! *Er schließt, kurz aufatmend, die Türe links hinter ihr.*

Es klopft an die Tapetentüre.

MARQUIS Herein!

12. Auftritt

Marquis. Nevieux.

NEVIEUX *tritt ein, er scheint noch nervöser zu sein:* Marquis! Ich nehme an, Sie sind überrascht, daß ich abermals auftauche, aber Ihre Befürchtungen vorhin haben mich zu tiefst erschüttert. Sind Sie mit der Person ins Reine gekommen?

MARQUIS *hält Distanz:* Die Kugel rollt noch.

NEVIEUX Dann kann man noch setzen. Marquis! Ich habe Ihnen ein Geständnis – –

MARQUIS *fällt ihm ins Wort:* Sie haben geschwätzt?

NEVIEUX Nicht ich!

MARQUIS *fixiert ihn:* Nevieux. Sie sind ein Hasardeur.

NEVIEUX Leider! Aber jetzt haben Sie die Trümpfe und ich bloß Mist. Ich vermutete ja sogleich, wer geschwätzt haben dürfte, und ich nahm mir das Frauenzimmer, sowie ich wieder zuhause war, energisch vor – – endlich gab sie es zu: sie hat es der Hausmeisterin erzählt.

MARQUIS Versteh kein Wort.

NEVIEUX Marquis! Als Sie vor einem Menschenalter nach jenem tragischen Vorfall heimlich nachforschten, ob Ihre Unbekannte nicht doch irgendwo einen Verwandten hat, dem Sie irgendetwas Gutes tun könnten, um Ihr Gewissen zu entlasten, da fanden Sie mich – – einen sechzehnjährigen Lehrling. Zum Studium wars zu spät, also kauften Sie mir ein Kohlengeschäft, ja sogar im Testament, wenn ich wohl unterrichtet bin – –

MARQUIS Zur Sache!

NEVIEUX Ich schwieg, trug Ihre Last mit – – aber jetzt hab ich Angst, denn ich habe die Skandalsucht der Öffentlichkeit mehr zu fürchten, wie Sie!

MARQUIS Kaum!

NEVIEUX Doch! Dieser ganze Rattenschwanz von Presse und Polizei – – Marquis! Ich bin ein Betrüger, ein erbärmlicher Betrüger! Und Ihre Unbekannte ist auch eine Betrügerin! Sie ist gar nicht tot, sie lebt!

MARQUIS Nevieux!!

NEVIEUX Sie ging wohl in die Seine, aber sie schwamm

auch wieder heraus – – und hat es der Hausmeisterin erzählt!

MARQUIS *starrt ihn total durcheinander an:* »Schwamm auch wieder heraus«?

NEVIEUX So wahr ich lebe.

Stille.

MARQUIS *faßt sich ans Herz; sehr leise:* Und, meine Totenmaske?

NEVIEUX *zuckt die Schultern:* Das ist eine andere.

MARQUIS Eine andere? *Er fährt sich mit der Hand über die Augen.* Nein-nein! Sie lügen!

NEVIEUX Ehrenwort!

MARQUIS *macht eine wegwerfende Geste.*

NEVIEUX Ich kann es begreifen, daß ein Bresançon meinem Ehrenwort keinen Glauben schenkt.

MARQUIS *fixiert ihn grimmig.*

NEVIEUX Nicht schlagen, bitte.

MARQUIS Ich pflege nicht zu schlagen.

Stille.

NEVIEUX Wollen Herr Marquis Ihre Unbekannte sehen?

MARQUIS *faßt sich wieder ans Herz:* Sehen?

NEVIEUX Ich hab sie gleich mitgebracht. Ein korrekter Beweis aus Fleisch und Blut – – *Er öffnet die Tapetentüre und ruft hinaus.* Tante, komm herein!

13. Auftritt

Die Vorigen. Tante.
Die unbekannte Tante ist eine Greisin, die immer beschränkt vor sich hinzulächeln scheint. Sie tritt auf einen Stock gestützt ein.

TANTE *zu Nevieux:* Hast du mit ihm gesprochen?

NEVIEUX *laut:* Dort steht er!

TANTE *erblickt den Marquis erst jetzt:* Ah! *Sie verbeugt sich.* Ihr Diener, Marquis!

MARQUIS *erkennt sie allmählich erschüttert.*

TANTE *zu Nevieux; ängstlich:* Wird er mir verzeihen?

MARQUIS *fixiert sie.*

NEVIEUX *zum Marquis; bange:* Sie fragt, ob Sie uns verzeihen – –

MARQUIS *unterbricht ihn tonlos:* Ja.

NEVIEUX Tausend Dank!

MARQUIS *schneidet ihm mit einer unwilligen Geste das Wort ab; dann nur um etwas zu sagen, zur Tante:* Und, wie gehts?

NEVIEUX *zum Marquis:* Sie müssen lauter reden – – *Laut.* Tante! Der Herr Marquis erkundigt sich, wie es dir geht?

TANTE Gut. *Sie lächelt den Marquis blöd an.*
Stille.

MARQUIS *plötzlich schneidend laut:* Sie waren eine gute Schwimmerin, wie?

TANTE *glotzt ihn an und zuckt dann entsetzt zusammen; zu Nevieux:* Robert, ich frier! Der Nebel ist schwarz und der Himmel ist Wasser – –

NEVIEUX *unterbricht sie:* Pst! Wir sind nicht zuhaus! *Zum Marquis.* Verzeihung, sie ist halt ein bisserl senil – – *Er deutet auf seine Stirne; zur Tante.* Komm! *Zum Marquis, sich verabschiedend.* Marquis! Ich werde alles in Raten zurück, jede Wohltat – –

MARQUIS Ich verzichte!

TANTE *keifend:* Bring mich ins Bett!

NEVIEUX *herrscht sie an:* Fängst schon wieder an?! *Ab mit ihr durch die Tapetentüre.*

Marquis.
Draußen dämmert der neue Tag.

MARQUIS *sieht der Tante und Nevieux nach; tonlos.* Sie
war es – – *Er ließt ihren Abschiedsbrief nochmals genau
durch und blickt dann vor sich hin, als würde er sein
Leben abrollen sehen; er nickt.* Das war mein Leben.
Aber die Schrift gefällt mir nicht – – *Er grinst und
zerreißt ihren Abschiedsbrief.*

Vorhang

Fünfter Akt

Das Appartement des Professor Bossard im Hotel Termi-
nus. Man merkt es dem Salon an, daß in ihm die Nacht
hindurch gearbeitet wurde: überall Kaffeetassen, leere
Flaschen, Gläser, Zigarettenasche und dergleichen Spuren
geistiger Betätigung.
Der Assistent sitzt in Hemdärmeln vor einer alten
Schreibmaschine und tippt ein Drehbuch, das ihm Ma-
nuel diktiert; dieser hat sich die Schuhe und den Kragen
ausgezogen, scheint aber noch der relativ frischeste zu
sein. Der Pianist sitzt auf dem Boden und ordnet einen
Haufen Durchschläge; um seine Hose zu schonen, hat er
sich ihrer entledigt und sie über den Flügel gehängt. Alle
sind fieberhaft tätig, bleich und übermüdet. Nur Bos-
sard schlummert; er sitzt fröstelnd mit hochgeschlage-
nem Mantelkragen in einem Lehnstuhl im Vordergrunde
rechts.

1. Auftritt

Bossard. Manuel. Pianist. Assistent.
MANUEL *geht auf und ab und diktiert, wie gesagt, dem*
    Assistenten: – – »und die Unbekannte ertrinkt in der
    Seine, aber sie lächelt dabei.« Neue Einstellung! »364
    F!« Links: »Halbnah: Die Unbekannte lächelt. 364 G!
    Großaufnahme: Die Unbekannte lächelt. Und um ihr
    Haupt bildet sich ein Heiligenschein.« Darunter:
    »Trickaufnahme.«
ASSISTENT In Klammern?
MANUEL Klar! Trick ist immer in Klammern! Weiter!
    Rechts: »Das Rauschen des plätschernden Wassers« – –

PIANIST Halt! Plätschern geht nicht! Das muß musikalisch untermalt werden!

ASSISTENT Du kommst nicht zu kurz!

PIANIST Aber ich red doch nur im Interesse des Gesamt-kunstwerks!

MANUEL Also gut! *Zum Assistenten.* Schreib: »Plätschern-des Wasser musikalisch untermalt«. Ist ja egal.

ASSISTENT *tippt wütend, dann:* Schluß! *Er reißt die letzten Durchschläge aus der Schreibmaschine und wirft sie dem Pianisten zu.* Tu deine Pflicht!

PIANIST *schüttelt den Kopf:* Ein befremdendes Beneh-men – –

ASSISTENT *erhob sich, reckt sich und gähnt hemmungslos unartikuliert; betrachtet plötzlich seine Hände:* Mir scheint, ich hab einen Fingerkrampf – – *Er beschäftigt sich mit seinen Fingern.*

BOSSARD *erwacht und fährt sich mit der Hand über die Augen.*

MANUEL *der Durchschläge korrigiert:* Guten Morgen, Herr Geheimrat!

BOSSARD *lächelt matt:* Ratet mal, was ich geträumt hab – –

PIANIST Na?

BOSSARD Es war Frühling und ich fuhr mit der Unbekann-ten nach Nizza. Sie hat mir alles erzählt, einen wunder-vollen Film – – – – Wie war denn das nur? Ja, jetzt hab ich es vergessen.

ASSISTENT Macht nichts! Wir sind fertig.

BOSSARD *überrascht:* Mit dem Drehbuch?

PIANIST Vor zwei Minuten.

BOSSARD Respekt!

MANUEL Unberufen!

BOSSARD Apropos unberufen: ist sie schon zurück?

ASSISTENT Nein.

MANUEL Ein Filmball dauert oft ewig.
   Stille.

BOSSARD Hat denn keiner eine Uhr?

PIANIST *deutet nach dem Fenster:* Draußen ist eine.

MANUEL Schauen sie mal nach – – *Er tritt an das Fenster,*
   öffnet es und prallt zurück, denn die Sonne scheint hell
   herein: Die Sonne! Es ist schon halb acht!

ALLE *starren nach der Sonne und sind sehr betreten.*

BOSSARD *leise:* Gott steh uns bei.
   Stille.

ASSISTENT *bange:* Es muß ihr was passiert sein – –

PIANIST *hat seine Durchschläge geordnet und zieht sich*
   nun rasch seine Hose an: Ich hab es mir gleich gedacht,
   daß dieser blöde Notausgang – –

MANUEL *unterbricht ihn:* Es war der einzige Weg!
   Es klopft an die Türe im Hintergrunde.

MANUEL Da ist sie! *Er will an die Türe eilen, um sie zu*
   öffnen.

ASSISTENT *hält ihn am Arm zurück:* Aber! Die klopft doch
   nicht!
   Stille.

PIANIST *ängstlich:* Vielleicht die Polizei?

BOSSARD *scharf:* Ausgeschlossen!
   Es klopft noch einmal.

BOSSARD Herein!

2. Auftritt

Die Vorigen. Huelsen.
Huelsen erscheint zerknittert, durchnäßt, noch immer im
Frack, ohne Mantel, ohne Hut; er macht den Eindruck
eines gebrochenen Mannes.

PIANIST *überrascht:* Huelsen!

HUELSEN *zu Bossard:* Verzeihen Sie, daß ich störe – – *Er lächelt schmerzvoll.* Könnt ich mal unsere Unbekannte sprechen?

BOSSARD Leider – –

HUELSEN *fällt ihm ins Wort:* Keine Ausreden! Zuhaus ist sie nicht!

MANUEL Hier ist sie auch nicht!

HUELSEN *schreckt zusammen:* Jetzt, um halbacht?!

ASSISTENT Weiß der Teufel, wo die steckt!

BOSSARD War sie auf dem Ball?

HUELSEN Ja.

MANUEL Ging es glatt?

HUELSEN *grimmig:* Sehr glatt.

PIANIST Na Gott sei Dank!

HUELSEN Mit der Freikarte eines »Herrn«, der obendrein sein Ehrenwort brach – – Es ist grauenhaft.

BOSSARD *bange:* Ist ihr etwas passiert?

HUELSEN Wie mans nimmt! Sie ist bei einem Kavalier! *Stille.*

BOSSARD Ausgeschlossen!

HUELSEN Das war auch meine Meinung. Noch gestern.

PIANIST *erleichtert:* Ich fürchtete schon, sie sitzt auf der Polizei – –

HUELSEN Wär mir lieber! Bedeutend lieber! Wenn die sitzen würde, wär sie wenigstens ein anständiger Mensch!

BOSSARD Aber die geht doch zu keinem Kavalier, die nicht!

HUELSEN Auch nicht zum Marquis de Bresançon?

BOSSARD Wer ist das?

HUELSEN Ein Sonderling. Und ein Jugendfreund Sempers – –

ASSISTENT *pfeift leise durch die Zähne.* *Stille.*

BOSSARD Herr Doktor! Ich kenne unsere Unbekannte und es ist meine feste Überzeugung, daß sie niemals – –

HUELSEN *unterbricht ihn:* Auch nicht aus Berufsgründen?

BOSSARD Nein, auch dann nicht. Ausgeschlossen!

HUELSEN Ich danke Ihnen, Herr Bossard – – *Er lächelt verlegen, denn er fühlt sich beschämt.* Könnt ich vielleicht einen Schluck Kaffee?

PIANIST Mit oder ohne Zucker?

HUELSEN Ohne, bitte!

ASSISTENT *wollte einschenken:* Kein Tropfen mehr da! Eine Zigarette hätt ich noch – –

HUELSEN Danke! Bin leider Nichtraucher.

Es klopft an die Türe im Hintergrunde.

HUELSEN Das ist sie! *Er will an die Türe eilen, um sie zu öffnen.*

MANUEL *hält ihn am Arm zurück.* Aber! Die klopft doch nicht!

HUELSEN Sie haben recht.

BOSSARD Herein.

3. Auftritt

Die Vorigen. Zimmerkellner.

ZIMMERKELLNER *tritt ein:* Herr Generaldirektor Semper wünschen Herrn Professor Bossard!

BOSSARD Schon?! Sofort, einen Augenblick! *Zu seinen Kollegen.* Rasch! Räumt zusammen! *Er hilft auch mit, hastig Ordnung zu machen; zu Manuel.* Fenster auf, frische Luft!

HUELSEN *zu Bossard; leise:* Wird das Spiel fortgesetzt?

BOSSARD *ebenso:* Werden sehen! *Er entledigt sich rasch seines Mantels und wirft ihn dem Assistenten zu.*

HUELSEN *warnend:* Ich schweige, aber ich tu nicht mit.

BOSSARD Schweigen genügt! *Zu seinen Kollegen.* Fertig?

MANUEL *bereits in der Türe links:* Fertig! *Ab mit dem*

Assistenten und Pianisten, beladen mit Kaffeetassen, leeren Flaschen und Gläsern, Schreibmaschine, Durchschlägen und Bossards Mantel.

BOSSARD *zum Zimmerkellner, der erstaunt, jedoch beherrscht, die Betriebsamkeit mitansah:* Ich lasse bitten!

ZIMMERKELLNER *ab durch die Türe im Hintergrunde und läßt Semper ein.*

4. Auftritt

Bossard. Huelsen. Semper.

SEMPER *tritt ein:* Willkommen, willkommen! Professor, ich bin überselig! *Sie erblickt Huelsen.* Auch schon da? Und noch immer in grande toilette? Das lebt sich! *Zu Bossard.* Wie gehts unserem lieben Besessenen?

BOSSARD *lächelt zweideutig:* Er hats überstanden.

SEMPER Bravo! Sie sind ein Genie, ein wissenschaftliches Wunderwerk! Und Ihr Gespenst spielt alle an die Wand! Grad hab ich mir die Probeaufnahmen vorführen lassen – – phantastisch, erschlagend, überwältigend, phänomenal! Das ist ein Naturtalent! Sogar der Vorführer ist zu mir gelaufen gekommen, wer das Mädel ist! Aber ich hab keinen Namen genannt! *Er lacht.*

BOSSARD Ich bin glücklich – –

SEMPER *unterbricht ihn:* Und ich bin begeistert! Habens nicht übrigens ein Exposé über die wahre Geschicht, nur paar Zeilen?

BOSSARD *lächelt wieder zweideutig:* Ich habe sogar ein Drehbuch.

SEMPER Grandios! Nicht auszudenken! Das laß ich von einem blöden Routinier bearbeiten und schon steht die Welt kopf! Kasse, Kasse!

BOSSARD *gibt sich einen Ruck:* Herr Generaldirektor! Es

dürfte nun an der Zeit sein, daß ich Ihnen eine feierliche Erklärung – –

SEMPER *unterbricht ihn und läßt ihn im folgenden nicht-mehr zu Wort kommen:* Sie meinen den Vertrag? Keine Sorge! Sie werden einen Grandseigneur kennen lernen! Wir lassen es uns was kosten, wenn wir Neuland entdecken, das sich verfilmen läßt. Aber, – – *Er zieht ihn etwas näher zu sich und wirft einen verstohlenen Blick auf Huelsen; gedämpft* – aber jetzt hätt ich noch etwas Privates, Intimes – –

BOSSARD *leise:* Dreht sichs um ihn?

SEMPER *leise:* Im Gegenteil, es dreht sich um mich! Professor, Sie wären der einzige Mediziner, zu dem ich Vertrauen hätt – – als Patient.

BOSSARD *perplex:* Patient?

SEMPER *blickt wieder auf Huelsen:* Leise, leise! Nur nichts vor den Angestellten, sonst weiß es morgen die ganze Branche! Kommens ins Nebenzimmer, ich möcht Ihnen was zeigen an mir – –

BOSSARD *verzweifelt:* Aber ich bin doch kein Arzt – –

SEMPER *unterbricht ihn abermals:* Nicht so bescheiden, Professor! Ich bin im Bilde und hab mich erkundigt!

BOSSARD *verschlägts die Sprache.*

SEMPER Grad heut nacht hat mir eine Dame aus Argentinien von Ihnen erzählt, von Ihren unglaublichen Heilerfolgen! Sie kennt Sie genau!

BOSSARD Wen? Mich?

SEMPER Wen denn sonst?! Sie haben doch mit Ihrer Kunst einem Ihrer Onkel das Leben gerettet, einem alten Farmer, der sich zwanzig Jahr lang eingebildet hat, daß er ein Lama ist – –

BOSSARD *irr:* Ein was?

SEMPER Ein Lama. Auf den Steppen, auf den Pampas! Professor, ich beschwör Sie, ich hab keine Ruh, bevor

Sie mich nicht untersucht haben! Ich hab eh nie Zeit – –
jetzt ist Gelegenheit! *Er drängt den total verwirrten
Bossard mit sich durch die Türe links.*

5. Auftritt

Huelsen. Unbekannte.

UNBEKANNTE *tritt rasch ein durch die Türe im Hintergrunde, erblickt Huelsen, der Semper besorgt-neugierig
nachsieht, und schreit leise auf.*

HUELSEN *wendet sich ihr ruckartig zu:* Endlich. Wo warst
du?!

UNBEKANNTE *schreit:* Schrei mich nicht an!

HUELSEN *schreit:* Wer schreit?!

DIE BEIDEN *fixieren sich.*

UNBEKANNTE *trotzig:* Ich war auf dem Ball.

HUELSEN Bis jetzt?

UNBEKANNTE Nein.

HUELSEN Sondern?

UNBEKANNTE Du mußt es ja wissen.

HUELSEN Das ist die Höhe!

UNBEKANNTE Mehr darf ich nicht sagen.

HUELSEN Mir genügts.

UNBEKANNTE *horcht auf:* Du glaubst mir nicht?

HUELSEN *imitiert sie:* »Mehr darf ich nicht sagen« – –

UNBEKANNTE *betrachtet ihn böse; spitz:* Ich denk, echte
Dichter sind immer schüchtern?

HUELSEN Frech auch noch.

UNBEKANNTE *braust auf:* Ich laß mich nicht beleidigen,
hörst du?! Ich hab dich noch nie belogen, mit keiner
einzigen Kleinigkeit seit wir uns kennen, und vorher
auch nicht, du oberflächlicher Pedant, du hast also gar
kein Recht – –

6. Auftritt

Die Vorigen. Assistent.

ASSISTENT *erscheint in der Türe links und fällt der Unbe-*
kannten ins Wort; er herrscht sie unterdrückt an: Ruhe!
Bist du verrückt?! Brüllt herum und drinnen ist er selbst!

UNBEKANNTE Wer?

ASSISTENT Semper!

UNBEKANNTE *zuckt erschrocken zusammen und schlägt*
sich mit der Hand auf den Mund.

HUELSEN *zur Unbekannten:* »Pedant«, hast du gesagt – –

UNBEKANNTE *unterbricht ihn:* Ruhe! *Zum Assistenten.*
Und?

ASSISTENT Du hast gesiegt. Er sprudelt direkt vor Begeisterung!

UNBEKANNTE Ist ja herrlich!

HUELSEN *zur Unbekannten:* »Oberflächlicher Pedant«,
hast du gesagt!

UNBEKANNTE Beherrsch dich, bitte!

HUELSEN Was liebst du denn eigentlich an mir?!

UNBEKANNTE Nichts!

ASSISTENT Ruhe!

HUELSEN *hält dicht vor der Unbekannten und fixiert sie*
wütend.

UNBEKANNTE *blickt ihn groß an:* Absolut nichts.

HUELSEN Jetzt wirds mir zu dumm! *Er umarmt sie plötz-*
lich und gibt ihr einen langen Kuß und sie umarmt ihn
auch.

ASSISTENT *wendet sich diskret ab.*

Die Vorigen. Manuel. Pianist.

MANUEL UND PIANIST *treten durch die Türe im Hintergrunde ein, erblicken das sich küssende Liebespaar, halten, grinsen sich zu und dann im Chor:* Unser Beileid!

DAS LIEBESPAAR *fährt auseinander.*

ASSISTENT *wendet sich den Kondolierenden ruckartig zu; sehr erstaunt:* Wie kommt denn Ihr von dort?

PIANIST Durch den Lichthof, über ein Glasdach. *Zum Liebespaar.* Wir mußten uns nämlich ins Bad zurückziehen, wegen Semper, aber das Bad war so eng – – *Er deutet es an.* Und drum sind wir durchs Fenster habe die Ehre!

HUELSEN Hat Bossard schon alles gebeichtet?

MANUEL Nein. Er untersucht ihn grad.

UNBEKANNTE Wie bitte?!

ASSISTENT Semper liegt auf dem Divan und Bossard klopft ihn ab – – *Er feixt.*

UNBEKANNTE Himmel, Ihr Trottel! Warum macht denn Alfred solche Faxen?!

MANUEL Weil ihn der Semper nicht zu Wort kommen läßt!

PIANIST Wir haben alles gehört. *Zu Huelsen.* Ihr Chef hat Angst, daß er verrückt wird. Speziell Tobsucht.

UNBEKANNTE Das könnt ich brauchen!

HUELSEN *winkt ab.* Er ist ein Hypochonder!

MANUEL Lassen wir die Medizin! Voilà, das Drehbuch, fix und fertig! *Er überreicht der Unbekannten das Drehbuch, das er bei sich hat, und verbeugt sich.* »Die Unbekannte der Seine« – –

UNBEKANNTE *nimmt es ihm ab:* Danke.

ASSISTENT Ich hab es getippt.

PIANIST Wir haben geschuftet bis halb acht.

UNBEKANNTE *lächelt:* Fleißig, sehr fleißig – – *Sie betrachtet in Gedanken versunken den Titel.*

MANUEL Wir habens nach deinem Originalexposé – –

UNBEKANNTE *fällt ihm ins Wort:* Mein Exposé ist miserabel. *Zu Huelsen.* Du hast recht – – *Sie lächelt.*

PIANIST Bist du wahnsinnig?!

8. Auftritt

Die Vorigen. Semper. Bossard.

SEMPER *erscheint mit dem Rücken in der Türe links und spricht zu Bossard, der ihm folgt; er ist in Hemdärmeln, hält den Rock unter dem Arm und versucht gerade nervös seine Manschettenknöpfe zuzudrücken:* Sie glauben, es ist nichts Schlimmes?

BOSSARD Ausgeschlossen! Es ist zwar ein gewisser Hang vorhanden zu paranoiden Wahnvorstellungen bei manisch-depressiver Grundtendenz – – doch ohne Sorge!

SEMPER *atmet tief auf:* Bin ich erleichtert! Direkt neugeboren! *Er entdeckt die Unbekannte.* Oh Pardon, eine Dame! *Er zieht sich rasch den Rock an und erkennt sie.* Ach, wir kennen uns ja! – – Meine Verehrung, Gnädigste! *Er küßt ihre Hand.* Wie kommen Sie her?

UNBEKANNTE *stottert:* Ich – –

SEMPER *schlägt sich auf die Stirne:* Aber wo bin ich denn?! *Zu Bossard.* Die junge Dame kennt Sie doch aus Rio!

BOSSARD *verzweifelt:* Aus wo?

SEMPER Aus Rio de Janeiro! Sie verkehrten ja im Haus ihrer Eltern! Sehens, wie vergeßlich ich bin!

BOSSARD *fixiert irr die Unbekannte, die ihm heimlich zuwinkt.*

Es klopft an die Türe im Hintergrunde.

SEMPER Herein!

9. Auftritt

Die Vorigen. Mayberg. Hell. Barbou. Carry.
Die vier Eintretenden sind noch in Balltoilette und mehr
oder minder alkoholisiert; sie haben bis jetzt gebummelt
und führen Luftballons und Scherzartikel mit sich; sie
leuchten vor Schadenfreude.

HELL Servus, Semper!

CARRY Direktorchen, Direktorchen!

BARBOU Wir hörten im Büro, Sie wären im Terminus zu
erreichen – –

SEMPER *unterbricht sie sehr böse:* Aber nur wenn etwas
Lebenswichtiges, bitt ich mir aus!

HELL Ist es auch!

CARRY *trällert:* Ein Skandal, ein Skandal!

BARBOU *bläst auf einer Kindertrompete.*

SEMPER *außer sich:* Ein Skandal ist es, wie ihr euch da
benehmt! Ihr seid nicht bei uns, Gesellschaft!

MAYBERG *zu Bossard:* Verzeihung, daß wir unzeremoniell
eindringen, aber es steht tatsächlich zu viel auf dem
Spiel – – *Zu Semper.* Wir bummelten noch nach dem
Ball und erstanden uns soeben ein Morgenblatt. Haben
Sie schon das »Journal« gelesen?

SEMPER Nein! Ich hatte weiß Gott Wichtigeres zu tun!

BARBOU Es dürfte Sie trotzdem weiß Gott interessieren!

MAYBERG *hält Semper das »Journal« vor die Nase:* Hier!
Hier das Photo, wir stehen alle an der Bar – –

CARRY *fällt ihm ins Wort und deutet auf die Unbekannte:*
Wo jene sich vorgedrängt hat!

SEMPER *zur Carry:* Aber ich muß schon bitten!

HELL Bitten Sie nicht, Herr General! Das Mädel ist eine
kleine Schauspielerin! *Er winkt der Unbekannten zu.*
Pa, Putzi!

CARRY UND BARBOU *lachen höhnisch.*

SEMPER *braust auf:* Ihr seid wohl alle besoffen?!

MAYBERG Ich bin nüchtern! Lesen Sie das Interview unter dem Photo!

SEMPER *wirft unwillkürlich einen Blick auf das Interview, stutzt, fängt an zu lesen und bekommt immer größere Augen:* Was?!

CARRY Eine Unbekannte spielt die Unbekannte – – *Sie grinst schadenfroh.* Eine Statistin!

UNBEKANNTE *zur Carry:* Ich bin keine Statistin, Sie! Ich bin eine Seminaristin und war schon ein Jahr engagiert als erste Kraft!

SEMPER *total verwirrt:* Was ist los, was ist los?! *Zu Bossard.* Professor, jetzt werd ich verrückt!

UNBEKANNTE *greift mit plötzlichem Entschluß Semper energisch am Arm:* Kommen Sie! Ich werd Ihnen alles erklären, alles! Aber nicht hier, nicht vor diesen Menschen! Kommen Sie! *Ab mit ihm durch die Türe links.*

10. Auftritt

Die Vorigen. Ohne Unbekannte und Semper.

CARRY *spöttisch:* Sie möcht ihn umgarnen – –

HUELSEN *will aufbrausen, beherrscht sich jedoch.*

HELL Jetzt kommt die Quittung!

BARBOU *zum Pianisten:* Ach! Sind Sie nicht jener musikalische Jüngling, der zwei Filme mit mir machen wollte?

PIANIST Erraten, Frau Barbou!

BARBOU Sie haben mir die Türen eingerannt!

PIANIST Mit Recht! Weil ich Ihnen einen Film vorgeschlagen hab, den Sie dann gemacht haben, allerdings mit einem anderen Tonkünstler!

BARBOU Lüge, Lüge, Lüge!

CARRY *zu Huelsen:* Doktorlein! Wer sind denn diese Menschen?!

HUELSEN *versucht zu retten:* Professor Bossard – –

BOSSARD *unterbricht ihn verzweifelt, weil »eh alles aus ist«:* Nein! *Zu Mayberg.* Herr Regisseur! Ich war der Oberkellner in »Flammende Begierde«.

MAYBERG *starrt ihn an.*

BOSSARD Der Oberstleutnant in »Des Königs Husaren«.

MAYBERG *wie zuvor:* Erinner mich nicht – –

BOSSARD *fast gekränkt:* Tatsächlich? – – Und hier bin ich Professor Bossard.

MANUEL *dem Weinen nah:* Punkt.
  Stille.

MAYBERG *begreift plötzlich; zu seinen Freunden:* Meine Herrschaften, wir befinden uns unter Hochstaplern – – *Enormer Krach im Nebenzimmer, als würde wer einen ganzen Schrank Gläser und Teller und Flaschen an die Wand schmeißen, Stühle und Tische umwerfen; es klirrt und kracht wüst.*

HELL Da hat er seinen Tobsuchtsanfall!

CARRY *feixt:* Die Seminaristin betört ihn gerade – –

HUELSEN *fährt die Carry an:* Irrtum!

MAYBERG Armer, kranker Semper!

BARBOU *zu Bossard und Kollegen:* Euch bring ich noch alle ins Zuchthaus!

11. Auftritt

Die Vorigen. Semper.
Semper erscheint leichenblaß in der Türe links, die er ängstlich-rasch hinter sich schließt; der Krach im Nebenzimmer flaut ab.

ALLE *starren Semper überwältigt an.*

SEMPER *atmet auf:* Großer Gott – – ein Temperament! *Zur Carry.* Neben jener bist du ein Waisenkind! Die argumentiert mit dem Mobiliar!

MAYBERG Semper! Hier gehts nicht mit rechten Dingen zu!

SEMPER *unwillig:* Große Neuigkeiten erzählen Sie mir da! *Zu Bossard.* Also, Sie sind ein Statist? Mit fünf Semestern Fakultät?

BOSSARD Zu mehr reichte es nicht.

HELL Der Verstand?

BOSSARD *zu Hell:* Das Geld.

SEMPER Richtig, das liebe Geld! Ewig schad, denn Sie verstehen was von der Medizin – – *Er fährt ihn plötzlich wütend an.* Sie Betrüger, Sie?!

HELL Echt Semper!

SEMPER *zu Hell:* Kusch!

CARRY Nana, Direktorchen!

SEMPER Auch kusch.

CARRY Eine Schmach!

SEMPER *zuckt die Schultern:* Wie mans nimmt! Personen, die schielen, haben überhaupt kein Recht schadenfroh zu sein!

CARRY Wer schielt?!

SEMPER Was weiß ich!

MAYBERG Aber Semper! Sie demaskieren sich ja – – *Er deutet auf Bossard und dessen Kollegen.* Diese Blamage!

SEMPER Ich blamier mich nie! Einen Moment! *Wie zu sich selbst.* Kalkulation, innere Kalkulation – – *Er überlegt kurz, dann zieht ein verschmitzter Zug über sein Gesicht, er geht an die Türe links, öffnet sie und ruft ins Nebenzimmer:* Fräulein, kommens heraus!

Die Vorigen. Unbekannte.
Unbekannte erscheint bleich und verweint, sie hält noch
das Taschentuch in der Hand, und zögert einzutreten.

SEMPER Hereinspaziert, hereinspaziert! Warum denn so
schüchtern?! Schmeißt zuvor noch mit Tellern nach
mir – –

UNBEKANNTE *unterbricht ihn:* Nicht nach Ihnen, nur nach
der Wand!

SEMPER Dann heiß ich Wand! Nur näher, Fräulein, wir
beißen nicht!

UNBEKANNTE *tonlos:* Sie können ruhig beißen. Ich weiß,
wir haben verloren – –

SEMPER Einen Moment. *Zu Mayberg und Gefolge.* Meine
Herrschaften! Einen Alexander Semper kann man nicht
blamieren! Absurd! Ich habs doch schon gestern abend
erkannt, was hier gespielt wird – – diesen ganzen Spuk!
Aber ich hab nichts gesagt, denn ich wollt dahinter-
kommen, ob diese unentdeckten Leut schauspielerische
Genies sind oder auch nicht! Die Herren Regisseure
entdecken ja nichts mehr und die Primadonnen werden
alt, da muß sich eben der Generaldirektor persönlich
bemühen! Hingegen – – *Er wendet sich an die Unbekannte und ihre Kollegen.* Exorbitant seid ihr auch
nicht, ihr Unentdeckten! Ich bin bitter enttäuscht!
Künstlerisch kann ich von euch überhaupt nichts gebrauchen, höchstens, daß ich einen einzigen engagieren
möcht! Nämlich jenen, der sich diesen Spuk da ausgedacht hat – – den engagier ich auf der Stell! Als
Reklamechef!

MANUEL Das ist kein der, sondern eine die – – *Er deutet
auf die Unbekannte.*

UNBEKANNTE Und diese die ist kein Reklamechef, sondern

nur eine Schauspielerin und sonst nichts!

SEMPER Schön! Sie sollen auch eine Rolle spielen!

UNBEKANNTE Und meine Kollegen?

SEMPER Aber ich kann doch nicht lauter Unbekannte – –

UNBEKANNTE *fällt ihm ins Wort:* Alle oder keiner, respektive keine!

SEMPER Sind wir in Rußland?

Es klopft an die Türe im Hintergrund.

BARBOU *melodisch:* Herein!

13. Auftritt

Die Vorigen. Zimmerkellner.

ZIMMERKELLNER *tritt ein und meldet:* Herr Marquis de Bresançon!

SEMPER *überrascht:* Was hör ich?!

UNBEKANNTE Wir lassen bitten!

ZIMMERKELLNER *verbeugt sich, läßt Marquis ein und ab.*

14. Auftritt

Die Vorigen. Marquis. Ohne Zimmerkellner.

MARQUIS *überrascht:* Semper!

SEMPER Was verschafft mit die Ehre?

MARQUIS Ich wollte eigentlich Professor Bossard – –

SEMPER *unterbricht ihn:* »Professor«?!

MARQUIS Ich weiß alles.

SEMPER *glotzt ihn perplex an.*

UNBEKANNTE *heimlich zu Bossard:* Er zahlt das Appartement!

BOSSARD *glotzt sie perplex an.*

MARQUIS *zu Semper:* Es trifft sich gut, daß ich Sie treffe,

denn immerhin erspart es mir einen Weg und man weiß
nie, wie lang es noch dauert – –

SEMPER Was?

MARQUIS *lächelt:* Das Leben – – *Er deutet auf die Unbekannte.* Die junge Dame und ich, wir haben uns über
einen Film unterhalten, den ich unter bestimmten
Voraussetzungen finanzieren würde – – *Er wirft dem
erstaunten Huelsen einen Blick zu.* Auf meinen Wunsch
hin sollten die Vorverhandlungen streng geheim geführt
werden.

CARRY *giftig:* Interessant! Etwa meine »Unbekannte der
Seine«?

MARQUIS Irrtum, Madame! Da wir nichts von ihr wissen – –

SEMPER *unterbricht ihn:* Das ist kein Grund!

BARBOU Ich weiß, warum sie ins Wasser ging!

MARQUIS *lächelt:* Ich allerdings noch nicht. Zumindest
nicht an Hand persönlicher Erfahrung – –

HELL Wieso persönlich? Wer hat sie denn gekannt?

MARQUIS *etwas verlegen:* Niemand.

UNBEKANNTE Oder alle.

ALLE *horchen auf.*

UNBEKANNTE *einfach:* Ich weiß, sie ist erst im Tod so schön
geworden – – drum kann sie keiner erkennen.
Stille.

SEMPER *zum Marquis:* Sie wollen finanzieren?

MARQUIS Gewiß.

UNBEKANNTE Die Geschichte eines Mädchens, das auszog,
um das Gruseln zu lernen – –

MARQUIS Und das sich durchsetzt im Leben. Ohne Furcht!
Vielleicht eine junge Studentin, eine Chemikerin – –

HUELSEN *fällt ihm ins Wort:* Das ist mein Roman!

UNBEKANNTE *zu Huelsen:* Ich habs ihm erzählt! Schreib
ihn als Film! Wer liest schon heut ein Buch?

HUELSEN Wenn ich den Film so schreiben darf, wie mein Buch — —

MARQUIS Sie dürfen!

SEMPER Bravo!

UNBEKANNTE *deutet auf ihre Kollegen:* Und wir spielen alle mit!

MARQUIS *lächelt:* Ich bitte sogar darum!

SEMPER Er finanziert!

MARQUIS Unter der Bedingung! Daß Sie nämlich unsere »Unbekannte« nicht verfilmen. Lassen wir die Toten ruhen — — *Er lächelt abermals.*

SEMPER *überlegt kurz:* Gemacht. *Für sich.* Ein Sonderling!

MAYBERG *empört zu Semper:* Na und wir?! *Er deutet auf sein Gefolge.*

SEMPER Einen Moment. Ihr schreibt und spielt den neuen Boxerfilm für Traverson! Ich hab auch schon den Titel: »Der Unbekannte der Seine«!

Vorhang

ENDE

Mit dem Kopf durch die Wand

Komödie in vier Akten

Personen: Der Marquis de Bresançon · Bientôt, sein alter Gärtner · Jean, sein Diener · Professor Bossard · Sein Assistent · Sein Pianist · Manuel · Die Unbekannte · Alexander Semper, Generaldirektor der Pandora-Filmgesellschaft · Dr. Peter Huelsen, sein Sekretär · Robert, ein ergrauter Mixer · Adolf, ein junger Mixer · Nevieux · Dessen Tante · Ein Bildreporter · Zimmerkellner im Hotel Terminus · Sekretärin · Filmballpublikum

Ort der Handlung: Paris.

Zeit: Gegenwart. Vom Nachmittag bis zum nächsten Morgen.

Erster Akt

Appartement des Professor Bossard im Hotel Terminus.
Salon Louis-seize. Links eine Türe nach den übrigen Zim-
mern, im Hintergrund Tür auf den Korridor. Rechts ein
Fenster, davor ein prächtiger schwarzer Flügel, der in Kon-
trast steht zu der Architektur des Raumes und der Möbel.
An dem Flügel sitzt ein Pianist und phantasiert vor sich
hin, besonders Akkorde in Moll; er ist ein junger sympa-
thischer Mann und macht einen gewandten Eindruck. Ein
anderer junger Mann (wir wollen ihn »Assistent« nennen)
steht links vor einem Wandspiegel, betrachtet sich immer
wieder und treibt mimische Studien; aus einem Köffer-
chen holt er sich Requisiten, Bärte und Kopfbedeckungen,
wie ein Imitator im Varieté.

1. Auftritt

Pianist, Assistent.

ASSISTENT *kämmt sich die Locke in die Stirne und setzt*
   sich ein Kissen auf den Kopf: Napoleon!

PIANIST *nickt ihm abwesend zu und phantasiert weiter.*

ASSISTENT *setzt sich eine Glatze auf und bindet sich ein*
   Band um die Stirne: Julius Caesar!

PIANIST *wie vorhin.*

ASSISTENT *nimmt die Glatze ab und setzt sich eine Ri-*
   chard-Wagner-Mütze auf: Wer ist das?

PIANIST *spielt das Gralsmotiv.*

ASSISTENT Richtig! *Er nimmt die Mütze wieder ab, klebt*
   sich rasch einen Offenbach-Bart, setzt Perücke und
   Zwicker auf, ergreift einen Taktstock und klopft damit
   nach Kapellmeisterart in den hölzernen Spiegelrahmen.

PIANIST *blickt hin und hört momentan auf zu phantasieren.*
ASSISTENT *dreht sich ihm ruckartig zu mit erhobenem Taktstock.*
PIANIST *spielt leise Offenbach.*
ASSISTENT *dirigiert.*
Es klopft an die Türe im Hintergrunde.
PIANIST *bricht das Spiel mittendrin ab, erhebt sich rasch und klappt den Flügel zu.*
ASSISTENT *reißt sich hastig die Maske ab und verstaut alles schnell im Köfferchen.*
Es klopft abermals.
ASSISTENT Herein!

2. Auftritt

Assistent, Pianist, Zimmerkellner.
ZIMMERKELLNER *erscheint in der Türe:* Herr Generaldirektor Semper und Sekretär wünschen Herrn Professor Bossard!
ASSISTENT Schon?
PIANIST *rasch ab durch die Türe links.*
ASSISTENT *zum Zimmerkellner:* Wir lassen bitten!
ZIMMERKELLNER *zieht sich zurück und läßt Semper mit Huelsen ein.*

3. Auftritt

Assistent, Semper, Huelsen.
ASSISTENT *verbeugt sich:* Herr Generaldirektor! Einen Augenblick nur, werde Herrn Professor sofort verständigen, bin sein Assistent – – *Ab mit seinem Köfferchen durch die Türe links.*

4. Auftritt

Semper, Huelsen.

Alexander Semper ist ein dicker, jedoch beweglicher Herr von fünfzig Jahren, energisch mit rascher Auffassungs- und Kalkulationsgabe, überarbeitet und daher leicht hypochondrisch, gut angezogen und zu unrecht immer etwas ungepflegt wirkend. Ihm folgt sein Sekretär: Dr. Peter Huelsen, ein Literat Mitte Dreißig mit resigniertem Blick, doch zu guter Letzt praktischer Lebenseinstellung; überzeugt, daß die Welt von Plebejern terrorisiert wird, überschätzt er dennoch das Gewicht der schönen Literatur. Ein anständiger Mensch.

SEMPER *sieht sich um:* Assistenten hat er auch. Was glauben Sie, was das für ein Professor ist?

HUELSEN *deutet auf den Flügel:* Vielleicht Musik – –

SEMPER Man hätt sich erkundigen sollen. Apropos erkundigen: – – – *Er nimmt einen Brief aus seiner Brieftasche und überreicht ihn Huelsen, der ihn überfliegt.* Da schreibt uns die Dianafilm! Das Geschäft wär perfekt, wenn man nur eine Soubrett hätt, aber ich seh keine auf weiter Flur!

HUELSEN Wie wärs mit der Carry?

SEMPER Aber die hat doch keine Stimme!

HUELSEN Und die Montez?

SEMPER Die kann wieder nicht tanzen! Und die Silvini wird operiert, schon seit Wochen! Großer Gott, man müßt direkt was Neues entdecken! Tief gesunken!

HUELSEN *gibt sich einen Ruck und nimmt aus seiner Brieftasche eine Photographie heraus:* Herr Direktor! Als Ihr Sekretär ist es zwar nicht meine Aufgabe, aber ich kenne eine junge Schauspielerin – –

SEMPER *unterbricht ihn:* Was Sie nicht sagen!

HUELSEN *unangenehm berührt:* Ich kenne sie nur so, als

Künstlerin – –

SEMPER Er wird rot wie ein Mädchen!

HUELSEN Aber ich muß schon bitten!

SEMPER Ihr Vorgänger hat auch immer entdeckt – – Himmel tu dich auf, was der dahergebracht hat! Also zeigens schon her das Photo! *Er nimmt ihm das Bild ab und betrachtet es.* Hm, ganz hübsch. Hat sie schon gefilmt?

HUELSEN Nein. Sie war ein Jahr in der Provinz engagiert, aber ich bin überzeugt, daß sie außergewöhnlich begabt ist.

SEMPER Werden sehen! *Er will das Bild einstecken.*

HUELSEN *rasch:* Bitte das Bild!

SEMPER Das behalt ich.

HUELSEN Es steht was drauf. Hinten. Etwas Privates – –

SEMPER Also doch! Pardon Diskretion! Da habens Ihr Fräulein Braut! – – *Er gibt es ihm wieder.*

HUELSEN *steckt es ein und lächelt:* Ich bin ein schlechter Manager.

SEMPER Das spricht für Sie.

5. Auftritt

Semper, Huelsen, Bossard.
Professor Bossard ist ein sechzigjähriger Weltmann mit Hornbrille, groß und hager; manchmal hat er Bewegungen und eine Aussprache, als würde er eine Rolle spielen.

BOSSARD *kommt durch die Türe links und verbeugt sich kaum merkbar vor Semper:* Bossard! Ich danke Ihnen, daß Sie gekommen sind – –

SEMPER Meinerseits! *Er stellt vor.* Doktor Huelsen, mein Sekretär!

BOSSARD *verbeugt sich noch steifer und bietet den Beiden stumm Platz an; man setzt sich; zu Semper:* Ich weiß es

330

zu schätzen, daß Herr Generaldirektor mich entgegen-
kommenderweise hier im Hotel besuchen und es mir
also ersparen, Sie im Büro aufsuchen zu müssen, aber
wie ich Ihnen bereits telefonierte, erheischt die ganze
Angelegenheit peinlichste Diskretion, da ich mich gewissermaßen noch im Anfangsstadium befinde – –

SEMPER *unterbricht ihn ungeduldig, jedoch höflich:* Um
was dreht es sich, bitte?

BOSSARD Es dreht sich um einen Film.

SEMPER Das dachte ich mir.

BOSSARD Um einen klassischen Film – –

SEMPER *fällt ihm rasch ins Wort:* Also nur das nicht! An die
Klassik hab ich grauenvolle Erinnerungen! Mein Macbeth-Film – – brrr! Das einzig filmisch Hübsche war der
wandernde Wald – – aber wer geht schon in einen Film,
um einen Wald wandern zu sehen! Unser Publikum besteht aus sechzig Perzent Weibern und vierzig Perzent
Männern, und von diesen vierzig Perzent gehen neunzig
Perzent in jenen Film, der ihnen von ihrer jeweiligen
weiblichen Begleitung vorgeschlagen wird – – ergo haben wir mit einem Publikum von über fünfundneunzig
Perzent Weibern zu rechnen, und die wollen etwas ganz
anderes wandern sehen, als ein paar Tannenbäum! – – –
Verzeihen Sie, daß ich gleich zu Anfang in unserm
beiderseitigen Interesse folgendes feststelle: ich bin als
Filmproduzent bekannt dafür, daß ich mir prinzipiell
alles anhör, anseh und persönlich prüfe, was mir angetragen wird. Ich les den Brief einer jeden kleinen Schauspielerin, jede Anregung, jedes Exposé, weil ich mir
immer vorstell, vielleicht wills der liebe Gott, daß man
was entdeckt, was sich verwerten läßt – – es gibt aber leider niemals nix! Herr Professor, ich bin ein Skeptiker!

BOSSARD *lächelt:* Ich bitte sogar um Ihre Skepsis. Wie ich
Ihnen bereits telefonierte, bin ich auf Grund meiner

wissenschaftlichen Forschungen in der Lage, Ihnen einige sensationelle Ergebnisse mitzuteilen — —

SEMPER *unterbricht ihn abermals:* Dreht sichs etwa um einen Kulturfilm?

BOSSARD Nein. Um einen Spielfilm.

SEMPER Sie haben ein Manuskript?

BOSSARD Ich habe nur einen Fall, und — — einen Menschen.

SEMPER Ah, Sie wollen wen protegieren?

BOSSARD *lächelt wieder:* Erraten.

SEMPER *hämisch, da er sich bereits über seine verlorene Zeit ärgert:* Eine Frau, wie?

BOSSARD *wie vorhin:* Gewiß. Eine junge Frau. Aber sie ist bereits tot.

SEMPER *perplex:* Tot?

BOSSARD Seit zirka dreißig Jahren.

SEMPER *wirft einen hilfesuchenden Blick auf Huelsen.*

BOSSARD Man nennt sie die Unbekannte der Seine.

SEMPER *zuckt mit den Schultern:* Unbekannte der Seine —?

BOSSARD Sie kennen sie nicht?

SEMPER Was ist das? Ich kenne keine Toten!

HUELSEN *zu Bossard:* Verzeihung, dreht es sich um jene bekannte Totenmaske?

BOSSARD Ja.

HUELSEN *erleichtert:* Achso.

SEMPER *zu Huelsen:* Versteh kein Wort.

HUELSEN *zu Semper:* Wir hatten auch schon mal ein Exposé bekommen, vor zehn Tagen mit dem Titel »Die Unbekannte der Seine«, der Stoff wurde uns bereits angetragen, aber ich finde ihn unfilmisch — —

BOSSARD *rasch:* Finden Sie?

HUELSEN Ja. Der Verfasser jenes Exposés steht mir zwar persönlich nahe, sehr nahe sogar, trotzdem muß ich sagen, daß es miserabel ist.

SEMPER Lobenswert, sehr lobenswert! Aber jetzt möcht ich es endlich wissen, um was es sich dreht?!

BOSSARD Einen Augenblick! Erlauben Sie, daß ich in knappen Worten den Fall skizziere: vor einigen Jahrzehnten zog man eine Mädchenleiche aus der Seine, irgend eine junge Selbstmörderin, also eine ganz alltägliche Begebenheit. Man wußte nichts von ihr, nicht wie sie lebte, wie sie starb, wer sie war, wie sie hieß und warum sie ins Wasser ging – – man hat es auch nie erfahren, und das junge Geschöpf wäre verscharrt worden, sang- und klanglos, hätte sie nicht zufällig ein junger Bildhauer erblickt, den das unbeschreiblich rätselhafte Lächeln, das das Antlitz der Leiche überirdisch verklärte, derart anzog, daß er ihr die Totenmaske abnahm. So blieb uns dies ewige Antlitz mit seinem zarten, göttlich-traurigen Lächeln – – und dies Lächeln eroberte die Welt. *Er erhebt sich.* Viele Dichter hat die Unbekannte angeregt, aber alle tappen im Dunkeln – – *Er nimmt die Totenmaske der »Unbekannten«, die auf dem Flügel liegt, und zeigt sie Semper, der sich ebenfalls erhoben hat.* Hier. Sie kennen sie doch?

SEMPER Nein.

BOSSARD *überreicht ihm den Abguß:* Eine zweite Mona Lisa.

SEMPER *betrachtet den Abguß:* Wie die lächelt – –

BOSSARD Aus einer anderen Welt.
Stille.

SEMPER Was es alles gibt.

BOSSARD In Millionen Exemplaren.

SEMPER Schon gut! Aber man schaut halt nicht hin – – *Er betrachtet noch immer die Unbekannte.*

BOSSARD Erschütternd, was?

SEMPER *scheinbar keineswegs erschüttert:* Ja. – – Hier hat sie einen Sprung. *Er legt die Totenmaske nieder auf den*

Flügel. Und man weiß wirklich nichts von ihr? Keinen Namen, keinen Stand, keine Nationalität?

BOSSARD Nichts. Das heißt: ich bin der einzige Mensch, der etwas von ihr weiß.

HUELSEN Ach!

BOSSARD Ich kenne ihr Leben und ihren Tod.

SEMPER Woher?

BOSSARD Sie hat es mir erzählt. Eine einfache Geschichte und dennoch so seltsam phantastisch – –

HUELSEN *unterbricht ihn:* Sie haben mit ihr gesprochen?!

BOSSARD Gewiß. Des öfteren sogar.

SEMPER Seinerzeit?

BOSSARD Nein. Erst gestern wieder – –

SEMPER Gestern?! Aber ich denk, die ist doch schon seit dreißig Jahren tot!

BOSSARD *lächelt:* Das tut nichts zur Sache.

SEMPER Ich werd verrückt! Verzeihung, Moment! Was sind denn Herr Professor überhaupt für ein Professor?

BOSSARD Ich bin Mediziner. Irrenarzt.

SEMPER *schreckt etwas zusammen.*

BOSSARD *lächelt leise:* Ich leitete jahrelang die größte Privatheilanstalt in Rio – – aber meine heimliche Liebe galt der Magiobiologie, vor allem der Metapsychologie, Paraphysiologie und Magiophysik. Meine theoretische Verarbeitung dieses Tatsachengebietes reicht Jahrzehnte zurück, meine experimentelle vierzehn Jahre. Ich habe, wohl auch vom Glück begünstigt, erstaunliche Resultate erzielt, so bei der Durchdringung der Materie, zahlreichen Apporten und im Spezialgebiet der vierten Dimension. Bis vor kurzem lehnte ich die spiritistische Hypothese radikal ab – – muß aber heute gestehen, daß ich aus einem Saulus ein Paulus geworden bin. Ich sprach mit einem Alchimisten aus Padua, einem Leutnant, der bei Borodino fiel, ich sprach mit Ermordeten, die uns ihre unausgeforschten Mörder verrieten – – die Polizei bestätigte mir hernach die Richtigkeit der Enthüllungen. So klärten wir einige kriminelle Fälle, und endlich wagte ich mich heran, ein ganzes unbekannt gebliebenes Leben klären zu wollen. Ich sprach mit der »Unbekannten der Seine«. *Er macht eine Kunstpause.* Vor drei Monaten gelang es mir durch mein Medium zum erstenmal mit ihr in Kontakt zu kommen. Anfangs kamen nur Klopfzeichen, doch bald materialisierte sie sich, und dann – – dann, meine Herren, kam das stärkste Erlebnis meines Lebens: ich hörte ihre Stimme. *Er erhebt sich.* Herr Generaldirektor! Ich bat Sie hierher, um einer Seance beizuwohnen: Sie sollen selbst sehen und hören. Ich bin nur ein bescheidener Diener am Werke des menschlichen Geistes, der in das Rätselhafte dringt, immer in der edlen Hoffnung, einen kleinen Baustein zu liefern, auf daß die Vernunft die Welt einst beherrschen möge. Entschuldigen Sie mich einen Augenblick! *Ab durch die Türe links.*

6. Auftritt

Semper, Huelsen.

SEMPER Das also steckt dahinter! Hokuspokus, Tischerl-rückerei.

HUELSEN So einfach darf man die Dinge nicht abtun. *Er steht beeindruckt auf und geht hin und her.* Es gibt gewiß Tatsachen, die wir noch nicht enträtselt haben, und diejenigen, die Neuland betreten und kühn vordringen, die haben immer schon Hohn und Spott erdulden müssen!

SEMPER Was hör ich? Sie glauben an Gespenster?

HUELSEN Was wissen wir schon über den Tod!

SEMPER Hin ist hin!

HUELSEN Sie meinen, daß Sie einfach aufhören?

SEMPER Ich hoff es!

HUELSEN Ich nicht.

Pause.

SEMPER Gelungen! Eine Intellektualität glaubt an Himmel und Hölle. Glaubens lieber mir: dieser Professor ist ein Scharlatan oder ein Narrenarzt, der selber ein Narr geworden ist!

HUELSEN Nein! Das Wort zuvor, das er sprach, von der ersehnenswerten Herrschaft der Vernunft, dies Wort hat mich verwandtschaftlich berührt. Jawohl, es ist unsere Aufgabe, Licht in das Dunkel zu bringen!

7. Auftritt

Die Vorigen, Bossard, Manuel, Assistent, Pianist.
Manuel ist ein schmächtiger Jüngling mit rotunterlaufenen, wässerigen Augen und einer bläulich kranken Haut; er geht unsicher und Bossard führt ihn, indem er ihn am Oberarm stützt, durch die Türe links herein, gefolgt von den beiden Anderen.

BOSSARD *stellt vor:* Meine beiden Assistenten! Und mein Medium Manuel Estraduros. Er ist Portugiese.

SEMPER *zu Manuel:* Habla español?

MANUEL *sieht hilfesuchend auf Bossard.*

BOSSARD *wechselt mit ihm einen raschen Blick:* Nein. Manuel – ist stumm.

SEMPER Großer Gott!

ASSISTENT *zu Semper und Huelsen:* Bitte die Herren – – *Er deutet auf Plätze neben dem Flügel im Vordergrunde.*

PIANIST *hat sich an den Flügel gesetzt und phantasiert seine Akkorde in Moll.*

BOSSARD *setzt den apathischen Manuel mitten im Raum auf ein Stühlchen, faßt ihn am Kinn, sieht ihm einige Sekunden routiniert in die Augen, streicht dann väterlich über das pomadig schwarze Haar, tritt hinter das Stühlchen und gibt dem Assistenten ein Zeichen, ohne sein Medium aus den Augen zu lassen.*

ASSISTENT *dreht auf das Zeichen hin das Licht aus, bis auf eine dunkelgrüne Birne; dann geht er auf Fußspitzen zur Türe links und öffnet weit ihre beiden Flügel, so daß Manuel in das stockdunkle Nebenzimmer starren muß; hierauf begibt er sich wieder ebenso leise auf seinen Platz beim Lichtschalter neben der Türe im Hintergrunde.*

SEMPER *der mit Huelsen Platz genommen hat, leise zum Pianisten:* Darf man rauchen?

PIANIST Ungeniert.

SEMPER *holt sich eine Zigarre hervor; leise zu Huelsen:* Die Akkorde, die der da spielt, sind sehr stimmungsvoll, die müßt man sich merken für Titelvorspann, Einleitungsmusik – – *Er zündet ein Streichholz an.*

BOSSARD *wendet sich ruckartig Semper zu und gibt ihm einen energischen Wink, sich richtig zu verhalten.*

SEMPER *unterdrückt:* Oh pardon! *Er bläst das Streichholz hastig aus.*
Pause.

PIANIST *hört mittendrin auf zu spielen und lauscht, als hätte er etwas gehört. Stille – – aber dann ertönt plötzlich, anfangs sehr leise, eine traurig-weiche Mädchenstimme, die eine Art wehmütiges Wiegenlied vor sich hinsummt.*

ALLE *außer Manuel, horchen gespannt auf das rätselhafte Organ, das aus dem Nebenzimmer zu dringen scheint; plötzlich bricht es jäh ab.*

MANUEL *stürzt von seinem Stühlchen und liegt bewußtlos auf dem Teppich.*

337

BOSSARD *schnell zu ihm hin:* Licht!

ASSISTENT *dreht das Licht an, holt rasch ein Kästchen mit Injektionsspritzen und bemüht sich mit Bossard um das Medium.*

PIANIST *zu semper und Huelsen, die aufgesprungen sind:* Keine Angst, meine Herren! Manuel ist lediglich geschwächt durch die zahlreichen Seancen – – einige Injektionen, und er ist wieder aktiv.

SEMPER *sehr blaß mit der Hand auf dem Herz:* »Aktiv« nennt er das. »Einige Injektionen« – – ein Gemütsmensch! *Er setzt sich wieder langsam; zu Huelsen.* Haben Sie auch gehört?

HUELSEN *starrt fortgesetzt auf Bossard:* Natürlich.

SEMPER Nein, so singt niemand. Mir scheint, Doktor, Sie haben recht: das Sterben ist kein Schluß. Armer Portugiese! Schaut aus, als wär das Stummerl schon drüben!

PIANIST Die Wissenschaft fordert ihre Opfer.

SEMPER Ja, mir ist auch übel – – *Er zündet sich eine Zigarre an.*

HUELSEN *betrachtet noch immer Bossard:* Eigentümlich, aber wie mich zuvor der Professor ansah, war es mir, als hätt ich diese Augen schon irgendwo – –

SEMPER *fällt ihm ins Wort:* Vielleicht in einer Illustrierten. Ist ja ohne Zweifel eine Kapazität! *Er bläst den Zigarrenrauch genießerisch von sich.*

HUELSEN *der Bossard nicht aus den Augen läßt:* Ohne Zweifel hat er eine starke hypnotische Kraft.

SEMPER Mich kann man nicht hypnotisieren! *Er wendet sich, bereits wieder erholt, an den Pianisten.* Sagen Sie, von wem waren die Akkorde zuvor, die Sie da gespielt haben?

PIANIST Von mir.

SEMPER Bravo. Haben Sie schon mal Filmmusik?

PIANIST Nein, das heißt: ich interessiere mich sehr und würde gerne mal – –

SEMPER *unterbricht ihn:* Kommens morgen zu mir ins Büro!

PIANIST *hastig:* Sicher!

SEMPER *zu Huelsen:* Ein begabtes Talent! Musikalisch!

ASSISTENT *dreht das Licht wieder aus, da Manuel wieder hergestellt auf seinem Stühlchen sitzt, bewacht von Bossard.*

PIANIST *fängt wieder an zu phantasieren.*

Pause.

MANUEL *krümmt sich, als hätte er heftige Leibschmerzen.*

8. Auftritt

Die Vorigen, Unbekannte.

In dem Licht der dunkelgrünen Birne erscheint nun die Unbekannte in der offenen Türe links; ihre Augen sind geschlossen, auf ihrem Antlitz liegt ein weißgrüner Schein; sie scheint schwarz gekleidet zu sein und ist kaum zu erkennen.

ALLE *außer Manuel, der halbtot zu sein scheint, starren sie fasziniert an, besonders natürlich Semper und Huelsen, aber auch der Pianist hat sich erhoben.*

UNBEKANNTE *öffnet die Augen und hebt langsam den Kopf, als würde sie zu einem großen Manne, der neben ihr steht, emporblicken; dann fängt sie an zu sprechen, doch ungemein leise, mit ihrem rätselhaften Lächeln:* – – Schau mich doch an – – ich warte. Ich warte – mit grünen Augen im grünen Meer – –

HUELSEN *schnellt plötzlich empor und schreit:* Halt! Halt um Gottes Willen!

ASSISTENT *dreht sofort das Licht aus, einen Augenblick ist es stockdunkel, bevor es wieder ganz hell wird; die*

Unbekannte ist verschwunden und Manuel sitzt auf seinem Stühlchen mit dem Genick über der Lehne und verglasten Augen.

9. Auftritt

Die Vorigen. Ohne Unbekannte.

BOSSARD *starrt Huelsen entsetzt an.*

HUELSEN *außer sich:* Was sprach sie da?! Was sprach sie, was sprach sie?!

SEMPER Was denn los, Doktor?!

HUELSEN Nein, dieser Abgrund! Dieser Zynismus! *Er läßt sich auf seinen Platz fallen und hält die Hände vors Gesicht.*

BOSSARD *zu Semper:* Es gibt leider Übernervöse, die derartige Seancen – –

SEMPER *fällt ihm nervös ins Wort:* Verstehe, verstehe!

HUELSEN *schnellt plötzlich wieder empor:* Professor oder wer Sie sind, wer war dieses Weib?!

BOSSARD *scharf:* Das wissen Sie! *Er fixiert ihn und ändert dann den Ton.* Beruhigen Sie sich – –

HUELSEN Ich hab es deutlich gesehen – –

BOSSARD *unterbricht ihn scharf:* Nichts haben Sie gesehen! Nichts!

HUELSEN *verzweifelt:* Ich bin doch nicht blind!

SEMPER Sie sind blind!

BOSSARD *ergreift Huelsens Handgelenk:* Puls anormal – –

HUELSEN *reißt sich los:* Lassen Sie das! Ich bin nicht krank!

SEMPER Sie sind krank!

HUELSEN *höhnisch zu Semper:* Sie müssen es ja wissen!

SEMPER Unerhört!

BOSSARD *beschwichtigt Semper:* Er wird sich beruhigen – –

SEMPER Ist ja unvorstellbar! Absurd!

HUELSEN *wie zu sich selbst:* »Mit grünen Augen« – – sie war es, sie war es!

SEMPER *grimmig:* Natürlich war sie es! *Zu Bossard.* Professor, Sie haben mich bekehrt; so spricht kein Mensch!

BOSSARD Es war die Stimme eines – – –

HUELSEN *unterbricht ihn drohend:* Sprechen Sie das Wort nicht aus, Sie nicht!

SEMPER Warum soll er denn nicht?!

BOSSARD *fest:* Es war die Stimme eines Engels.
Stille.

HUELSEN *lächelt grimmig-wehmütig:* Ja. Aber eines gefallenen Engels – – –

BOSSARD *deutet Semper mit einer Geste auf die Stirn an, daß Huelsen total verwirrt ist, und zieht ihn etwas weiter weg und zu sich:* Und nun, Herr Generaldirektor, muß ich Ihnen noch eine Eröffnung machen. Der tiefere Grund, weshalb ich Sie hierher bat, dürfte Sie besonders interessieren: es ist mir bereits des öfteren gelungen, die Erscheinung der Unbekannten zu photographieren, ja wir haben sie sogar, natürlich nur mit einer Amateurkamera, gefilmt.

SEMPER Gefilmt?!

BOSSARD Herr Generaldirektor! Ich bin überzeugt, es muß uns gelingen, die Hauptrolle Ihres Filmes mit der herbeizitierten Unbekannten besetzen zu können – – und ihr wahres Leben zu verfilmen, das sie uns allerdings leider nur bruchstückweise erzählt!

SEMPER Das ist zuviel. Ich werd verrückt!

BOSSARD *zum Assistenten:* Theodor! Bringen Sie die Probeaufnahmen!

ASSISTENT *der mit Hilfe des Pianisten sich um Manuel bemüht hat, so daß jener nun apathisch wieder auf seinem Stühlchen sitzt, eilt in das Nebenzimmer und schließt bei dieser Gelegenheit die Türe links.*

Die Vorigen. Ohne Assistent.

BOSSARD *zu Semper:* Ich muß Sie nur bitten, da sich unsere filmischen Versuche gewissermaßen noch im Rohstadium befinden, alles, was Sie hier sahen und hörten, unter strengster Diskretion – –

SEMPER *unterbricht ihn:* Ehrenwort!

BOSSARD Danke! Ich bitte aber auch um das Ehrenwort Ihres Herrn Sekretärs – –

HUELSEN *der auf seinem Platz vor sich hinbrütete, zuletzt jedoch zuhörte, kurz:* Geb ich aber nicht!

SEMPER *schluckt vor Wut; dann scharf:* Vergessen Sie nicht, daß Sie als Festangestellter Pflichten haben!

HUELSEN Ist mir egal!

SEMPER Mir aber nicht! Ein Festangestellter hat sich mit Leib und Seel und Ehrenwort für das Wohl und Weh seiner Firma einzusetzen, bitt ich mir aus!

BOSSARD *mit Betonung:* Und für das Wohl und Wehe mancher Menschen!

HUELSEN *zuckt zusammen, wendet sich ruckartig Bossard zu, lächelt ironisch, nickt vor sich hin, macht eine wegwerfende Geste und erhebt sich ernst; tonlos:* Mein Ehrenwort – –Langsam ab durch die Tür im Hintergrund.*

11. Auftritt

Die Vorigen. Ohne Huelsen.

SEMPER *sieht Huelsen nach:* Was ist? Nicht einmal grüßen?!

BOSSARD Lassen Sie ihn! Ich glaube, es ist eine vorübergehende Abulie, eine harmlose Form der Persönlichkeitsspaltung. Eine Art Besessenheit – –

SEMPER Großer Gott!

BOSSARD Morgen ist er wieder gesund.

SEMPER Hoffentlich! Er ist meine rechte Hand.

12. Auftritt

Die Vorigen, Assistent.

ASSISTENT *kommt mit einer kleinen Filmrolle aus dem Nebenzimmer.*

BOSSARD *nimmt sie ihm ab und überreicht sie Semper:* Hier bitte, die Probeaufnahmen! Zu treuen Händen – –

SEMPER *sehr aufgeregt:* Millionen Dank! Ich werd sie mir selber allein vorführen! Schad, daß mein Privatapparat defekt ist, sonst tät ichs sofort, noch bevor ich zu diesem Filmball heut Nacht – –

BOSSARD *fällt ihm ins Wort:* Aber nur absolute Diskretion!

SEMPER Heiligstes Ehrenwort! Und sollten die Aufnahmen was sein – – Herr Professor! Für dieses Manuskript, diese Regie, diese Besetzung, für dieses Originalleben ist mir kein Honorar zu teuer!

BOSSARD *verbeugt sich steif:* Würde mich freuen, wenn ich dadurch in die Lage versetzt werden könnte, meine kostspieligen wissenschaftlichen Forschungen weiter auszubauen – –

SEMPER Sie werden sie ausbaun, unberufen! Und wie gesagt: ich werd Ihr Vertrauen zu lohnen wissen! Herr Professor! Meine Herren! Wiedersehen morgen in aller Früh! *Ab durch die Tür im Hintergrunde, die der Assistent hinter ihm schließt.*

BOSSARD Meine Hochachtung!

Die Vorigen. Ohne Semper.

ALLE *atmen befreit auf.*

ASSISTENT Allerhand!

BOSSARD Sperr zu!

ASSISTENT *sperrt die Türe im Hintergrunde rasch zu.*

PIANIST Er hat sie natürlich erkannt, wie ich es euch prophezeite!

BOSSARD Er wird schweigen!

PIANIST Werden sehen!

BOSSARD Keine Angst! Die erste Schlacht ist gewonnen, Semper ist fasziniert. Vorausgesetzt, daß wir zusammenhalten und keiner abspringt – – *Er wendet sich ruckartig an den Pianisten.* Du wirst doch nicht extra verhandeln? Ich hab es gehört!

PIANIST Fällt mir nicht ein!

ASSISTENT *etwas spöttisch:* Unberufen!

MANUEL *zu Bossard:* Du warst herrlich! Und die schlagfertige Geistesgegenwart, ich sei ein stummer Portugiese! Ich hab mich so anstrengen müssen, daß ich nicht loslach! *Er lacht nervös.*

ALLE *lachen ebenso mit.*

14. Auftritt

Die Vorigen. Unbekannte.

UNBEKANNTE *erscheint, noch immer weiß geschminkt, in der Türe links:* Ich hör euch da lachen – – ist er weg?

PIANIST Ah, unser Gespenst!

MANUEL Göttlich warst du!

BOSSARD Vollendet! Ich gratuliere – –

UNBEKANNTE Und ich kondoliere. *Sie braust auf.* Ihr seid

ja unverantwortliche Trottel!

PIANIST Wie bitte?!

BOSSARD *beruhigt lächelnd seine Mitarbeiter:* Ruhe! Unser Geist hat Temperament!

ASSISTENT *grinst:* Gefällt dir? Alter Sünder!

MANUEL Mir auch.

UNBEKANNTE *zittert innerlich vor Wut; höhnisch:* Wie interessant! Nein, was seid ihr doch für interessante Trottel — —

ALLE *verbeugen sich spöttisch vor ihr.*

UNBEKANNTE *braust wieder los:* Verbeugt euch nur! Schad, daß ich nicht der Semper bin, ich tät euch heimleuchten. Da hetzt man sich ab mit der Unbekannten, und was ist dann?! Ein teuflischer Leichtsinn ist dann: kein Wort mir zu sagen, daß der Huelsen dabei ist!

BOSSARD Absichtlich! Du wärest sonst befangen gewesen — —

UNBEKANNTE *fällt ihm ins Wort:* Ich bin nie befangen! Das hab ich mir abgewöhnt!

MANUEL Walte Gott!

UNBEKANNTE Ich bitt dich, laß den lieben Gott aus unserem Spiel! Anstatt daß ihr hier überlegen lächelt, überlegt euch lieber unsere Situation!

BOSSARD Ausgeschlossen, daß er dich erkannt hätte!

UNBEKANNTE Genauestens sogar!

ASSISTENT Bei dieser Beleuchtung? *Er schaltet für einen Augenblick nur die dunkelgrüne Birne ein.*

UNBEKANNTE Licht spielt keine Rolle!

BOSSARD Und die Stimme allein sagt nichts!

UNBEKANNTE Allerdings! Aber ich habe seinen Text gesprochen.

BOSSARD *perplex:* Was für einen Text?

UNBEKANNTE Gestern abend hat er mir aus seinem Roman vorgelesen und da hab ich mir diesen Satz mit den grünen Augen und dem grünen Meer gemerkt.

PIANIST *schlägt einen Akkord an, als würde er damit aus-*
drücken wollen: »Himmel, tu dich auf, jetzt ist alles
aus!«

UNBEKANNTE Er wird sich natürlich Gedanken machen.

BOSSARD *faßt energisch Mut:* Soll er doch! Ich bin überzeugt, auch wenn er dich genauestens erkannt hätte: er
wird dich nicht bloßstellen.

UNBEKANNTE Das weiß ich nicht!

BOSSARD Er wird dich doch nicht verraten, wenn er dich
liebt!

MANUEL Er ist doch kein Unmensch!

UNBEKANNTE Das nein – – – – Aber bei dem steht die
Pflicht an erster Stelle und dann kommt noch ewig
nichts! Wie oft hab ich ihn schon gebeten, mich nur ein
bisserl zu protegieren!

PIANIST Wenn ich Doktor Peter Huelsen wäre, dann würdet ihr alle Hauptrollen spielen.

MANUEL Ich Wilhelm Tell. *Er deutet auf den Assistenten.*
Er Napoleon. *Er deutet auf Bossard.* Und jener den
Pagen von Hochburgund.

ALLE *außer der Unbekannten, lachen.*

UNBEKANNTE Oh, diese Schauspieler! Ihr wißt anscheinend gar nicht, was in dieser Sekunde über euch hängt!

MANUEL *lustig:* Doch nicht ein Damoklesschwert?

UNBEKANNTE Jawohl, denn Peter ist ein absoluter
Pflichtmensch und traut einem immer gleich alles
Schlechte zu.

PIANIST *für sich:* Hübsch!

UNBEKANNTE Ich habe ihm doch auch mein Exposé von
der Unbekannten gegeben – zuerst sagte er, er täte es
prinzipiell nicht weiterleiten, weil er bei der Firma angestellt ist, dann erklärt er es für unfilmisch und miserabel – nicht einmal versuchen will er es, wo ich es doch
ohne Zweifel als Erste eingereicht habe!

*Nun rüttelt es an der Türe im Hintergrunde und man
hört Huelsens Stimme von draußen: »Aufmachen! Aufmachen!«*

UNBEKANNTE *entsetzt unterdrückt:* Heiliges Känguruh!

BOSSARD Rasch! Raus!

UNBEKANNTE *eilt in das Nebenzimmer.*

BOSSARD *gibt dem Assistenten ein Zeichen.*

ASSISTENT *öffnet die Türe.*

15. Auftritt

Bossard, Manuel, Assistent, Pianist, Huelsen.

HUELSEN *stürzt verstört herein und hält dicht vor Bossard:*
Herr! Sie haben zuvor behauptet, ich sei verwirrt – –
Stimmt! Sie wissen genau, weshalb!

BOSSARD *mit hart erzwungener Ruhe:* Ich weiß gar nichts.

HUELSEN Ich fordere Aufklärung! Ihr Gespenst vorhin
sprach meinen Text!

BOSSARD Verstehe kein Wort.

HUELSEN Das Gespenst sprach Sätze aus meinem unver-
öffentlichten Roman, und es gibt nur ein Wesen, das ihn
kennt – Sie wissen genau, wer das ist! Das Wesen steht
mir nahe, sehr nahe, und es tut mir weh, sehen zu
müssen, wie es unter Schwindler geraten ist! Jawohl,
Betrüger und Schwindler!

BOSSARD Mein Herr! Wenn ich nicht Irrenarzt wäre – –

HUELSEN *unterbricht ihn:* Sie ein Irrenarzt?! Ich werde
mich informieren!

BOSSARD *schluckt:* Bitte! Übrigens: wir haben die Gewohnheit, alles was unsere Herbeizitierten sagen, peinlichst mitzustenographieren – – *Zum Assistenten.*
Theodor! Lesen Sie vor, was die Unbekannte heute
sprach!

347

ASSISTENT Sogleich! *Er holt einen Zettel hervor und tut,
als würde er lesen.* Oh komm, Geliebter. Warum bist du
nicht ein Mann? Mein Mann mit starkem Arm und
mildem Sinn.

BOSSARD *zu Huelsen:* Ist das Ihr Text?

HUELSEN *betreten:* Nein. Aber das hat sie nicht gesagt!

BOSSARD *scharf:* Das hat sie gesagt!

Stille.

HUELSEN *fährt sich mit der Hand über die Augen und
lächelt verlegen:* Sollte ich so verwirrt sein? Ich bin
allerdings überarbeitet – – Entschuldigen Sie!

BOSSARD *erleichtert:* Bitte, bitte!

HUELSEN *starrt ihm plötzlich forschend in die Augen.*

BOSSARD *unangenehm berührt; unsicher.* Was haben Sie?

HUELSEN Jetzt hab ich Sie. Sie! Jetzt weiß ich, woher ich
diese Augen kenne – – natürlich, natürlich! Sie sind ein
Statist von der Filmbörse!

BOSSARD *verfärbt sich und wankt etwas.*

MANUEL *schreit Huelsen plötzlich an:* So schauns doch
endlich, daß Sie verschwinden!

HUELSEN *sehr leise, fast gehässig:* Jetzt laß ich euch hoch-
fliegen, noch heute Nacht. Jetzt ohne Rücksicht auf
irgendeine Person – *Er schreit.* Ohne Rücksicht! *Rasch
ab durch die Türe im Hintergrunde, die er hinter sich
krachend zuschlägt.*

16. Auftritt

Bossard, Manuel, Assistent, Pianist, Unbekannte.

UNBEKANNTE *stürzt aus dem Nebenzimmer und rast an die
Türe im Hintergrunde:* Peter! *Sie reißt die Türe auf und
ruft auf den Korridor hinaus.* Peter! – *Sie dreht sich
langsam um.* Weg ist er. Ich hab alles gehört.

BOSSARD *setzt sich.*

UNBEKANNTE *überlegt:* Ich muß ihn sprechen, bevor er mit Semper spricht – – *Mit einem Ruck, als hätte sie plötzlich einen Entschluß gefaßt, eilt sie vor den Wandspiegel und schminkt sich rasch ab.*

BOSSARD *mutlos:* Daß der mich erkannt hat – – ich mach mir Vorwürfe!

UNBEKANNTE Lieber Alfred, du hast genug geleistet!

MANUEL Übermenschlich!

BOSSARD *winkt ab:* Wieder nichts. Heut – morgen wird man zweiundsechzig – – und diesmal wahrscheinlich noch Polizei.

PIANIST Ich war immer dagegen!

BOSSARD Beginnt schon!

UNBEKANNTE *immer noch vor dem Wandspiegel:* Nichts beginnt, weil nichts beginnen darf! »Polizei« wär gelacht – – so, fertig! *Sie hat sich nun abgeschminkt und knöpft sich hastig die Bluse auf.* Ihr müßt mir nur noch paar Groschen, damit ich mir ein Taxi – los, legts zusammen! Der Huelsen fährt immer nur Untergrund! Ich werd schon alles in Ordnung, zieh mich nur um! *Sie will in das Nebenzimmer eilen, sich die Bluse bereits ausziehend.*

ASSISTENT Wohin?

UNBEKANNTE *bereits in der Türe:* Auf den Filmball.

PIANIST Ohne Karte, ohne Geld?

UNBEKANNTE Überlaß das mir! Ich komm durch den Notausgang hinein! *Rasch ab in das Nebenzimmer.*

Vorhang

Zweiter Akt

Auf dem Filmball. In der Bar, dort wo der Bartisch den
ganzen Hintergrund einnimmt. Der Mixer heißt Robert
und hat eine pergamentene Haut, ist ein wenig gebückt,
doch immer noch rasch und gewandt, trotz eines langen
nächtlichen Lebens.
Während des ganzen Aktes hört man aus dem Ballsaal
gedämpft die Tanzmusik.

1. Auftritt

Robert, Marquis.
Marquis kommt von links, Robert hört ihn gar nicht
kommen, so sehr ist er in eine Zeitung vertieft.

MARQUIS *setzt sich an die Bar:* Robert!

ROBERT *erblickt ihn erst jetzt und erschrickt sehr:* Oh
   pardon, Herr Marquis, ich hab Sie gar nicht kommen
   hören –

MARQUIS Was ist denn das heut für ein Tumult? Musik?

ROBERT *serviert dem Marquis das »Gabelfrühstück«, von*
   dem der alte Bientôt sprach: Leider. Filmball, Herr
   Marquis –

MARQUIS *peinlich berührt:* Film?

ROBERT Ja, im ganzen Hotel. In der Halle, im Saal, im
   Restaurant – aber bei uns in der Bar bleibts vorerst noch
   still. Jetzt müssen die Prominenten noch hübsch artig
   ihre Plätze einnehmen, damit man ihr »Privatleben«
   betrachten kann, wie sie essen und trinken – – das Volk
   ist halt neugierig! Bei uns in der Bar wirds erst später
   lebendig. Nach Mitternacht.

MARQUIS *sieht auf seine Uhr:* Also in zwanzig Minuten.

2. Auftritt

Die Vorigen, Adolf.

ADOLF *der zweite Mixer, ein junger Mann, kommt von links; zu Robert:* Im zweiten Rang gabs gerade eine kleine Sensation; ein Mädel wollt durch den Notausgang herein, aber man hat sie hinausexpediert. Ziemlich unsanft sogar.

MARQUIS *ist unangenehm berührt.*

ADOLF Sie wollt den Feuerwehrmann hintergehen, angeblich raffiniert. Der Feuerwehrmann ist noch ganz außer sich.

ROBERT War die hübsch?

ADOLF Wie alle. Wahrscheinlich eine Statistin – – *Er stockt und starrt fasziniert nach rechts.* Hoppla!

3. Auftritt

Die Vorigen, Unbekannte.

UNBEKANNTE *kommt rasch und scheu; sie ist in einer billigen Balltoilette und man merkt es ihr noch an, daß sie vor kurzer Zeit unsanft hinausexpediert wurde, denn ihr Kleid ist an der einen Seite weiß von der Wand; sie sieht, daß man sie interessiert betrachtet und hält; unsicher:* Bitte, – – wo sitzt Generaldirektor Semper? Ich suche die Pandoraloge.

ADOLF Ihr Kleid ist weiß. Da! *Er zeigt es ihr an sich.*

UNBEKANNTE Oh! *Sie klopft das Weiße rasch ab.* Hoffentlich gibts keinen Fleck! *Sie lächelt verlegen.* Ist schon raus!

ADOLF Apropos raus: ein Notausgang darf nur bei Lebensgefahr benützt werden.

UNBEKANNTE *schreckt zusammen.*

ADOLF Bei Lebensgefahr!

UNBEKANNTE *wird immer unsicherer:* Das weiß ich – –

ADOLF Na also! Ein Notausgang ist zum Hinauslaufen da, aber nicht zum Hineinschleichen.

UNBEKANNTE *fast dem Weinen nahe:* Ich verstehe Sie nicht – –

ADOLF Noch immer nicht? Kommen Sie, Fräulein, und bitte ohne unliebsames Aufsehen! *Er will zu ihr hin, um sie hinauszubegleiten; zu Robert.* Ich bring sie nur raus – –

MARQUIS Halt! Die Karte der Dame habe ich bei mir. Darf ich bitten – – *Er überreicht Adolf diskret eine Banknote.*

ADOLF *verbeugt sich und geht wieder an seinen Platz.*

UNBEKANNTE *schaut den Marquis, der ihr erst jetzt auffällt, groß an:* Ich danke – –

MARQUIS Wieso? Ich hatte doch nur Ihre Karte bei mir.

UNBEKANNTE Trotzdem. *Sie fühlt sich verpflichtet, ihm eine Erklärung abzugeben.* Ich suche nämlich einen Menschen, den ich um etwas bitten muß. Aber – – *Sie sieht sich um* – – vielleicht ist er schon da – – *Sie stockt, da sich ihre Blicke treffen.*

MARQUIS Möglich.

Pause.

UNBEKANNTE *reißt sich von seinem Blick los:* Ich schau nur nach! *Rasch ab nach links.*

4. Auftritt

Die Vorigen. Ohne Unbekannte.

MARQUIS *erhebt sich langsam; zu Robert:* Ich komm gleich wieder – – *Er geht nach links.*

ADOLF *zu Robert, ironisch:* Er sieht nur nach.

MARQUIS *hörte die Bemerkung, hält und wendet sich an Adolf:* Gewiß. Ich sehe nur nach, ob jener Dame drinnen im Saal noch abermals ein geistvoller Vortrag über das Aufgabengebiet offiziöser Notausgänge gehalten wird – – *Er lächelt und ab nach links.*

5. Auftritt

Robert, Adolf.
ROBERT Da hast dus! Ein Kavalier der alten Schule.
ADOLF Imponiert mir nicht.

6. Auftritt

Die Vorigen, Huelsen.
HUELSEN *kommt rasch von links:* Dürft ich mal telefonieren?
ROBERT Bitte!
HUELSEN Danke! *Am Apparat.* Hallo! – – Ja, hier Doktor Huelsen. Bitte Herrn Generaldirektor Semper persönlich – – Wie? Schon unterwegs? Danke! *Er hängt ein, will nach rechts und trifft perplex die Unbekannte, die soeben suchend von rechts kommt.*

7. Auftritt

Die Vorigen, Unbekannte.
Während der folgenden Szene können Huelsen und die Unbekannte von den beiden Mixern nicht gesehen werden, infolge der Architektur des Raumes.
UNBEKANNTE Endlich! Bist grad erst gekommen?
HUELSEN *unnahbar:* Ja.

UNBEKANNTE *atmet kurz auf:* Du hast also noch nicht mit Semper – –

HUELSEN *fällt ihr ins Wort:* Doch! Ich habe mit Semper sofort, noch vom Hotel aus, telefoniert, daß alles ein glatter Betrug ist!

UNBEKANNTE *entsetzt:* Peter! Dann ist alles aus!

HUELSEN Ich hab es ihm auseinandergesetzt, klipp und klar und konsequent – – aber er hat es mir nicht geglaubt.

UNBEKANNTE Wie bitte?!

HUELSEN Wen die Götter vernichten wollen, bei dem beginnts im Hirn.

UNBEKANNTE *lächelt glücklich:* Mir scheint, mich wollen die Götter beschützen – –

HUELSEN Bild dir es nur ein!

UNBEKANNTE Oh Gott, bin ich froh!

HUELSEN Keine Ursache. Ich lasse nicht locker.

UNBEKANNTE Er hat es dir nicht geglaubt – – Armer Peter!

HUELSEN Lach mich nur aus! Auf diese Art zerstörst du auch noch den letzten Rest: die Erinnerung.

UNBEKANNTE Du siehst mich in einem falschen Licht.

HUELSEN Nein. Ich sehe dich klar im Schein einer dunkelgrünen Birne. Dieser jämmerliche Zauber, diese plumpe Jahrmarktsregie!

UNBEKANNTE Die Regie war von mir.

HUELSEN Das auch noch. Ich hoffte heimlich, du seiest nur eine Verführte – derweil: eigene Regie!

UNBEKANNTE Was du jetzt denkst, ist falsch!

HUELSEN Es genügt! Zwar seh ich noch nicht klar, was ihr mit diesem Betrug bezwecken wollt – –

UNBEKANNTE *unterbricht ihn:* Dann will ich es dir erzählen: der Bossard, der Theodor und das »Medium«, es heißt Maikowski, und ich, wir sind arme Schauspieler, und der Klavierspieler ist ein armer Klavierspieler – –

HUELSEN *fällt ihr ins Wort:* Zur Sache!

UNBEKANNTE So laß mich doch einleiten! Also, wir fünf Arme mußten mitansehen, daß wir nicht vorkommen, geschweige denn drankommen, und da haben wir uns diese spiritistische Seance ausgedacht und einstudiert, nur damit uns dein Semper endlich mal zu sehen bekommt! Endlich wollten wir mal zeigen dürfen, was wir künstlerisch leisten können – – und wenn deinem Semper morgen früh meine Probeaufnahme als Gespenst gefällt, dann haben wir auf der ganzen Linie gesiegt!

HUELSEN Ich kann diesen Blödsinn nicht hören! Ein Großfilm mit einem Gespenst als Star! Ja, glaubt ihr denn auch nur einen Augenblick, daß du als Geist unter Jupiterlampen?!

UNBEKANNTE Ich bin doch nicht hirnverbrannt! Wir wollten doch deinen Semper nur von unseren schauspielerischen Fähigkeiten überzeugen, wir sprachen ihm sozusagen nur vor, allerdings ins Leben transponiert!

HUELSEN Dieser Ausdruck ist nicht von dir!

UNBEKANNTE Der ist von Bossard.

HUELSEN Ach! Du lernst von dem alten Statisten?

UNBEKANNTE Der alte Statist hat fünf Semester Universität!

HUELSEN Gratuliere. Weiter!

UNBEKANNTE Kommandier mir nicht! Also, wir haben uns im Terminus eingemietet, wie wir das Appartement bezahlen werden, ist mir zwar noch etwas unklar – –

HUELSEN *fällt ihr ins Wort:* Nett, sehr nett!

UNBEKANNTE Ob nett oder nicht nett: man kann doch nicht verkümmern! Ich nicht! Und wenn dein Semper – – –

HUELSEN *fällt ihr abermals ins Wort:* Warum sagst du immer »dein« Semper?

UNBEKANNTE *trotzig:* Du kennst ihn doch gut!

HUELSEN Stimmt! »Mein« Semper ist ein ungebildeter Enthusiast. Wenn der euren Spiritismus erfährt, dann spielt ihr garantiert keine Rolle! Er verzeiht alles, nur keine persönliche Blamage!

UNBEKANNTE Überlaß das mir!

HUELSEN Denk nur ja nicht, daß dir alles gelingt.

UNBEKANNTE Alter Pessimist!

HUELSEN Dein hemmungsloses Vertrauen zum eigenen Glück wird dich nochmal ins Unglück stürzen!

UNBEKANNTE Alte Unke! Qua, qua, qua!

HUELSEN Quak nur zu! Ohne Zweifel: Was du da treibst, ist und bleibt Betrug!

UNBEKANNTE Deine Schuld!

HUELSEN *perplex:* Wie bitte?

UNBEKANNTE Klar. Warum protegierst du mich nicht ein bisserl? Weil du nicht willst! Weil du ganz unpraktische Ehrbegriffe hast! Wer hat denn das erste Exposé eingereicht? Ich! Aber du hast es nicht einmal weitergeleitet!

HUELSEN Ist ja gar nicht wahr! Alles hab ich versucht, aber alles ist aussichtslos! Und außerdem ist das Exposé miserabel!

UNBEKANNTE So gut, wie dein Roman, ist es immer noch!

HUELSEN *schlägt sich auf die Stirne:* Richtig! Jetzt kommt die Hauptsache! Du hast die Stirne besessen, den Satz mit den grünen Augen zu einer elenden Scharlatanerie zu mißbrauchen! Was ich schreibe, ist meine Seele, und du hast meine Seele degradiert! Ach, das hab ich ja jetzt ganz vergessen! Wie gut, daß es mir eingefallen ist!

UNBEKANNTE Ich bitte dich, sei nicht so eitel!

HUELSEN *fixiert sie:* Der Abgrund wird immer tiefer.

UNBEKANNTE Und warum? Warum sagst du es nicht deinem Semper, daß du eine junge, begabte Schauspielerin kennst – –

HUELSEN *unterbricht sie:* Hab ich doch schon! Aber ich

kann dieses plebejische Lächeln nicht sehen, dieses vertrauliche Zuzwinkern – – ich kann es nicht vertragen, wie du vor mir selbst erniedrigt wirst!

UNBEKANNTE Du überläßt also alles mir? Ich soll mich selber erniedrigen, was?!

Pause.

HUELSEN *fixiert sie:* Wie kommst du hier eigentlich herein?

UNBEKANNTE *trotzig:* Sag ich nicht.

HUELSEN Woher hast du die Karte, das Geld?

UNBEKANNTE *frech aus Unsicherheit:* Na und du?

HUELSEN Ich hab doch Freikarte!

UNBEKANNTE Ich auch.

Pause.

HUELSEN Woher?

UNBEKANNTE Da du mir nie Freikarten verschaffst, hat mir ein Herr eine Karte geschenkt.

HUELSEN Wer?

UNBEKANNTE Irgendein Herr.

HUELSEN Wird ja immer netter.

Pause.

UNBEKANNTE Was denkst du jetzt?

HUELSEN Ja. *Er läßt sie stehen und ab nach links.*

UNBEKANNTE *sieht ihm nach; dann leise:* Ach so. *Sie dreht sich ruckartig um und will rasch nach rechts ab, stößt jedoch dabei mit Semper zusammen, der gerade erscheint; sie erkennt ihn.* Heiliger Himmel! *Sie läuft an ihm vorbei; ab.*

8. Auftritt

Robert, Adolf, Semper.

SEMPER *sieht ihr nach und ordnet seine Frackbrust: er ist sehr aufgeräumt:* Was ist? Überfährt einen am hellich-

357

ten Tag! Bin ich ein Passant?! *Er ruft der Unbekannten nach.* Fräulein! Sie haben kein Schlußlicht! *Er tritt an die Bar; zu Robert, der im 7. Auftritt Rechnungen ordnete, während Adolf Zeitung las.* Einen Kognak!

ROBERT Habe die Ehre, Herr Generaldirektor!

ADOLF *legt rasch die Zeitung beiseite und bedient Semper.*

SEMPER Grüß Sie Gott, Robert! Einen doppelten Kognak! Ich hab das größte Erlebnis meines Lebens hinter mir!

ROBERT Werden Sie heiraten?

SEMPER Unberufen im Gegenteil! Ich leb doch schon sechs Jahr in Scheidung und seit wann sind Advokaten Erlebnisse?! Das sind Sorgen, Misere, Nervosität! Aber heut! Wenn Gott will, hab ich heut Nacht den leuchtendsten Stern entdeckt!

ADOLF Eine neue Frau?

SEMPER *blickt empor:* Einen Engel! Ein absolut einmaliges Talent – Kasse, Kasse! Morgen laß ich mir in aller Früh die Probeaufnahmen vorführen, unberufen! Robert, haltens mir den Daumen!

ROBERT Zu Befehl, Herr Generaldirektor!

SEMPER *leert hastig das Glas.*

9. Auftritt

Die Vorigen, Marquis.

MARQUIS *erscheint links, erblickt Semper und beobachtet ihn interessiert.*

SEMPER *zu den Mixern:* Hört mal her, ihr zwei Begabungen! Glaubt ihr an Gespenster?

ADOLF An was?

SEMPER An Gespenster. Geister. Spuk.

ROBERT Nein.

ADOLF Ich auch nicht.

SEMPER Ich aber ja! Und zwar seit heut! Noch einen doppelten Kognak!

ADOLF *schenkt ein:* Bitte, Herr Semper – –

MARQUIS Ach! *Er erkennt ihn plötzlich.* Herr Semper!

SEMPER *dreht sich ihm unfreundlich zu:* Sie wünschen?

MARQUIS Schauen Sie mich mal an.

SEMPER *betrachtet ihn mißbilligend.*

MARQUIS *lächelt:* Robert hat mich sogleich erkannt – –

SEMPER *frostig:* Na und? – – – – *Er stockt und erkennt
ihn.* Großer Gott! Der Marquis! Der Herr Marquis de
Bresançon! Ich dacht, Sie wären schon längst tot! Ist das
aber eine Freud!

MARQUIS Ich gratuliere übrigens: Generaldirektor ist
allerhand!

SEMPER Nicht auszudenken! Eine Karriere, eine schwindelerregende! *Er lacht; dann zu den Mixern.* Hört mal
her: was glaubt ihr, woher wir zwei uns kennen?

ROBERT Aus Australien?

SEMPER Sie sind verrückt! Was soll ich in Australien? Bin
ich ein Beduine? Nein! Der Herr Marquis de Bresançon
und Alexander Semper kennen sich aus dem Atelier
Swoboda.

MARQUIS Aber Semper!

SEMPER Swoboda! Das ist ein reeller Begriff! Damals war
ich dort Zuschneider und hab dem Herrn Marquis seine
Hosen genäht.

MARQUIS Lieber Freund, zuvor galt meine Bewunderung
Ihrer Karriere, aber jetzt verehre ich Sie; man findet
selten einen Generaldirektor, der es selbst erzählt, daß
er Hosen genäht hat.

SEMPER Ich kann es mir leisten! Ich werd nur wild, wenn
mir einer sagt, daß ich Hosen verkauft hab! Ich hab
immer gearbeitet!

ADOLF Hoch der Herr Generaldirektor!

SEMPER Ausreden lassen! Ich hab aber nie gern gearbeitet! Auf das werte Wohl, Herr Marquis!

MARQUIS Prost, Semper!

SEMPER *blickt empor:* Wo ist die Zeit! Damals war die ganze Filmerei noch gar nicht erfunden!

MARQUIS *lächelt:* Nana! So alt bin ich noch nicht!

SEMPER Auf alle Fälle stak damals der Film erst in den Kinderschuhen, denn wie ich dazu kam, kam er in die Flegeljahr. Jetzt mutiert er grad, und das nennt man Tonfilm – – *Er erhebt sich.* Kommens, Marquis, ein bisserl in den Saal, ich muß mich dem Volk zeigen.

MARQUIS *zu Robert:* Bin gleich wieder da. *Er folgt Semper.*

SEMPER *hält plötzlich und dreht sich dem Marquis zu; leise:* Marquis, Sie sind doch ein Mann von Wort – – und ich muß mit jemand darüber reden, es druckt mir die Luft ab! Sie werden aber schweigen?

MARQUIS *lächelt:* Gewiß.

SEMPER *sieht sich forschend um, ob auch niemand zuhört; sehr leise:* Sie haben doch schon was von der »Unbekannten der Seine« gehört, oder?

MARQUIS *zuckt etwas zusammen:* Ja.

SEMPER Von der Totenmaske?

MARQUIS Natürlich. Wieso?

SEMPER Ich plane jenes tote Mädel als Film.

MARQUIS *erleichtert:* Interessant.

SEMPER Und ich bin der wahren Geschichte auf der Spur. Was sagen Sie jetzt?

MARQUIS *starrt ihn entsetzt an; tonlos:* Nichts.

SEMPER Da kann man auch nichts sagen!

MARQUIS *bekämpft seine Erregung; lauernd:* Wie – – sagen Sie: wie sind Sie dahinter gekommen?

SEMPER Geheimnis!

MARQUIS So reden Sie doch!

SEMPER Warum denn so aufgeregt? Soll ich mein Ehrenwort brechen?

MARQUIS *beherrscht sich:* Nein.

SEMPER Nach Ihnen, Marquis! *Ab mit ihm nach links.*

10. Auftritt

*Robert, Adolf, Huelsen, Unbekannte, Filmballpublikum.
Es ist nun nach Mitternacht und aus dem Saal kommen
Herren und Damen; sie nehmen an der Bar Platz, während
Huelsen und die Unbekannte rechts erscheinen; er führt
sie an der Hand.*

HUELSEN *gedämpft:* Begreifst du es nun, daß ich dich beleidigen mußte, weil ich prinzipiell derartige Methoden
ablehne?

UNBEKANNTE Mit dem Prinzip kommt man nicht weiter.

HUELSEN Richtig! Nachdem du mir deinen Notausgang
erklärt hast, bekomm ich eine völlig neue Einstellung
zur Aktivität. Ich schäme mich vor dir.

UNBEKANNTE *gibt ihm plötzlich einen langen Kuß und er
umarmt sie; dann:* Du bist ein anständiger Mensch.

HUELSEN Aber!

UNBEKANNTE Und ich werd dich auch nicht mehr quälen,
daß du mich protegierst – –

HUELSEN Und ich werde alles widerrufen, was ich dem
Semper telefoniert hab und werde schweigen – – Ja, ich
war wirklich verwirrt! Was ist doch die Pflicht für ein
abstrakter, zweideutiger Begriff! Sind wir nicht vielmehr verpflichtet, solch eine Begabung zu fördern, als
auf einer pflichtgemäßen Methode herumzureiten, die
nur zu einem Abgrund führt – – zu einem Abgrund, der
zwei Menschen trennt. Wie lächerlich, wie albern! Jetzt
seh ich erst, wie falsch mein letztes Romankapitel ist – –

ich werd es ändern! Komm, laß diese Leute hier, ich les es dir bei mir zuhaus vor.

UNBEKANNTE Morgen.

HUELSEN *stutzt.*

UNBEKANNTE Nicht böse sein, bitte – – aber ich muß hier noch jemand kennenlernen.

HUELSEN *wird wieder mißtrauisch:* Wen?

UNBEKANNTE *lächelt:* »Deinen« Semper.

HUELSEN *erschrocken:* Semper?

UNBEKANNTE *wie zuvor:* Nur keine Angst! Jetzt protegiert sich die Unbekannte selbst – – *Sie nickt ihm zu und ab nach rechts.*

HUELSEN *sieht ihr nach:* »Angst«? Ich bin doch nicht feig? *Er setzt sich verärgert an die Bar.* Einen Kognak! Einen doppelten Kognak!

11. Auftritt

Die Vorigen, Semper, Marquis, Unbekannte.

UNBEKANNTE *kommt in Sempers Gesellschaft mit dem Marquis von links.*

HUELSEN *ist sehr überrascht.*

SEMPER *erblickt Huelsen:* Was seh ich? *Zu Huelsen.* Mein Herr Sekretär sind auch da? Für Sie wärs besser zuhaus im Bett und kalte Umschläg um die Füß! *Er hat mit dem Marquis und der Unbekannten am Bartisch Platz genommen, zu Huelsen.* Was starren Sie, Doktor! Habens einen Starrkrampf?! Kommens lieber her!

HUELSEN *folgt.*

SEMPER *zum Marquis:* Darf ich vorstellen: mein Privatsekretär, Doktor Huelsen, ein sehr ein feingeistiger Mensch. Sie dürfen nicht denken, daß wir beim Film keine literarischen Ambitionen haben!

MARQUIS *verbeugt sich vor Huelsen.*

SEMPER *zur Unbekannten:* Gestatten, meine Dame: Doktor Huelsen – –

HUELSEN *kann sich nicht mehr halten und unterbricht ihn:* Wir kennen uns schon.

SEMPER *überrascht:* Woher?

UNBEKANNTE *faßt sich:* Flüchtig! Von einem literarischen Tee.

HUELSEN Wie bitte?!

UNBEKANNTE *bestimmt:* Von einem literarischen Tee bei der Baronesse Kalkowska.

HUELSEN Das ist zuviel!

UNBEKANNTE *rasch:* Wie bitte?!

SEMPER *zur Unbekannten:* Pardon, aber er ist heut ein bisserl wirr! *Er zieht Huelsen mit sich bei Seite.* Jetzt gibts nur zweierlei: entweder krieg ich einen Anfall oder Sie! Aber ich kann besser toben, mach ich Sie aufmerksam! Kein Wort! Mit einem Besessenen kann man nicht plauschen, ich hab noch genug von Ihrer Telephoniererei zuvor! Mein Erlebnis soll ein Schwindel gewesen sein?! Mich kann man nicht betrügen, höchstens betrüg ich, Sie Anfänger! Sehens die junge Dame vom Marquis, die hat mir alles genau erzählt! Sie kennt Rio de Janeiro und kennt natürlich auch Professor Bossard! Er verkehrte im Haus ihrer Eltern. Naürlich hab ich kein Sterbenswörtlein über unsere Seance gesagt, Ehrenwort ist auch bei mir ein Ehrenwort! So, und jetzt gehens mit Gott! Habe die Ehre und gute Besserung! Adieu! *Er läßt ihn stehen.*

HUELSEN Ja, gute Nacht – – *Ab nach links.*

UNBEKANNTE *wirft ihm einen kurzen, besorgten Blick nach.*

12. Auftritt

Die Vorigen, ohne Huelsen, Bildreporter, Gehilfe.

BILDREPORTER *erscheint mit seinem Gehilfen von rechts und hält freudig überrascht vor dem Bartisch:* Einen Augenblick, meine Herrschaften! Ach, unser Generaldirektor! – – Bitte, bitte, nur noch eine einzige Aufnahme für das »Journal«!

SEMPER *gruppiert sich mit der Unbekannten an der Bar und lächelt in den Apparat.*

BILDREPORTER *visiert:* So ist es fein! *Zum Marquis.* Bitte, etwas näher!

MARQUIS Ich gehör nicht dazu.

BILDREPORTER Pardon! *Zu der Gruppe.* Achtung!

UNBEKANNTE *erhebt im letzten Moment ein Sektglas.*

GEHILFE *läßt das Blitzlicht aufflammen.*

BILDREPORTER Danke!

SEMPER *verläßt während der folgenden Szene die Bar.*

13. Auftritt

Robert, Adolf, Marquis, Unbekannte, Bildreporter, Gehilfe.

BILDREPORTER *zur Unbekannten:* Verzeihen Sie, bitte: dürft ich um Ihren werten Namen bitten – – für das »Journal«.

UNBEKANNTE *überlegt; lächelt dann:* Mein Name spielt keine Rolle. Ich spiele nämlich nur die Hauptrolle im nächsten Großfilm der Pandora.

BILDREPORTER *begreift nicht ganz; automatisch:* Titel?

UNBEKANNTE Die Unbekannte der Seine.

BILDREPORTER Ach!

MARQUIS *horcht auf.*

BILDREPORTER *lächelt überlegen:* Verstehe! Ein genialer Reklametrick! Die Unbekannte spielt die Unbekannte!

UNBEKANNTE Und zwar an Hand der wahren Begebenheit – –

BILDREPORTER Aber die kennt doch niemand!

UNBEKANNTE Doch. Wir wissen bereits alles.

BILDREPORTER Hochinteressant!

UNBEKANNTE Mehr darf ich nicht sagen.

BILDREPORTER Genügt überaus. Gnädigste! Heißen Dank! *Er verbeugt sich tief und rasch ab mit seinem Gehilfen nach links.*

14. Auftritt

Robert, Adolf, Marquis, Unbekannte.

UNBEKANNTE *wendet sich wieder der Bar zu.*

MARQUIS *hat sich erhoben, steht nun vor ihr und fixiert sie.*

UNBEKANNTE *hält vor ihm.*

MARQUIS *sehr erregt, doch beherrscht:* Ich hörte soeben, daß Sie die wahre Geschichte der Unbekannten kennen.

UNBEKANNTE Ja.

MARQUIS Also kennt sie Semper von Ihnen?

UNBEKANNTE Ja.

Pause.

MARQUIS *leise:* Woher kennen Sie den Tatbestand?

UNBEKANNTE *lächelt:* Sag ich nicht.

MARQUIS Weiß Semper alles?

UNBEKANNTE Nein. Das Wichtigste noch keineswegs, das kommt erst noch – – *Sie lächelt wieder.*

Pause.

MARQUIS *faßt sich ans Herz:* Was wünschen Sie von mir?

UNBEKANNTE *perplex:* Wieso?

MARQUIS *fährt sie unterdrückt an:* So sprechen Sie doch!

UNBEKANNTE *starrt ihn an.*

MARQUIS *beherrscht sich und nickt ihr fast ironisch zu.* Vorhin, als ich Sie im Saal herumirren sah, da hatte ich Mitleid mit Ihnen – –

UNBEKANNTE *verlegen:* Oh bitte!

MARQUIS *ändert wieder den Ton; sachlich:* Ich lege Wert darauf, daß diese Angelegenheit sofort, noch heute Nacht, bereinigt wird. *Er sieht sich um.* Aber hier ist wohl nicht der Platz. Darf ich Sie zu mir bitten, die Adresse wird Ihnen wohl bekannt sein, trotzdem – – *Er überreicht ihr seine Karte.* Hier!

UNBEKANNTE *nimmt die Karte, liest sie und sieht ihn wieder groß an; fast ängstlich:* Zu Ihnen?

MARQUIS Fahren Sie vor, ich komme gleich nach.

UNBEKANNTE *zögert.*

MARQUIS So gehen Sie doch schon!

UNBEKANNTE *ab nach rechts, als würde sie träumen.*

15. Auftritt

Robert, Adolf, Marquis.

MARQUIS *sieht ihr in Gedanken versunken nach; dann zu Robert:* Könnt ich telephonieren?

ROBERT Bitte, Herr Marquis!

MARQUIS *am Apparat; leise:* Hallo. – – Ja, ich bin es. Hören Sie, es wird eine junge Frau kommen, sie soll warten. Und wecken Sie den alten Bientôt. *Er hängt ein; tonlos.* Zahlen – –

Vorhang

Dritter Akt

Das Arbeitszimmer im Palais des Marquis de Bresançon.
Durch ein hohes Fenster im Hintergrunde fällt der matte
Schein einer Straßenlaterne auf den Schreibtisch. Rechts
führt eine etwas geöffnete Türe in die Bibliothek, links eine
geschlossene in das Schlafzimmer. Neben dem Fenster, fast
schon in der Ecke, eine Tapetentüre. Alles im Raum ist alt,
einfach und wertvoll, mit einem Wort: kultiviert.
Der Marquis de Bresançon kommt vom Filmball, er eilt so-
fort in sein Arbeitszimmer im ersten Stock und entledigt
sich erst unterwegs seines Mantels, Schals und Hutes, wo-
bei ihm Jean behilflich ist; dieser schaltet auch das Licht
ein, eine Lampe auf dem Schreibtisch, die aber genügend
hell leuchtet, um den ganzen Raum erkennen zu können.

1. Auftritt

Marquis, Jean.

MARQUIS *tritt durch die Tapetentüre ein:* Haben Sie den
   Alten geweckt?

JEAN Sehr wohl, Herr Marquis! Er sitzt in der Bibliothek – – *Er deutet auf die Türe rechts.* Und die avisierte
   Dame ist auch bereits eingetroffen, ich habe sie unten in
   den Salon geführt.

MARQUIS Lassen Sie sie warten, bis ich rufe.

JEAN Sehr wohl, Herr Marquis! *Er will ab.*

MARQUIS *als würde ihm plötzlich noch etwas einfallen:*
   Und: es wird noch ein gewisser Herr Nevieux kommen,
   den führen Sie sofort zu mir.

JEAN Sofort! *Er verbeugt sich und ab durch die Tapeten-*
   türe mit Mantel, Schal und Hut.

Marquis.

MARQUIS *steht kurze Zeit mitten im Raum und denkt vor*
sich hin; geht dann langsam an seinen Schreibtisch, öffnet
eine Lade, holt ein Notizbuch hervor und scheint Zahlen
zu addieren; unten im Parterre schlägt eine alte Uhr die
dritte Stunde; nun hält er das Büchlein in der Hand, als
würde er es wiegen wollen – – plötzlich zuckt er zusam-
men und lauscht; durch die Stille dringt aus der Bibliothek
leises Schnarchen, das allerdings immer kräftiger wird; er
muß unwillkürlich lächeln, erhebt sich, geht an die etwas
geöffnete Türe rechts, öffnet sie ganz und ruft hinein:
Bientôt! *Das Schnarchen bricht ab.* Komm!

3. Auftritt

Marquis, Bientôt.

BIENTÔT *taucht in der Türe rechts verschlafen auf.*

MARQUIS *freundlich:* Setz dich! Zigarre? *Er hält ihm ein*
Kistchen entgegen.

BIENTÔT *setzt sich unfreundlich in einen breiten Lehn-*
stuhl: Nein. Ich pflege Nachts nicht zu rauchen, sondern zu schlafen. Oder zu trinken.

MARQUIS *deutet auf ein Tischchen:* Dort steht Kognak!

BIENTÔT Wo? *Er erhebt sich wieder, geht auf das Tisch-*
chen zu und schenkt sich ein. Seltsam! Ich hab zuvor
grad von Kognak geträumt – –

MARQUIS Tröste dich, du bist nicht der Einzige, den ich
aus seinen Träumen reißen mußte – – Nevieux wird
auch sogleich erscheinen.

BIENTÔT *stockt beim Trinken:* Nevieux? Dreht es sich also
darum?

MARQUIS Ja. Immer hab ich gehofft und hab es doch klar gewußt, daß mit der Zeit auch dieser Augenblick seine Aufwartung machen wird – –

BIENTÔT Was für ein Augenblick?

MARQUIS Es kommt ans Licht.

BIENTÔT *schreit:* Ist nicht Ihr Ernst! Also ich hab kein Wort, keine Silbe! Nichts, nichts! Ich hab geschwiegen Sommer und Winter, Jahr für Jahr, Tag und Nacht! *Er leert verzweifelt sein Glas und schenkt sich rasch wieder ein mit zitternden Händen.*

MARQUIS *ruhig:* Warten wir auf Nevieux.
  Stille.

MARQUIS *zuckt plötzlich zusammen; unterdrückt:* Hast du gehört?

BIENTÔT Was?

MARQUIS *bange:* Es geht jemand draußen – –

BIENTÔT Wer?

MARQUIS *wie zuvor:* Ich weiß es nicht.

BIENTÔT Es gibt keine Gespenster!
  Die Tapetentüre öffnet sich langsam.

BIENTÔT Heilige Jungfrau!

MARQUIS *schnellt empor:* Wer da?!

4. Auftritt

Die Vorigen, Unbekannte.

UNBEKANNTE *erscheint in der Tapetentüre und sieht ängstlich herein.*

MARQUIS Ach, Sie – –

UNBEKANNTE *mit leisem Vorwurf:* Sie sind schon zuhaus und ich wart im Salon – –

MARQUIS Hat Sie der Diener herauf?

UNBEKANNTE Nein.

MARQUIS Hübsch.

UNBEKANNTE Wieso? Ich hab hier oben einen Lichtstrahl gesehen und bin halt herein – –

MARQUIS *ironisch:* Nur einen Lichtstrahl?

UNBEKANNTE *begreift plötzlich; empört:* Wo denken Sie hin?! Ich werd doch nicht spionieren! Aber Ihr Salon ist ja eine dumpfe Gruft, mit lauter Totenmasken und da soll man warten, warten, warten, und weiß überhaupt nicht, auf was, warum und wieso?!

MARQUIS Später!

UNBEKANNTE *ruckartig entschlossen:* Ich geh jetzt.

MARQUIS *tritt ihr in den Weg:* Halt!

UNBEKANNTE Auf der Stell oder ich schrei!

MARQUIS *ruhig, doch bestimmt:* Nehmen Sie, bitte, Vernunft an.

BIENTÔT Richtig!

UNBEKANNTE *erblickt ihn erst jetzt und erschrickt heftig:* Da ist ja noch einer!

MARQUIS *deutet vorstellend auf Bientôt:* Herr Bientôt, mein Freund!

UNBEKANNTE *stutzt, mustert Bientôt; sieht den Marquis ungläubig an.*

MARQUIS Jawohl, mein Freund – – der treu meinem Hause diente.

UNBEKANNTE *lächelt:* Achso – –

MARQUIS *fixiert sie:* Sie werden warten.

UNBEKANNTE *unwillig:* Warum?!

MARQUIS *wie zuvor:* Es dreht sich immerhin um ein Leben.

UNBEKANNTE *sieht ihn groß an und schweigt.*

MARQUIS *sehr bestimmt:* Sie warten.

UNBEKANNTE Aber nicht in der Gruft!

MARQUIS *muß leise lächeln:* Dann hier – – *Er geleitet sie zur Türe rechts.* Sie werden es nicht bereuen.

UNBEKANNTE *frech aus Unsicherheit:* Sie müssen es ja wissen!

MARQUIS *plötzlich sehr ernst:* Gewiß! *Er schließt hinter ihr die Türe rechts.*

5. Auftritt

Marquis, Bientôt.

BIENTÔT *kichert vor sich hin:* Daß die über mich erschrocken ist – –

MARQUIS Freut dich?

BIENTÔT Ja. Wer war denn das?

MARQUIS *sitzt wieder am Schreibtisch und blättert in seinem Notizbuch:* Später!

BIENTÔT Seltsam! Die sieht ihr nämlich ähnlich – –

MARQUIS Wem?

BIENTÔT Ihr.

MARQUIS *herrscht ihn an:* Schweig!
Es klopft an die Tapetentüre.

MARQUIS *zuckt zusammen; dann:* Herein!

6. Auftritt

Die Vorigen, Jean.

JEAN *tritt ein:* Herr Nevieux!

MARQUIS *erhebt sich:* Ich lasse bitten!

JEAN *läßt Nevieux eintreten und schließt die Tapetentüre hinter sich.*

Marquis, Bientôt, Nevieux.
Der Kohlenhändler Nevieux ist ein lebhafter Herr von
ungefähr fünfundvierzig Jahren; Kleidung, Sprache und
Benehmen nach ist er ein braver Kleinbürger, doch etwas
an seinem Wesen erinnert an einen passionierten Karten-
spieler. Er scheint recht nervös zu sein.

NEVIEUX *verbeugt sich:* Marquis! *Er entdeckt Bientôt.* Ah,
Bientôt! Noch gute Nacht oder schon guten Morgen,
man weiß es nicht, was man wünschen soll!

BIENTÔT *schenkt sich Kognak ein:* Es wird bald licht.

MARQUIS Wir haben noch Zeit. Bitte – – *Er bietet Nevieux*
Platz an.

ALLE *setzen sich.*

MARQUIS *leise:* Ich bat euch zu mir, um klar zu sehen, und
zwar sofort. Wir drei sind die einzigen, die jene tragische Verkettung alltäglicher Umstände – – doch nein –
nein! Ich will mich nicht freisprechen! Es war und bleibt
meine Schuld.

Stille.

MARQUIS Ihr, meine Freunde, – – ich darf euch wohl so
nennen?

NEVIEUX Aber Marquis!

MARQUIS *winkt ab:* Ich bin mir der Kluft bewußt zwischen
ehrbaren Menschen und meiner Person! Ihr seid die
einzigen Zeugen jener Tat, die mein Schicksal sein
sollte. Und ihr habt meine Last mitgetragen, seit jener
verhängnisvollen Stunde, in der es geschah – – seit jener
Nacht, in der eine Seele erlosch durch meine Schuld.

NEVIEUX *der nervös-gelangweilt zuhörte, als hätte er diese*
Eröffnungen schon unzähligemal gehört, kann nun seine
Neugierde nicht mehr bezähmen: Sie sagten mir vorhin
am Telephon, es müßte jemand gesprochen haben?

BIENTÔT Also ich kein Wort!

NEVIEUX Auch nicht im Rausch?

BIENTÔT *böse:* Junger Mann, wenn ich einen Rausch hab, dann werd ich totenstill!

MARQUIS Sprechen wir leise, es ist wer nebenan!

NEVIEUX Wer?

MARQUIS Jemand, der alles weiß.

NEVIEUX *erschrickt sehr:* Wie bitte?! *Sehr aufgeregt.* Herr Marquis, ich hab keinen Ton, keine Silbe, keine Andeutung, schon im ureigensten Interesse! Heiligstes Ehrenwort! *Er leert hastig sein Glas Kognak.*
Stille.

MARQUIS Es hat also jeder geschwiegen?

NEVIEUX *rasch:* Jeder!

MARQUIS Da sich also keiner von uns erinnert, gesprochen zu haben, stehen wir vor einem Rätsel.

NEVIEUX *wird immer nervöser:* Vielleicht hat wer – –

MARQUIS *unterbricht ihn scharf:* Wer? *Er fixiert ihn.* Wer weiß noch davon außer uns?

NEVIEUX *rasch:* Niemand! Verzeihung, Marquis, es war nur eine gedankenlose Redensart – – *Er grinst verlegen.* Verzeihung!

MARQUIS *mißtrauisch geworden:* Bitte!
Stille.

NEVIEUX *versucht seine Nervosität niederzuringen:* Sie sagten zuvor, nebenan wäre jemand, der alles wüßte – –

MARQUIS Stimmt. Eine junge Frau.

NEVIEUX Ach!

MARQUIS Eine Schauspielerin, allerdings ohne Engagement.

NEVIEUX Aha. Erpessung?

MARQUIS Ich nehme es an.

NEVIEUX Was denn sonst?

BIENTÔT Dem Luder möcht ich mal meine Meinung ins Gesicht – –

MARQUIS *unterbricht ihn:* Du wirst dich beherrschen!

NEVIEUX Hier hilft nur Geld, wenigstens meiner persönlichen Erfahrung nach. Nur Geld!

MARQUIS Werden sehen.

NEVIEUX Trumpf sticht!

MARQUIS *nickt:* Rien ne va plus.

NEVIEUX Die Kugel rollt – –

MARQUIS Rot oder schwarz.
  Stille.

NEVIEUX Und wenn wir verspielen?

BIENTÔT »Wir«? Ich weiß nichts! Radikal nichts!

NEVIEUX Erzählen Sie das der Polizei!

MARQUIS *herrscht ihn unterdrückt an:* Nicht so laut! *Er erhebt sich.* Ich danke euch!

BIENTÔT *erhebt sich ebenfalls:* Wiedersehen!

MARQUIS Ich kenne den Einsatz, ich kenne das Spiel. Zwar besitz ich nur einen einzigen Trumpf, aber ich werde mich wehren bis zum Nichts.

NEVIEUX *der sich auch erhoben hat, verbeugt sich:* Marquis! *Ab mit Bientôt, der die Kognakflasche mitgehen läßt, durch die Tapetentüre.*

8. Auftritt

Marquis, Unbekannte.

MARQUIS *überlegt einen Augenblick, geht dann an die Türe rechts und öffnet sie:* Darf man bitten!

UNBEKANNTE *tritt ein.*

MARQUIS *hat sich an seinen Schreibtisch gesetzt:* Nehmen Sie Platz!

UNBEKANNTE *setzt sich verärgert neben den Schreibtisch.*

MARQUIS Haben Sie drüben alles gehört?

UNBEKANNTE *empört:* Ich werd doch nicht horchen! Für

was halten Sie mich denn?!

MARQUIS *unbeirrt:* Kennen Sie einen Herrn Nevieux?

UNBEKANNTE Nevieux? Ja. Warum?

MARQUIS Interessant.

UNBEKANNTE Ich kenn sogar zwei Nevieux. Der eine hat eine Fischhandlung und der andere ist ein Souffleur.

MARQUIS *ironisch:* Nur zwei?

UNBEKANNTE *braust auf:* Jetzt wirds mir aber zu bunt! Zuerst kommandierens mir auf dem Ball, ich soll sofort zu Ihnen, dann lassens einen in einer Gruft warten, dann schreiens mich an, ich spionier und ich horch, und dann wollens noch, daß ich einen dritten Nevieux kenn!

MARQUIS Man bittet um eine andere Taktik, Madame!

UNBEKANNTE Ich hab überhaupt keine Taktik, bitt ich mir aus!

MARQUIS Einen Augenblick! Sie erklärten mir auf dem Ball, Sie würden alles veröffentlichen, allerdings unter bestimmten Voraussetzungen.

UNBEKANNTE Stimmt! Nämlich unter der bestimmten Voraussetzung, daß ich die wahre Geschichte der Unbekannten erfahre. Ich kenne sie leider noch nicht.

MARQUIS *starrt sie an, als würde ihn momentan der Schlag getroffen haben; leise, doch außer sich:* Was? Was reden Sie da?!

UNBEKANNTE Keine Ahnung!

MARQUIS *braust auf:* Aber Sie erklärten mir doch eindeutig, daß Sie einen Film an Hand der wahren Begebenheit – –

UNBEKANNTE *unterbricht ihn:* Das hab ich nicht Ihnen erklärt, sondern dem Bildreporter vom »Journal«, und da haben Sie gehorcht, Sie und nicht ich! Sie haben mich ja überhaupt nicht zu Wort kommen lassen! Diesem blöden Reporter habe ich doch nur aus Reklamegrün-

375

den etwas vorgeschwindelt, genau wie dem Semper, zu guter Letzt aus Selbsterhaltungstrieb und aus sonst nichts! Haben Sie eine Ahnung in Ihrem Palais, was dazu für ein Ränkespiel gehört, um als anständige Unbekannte eine Titelrolle zu erreichen! Was man sich da alles erklügeln muß – – ujjeh! Es war doch überhaupt meine Idee, einen Film mit dieser Totenmaske zu drehen, aber mein Exposé wurd nicht anerkannt, wahrscheinlich aus Neid, und jetzt sitzen meine Kollegen verzweifelt im Terminus, weil ihnen kein richtiges Motiv einfällt, warum daß die Unbekannte in die Seine gegangen ist! Und wie Sie mich dann auf dem Ball so seltsam gefragt haben, da hats mir einen direkten Stich gegeben und ich hab es gefühlt, daß Sie etwas wissen müssen, und bin her zu Ihnen, vielleicht um etwas zu erfahren, was wir verwerten können, filmisch und dergleichen! So, jetzt wissens alles!

MARQUIS Es genügt.

Stille.

UNBEKANNTE Gebens mir, bitt schön, ein Glas Wasser!

MARQUIS *erhebt sich, schenkt ein und reicht es ihr.*

UNBEKANNTE Danke! *Sie trinkt aus.*

MARQUIS Hats geschmeckt?

UNBEKANNTE Sehr.

MARQUIS Das ist die Hauptsache – *Er setzt sich und lächelt irr.*

UNBEKANNTE *wird wieder unsicher:* Ich mag nämlich eigentlich keinen Alkohol.

Stille.

MARQUIS *betrachtet sie:* Und Sie wollen die Unbekannte spielen?

UNBEKANNTE Ja.

Stille.

MARQUIS *wie zuvor:* Die war anders.

UNBEKANNTE *wird immer unsicherer:* Wenn ich mich anders frisiere –

MARQUIS Nein. Ich meine, da drinnen – – *Er deutet auf sein Herz.*

UNBEKANNTE Das ist mein Fach.

Stille.

MARQUIS *fixiert sie:* Schämen Sie sich nicht?

UNBEKANNTE Wieso?

Stille.

UNBEKANNTE *sehr unsicher, möchte irgend etwas sagen:* Und – –

MARQUIS *fällt ihr scharf ins Wort:* Und?! *Er erhebt sich und geht auf und ab.* Es ist mir bewußt, daß ich leichtfertig annahm, Sie müßten alles wissen, was verborgen bleiben sollte. Da ich mich aber nunmal in diese Situation manövriert habe, wünsche ich keineswegs, daß sich die Legende auch meiner Person bemächtigt, ich will eine verlorene Position nicht länger verteidigen und ziehe die Wahrheit vor. Hören Sie: vor einem Menschenalter arbeitete hier im Hause, in der Gärtnerei, ein Mädchen. Der alte Bientôt, über den Sie vorhin erschraken, war damals noch keine Mumie. Er war ihr Chef – – und der Einzige unter der Dienerschaft, der sie nicht immer prügelte, mit Worten, Blicken und sogar in der Tat. Sie hatte keine Eltern, keine Freunde – – niemand. Sie kam aus dem Heim zum guten Hirten.

UNBEKANNTE Ist das ein Waisenhaus?

MARQUIS Nein, das ist eine Korrektionsanstalt für verwahrloste weibliche Jugendliche. Die gesamte Dienerschaft, außer, wie gesagt, jene Mumie, fühlte sich durch die Anwesenheit dieses Mädchens beleidigt, entehrt, beschimpft, und gab es ihr tausendmal kund. Aber sie trug jede Kränkung, allen Spott und Schimpf mit heiliger Geduld. Ich war überzeugt von ihrer absoluten

Anständigkeit. Um ihre Peiniger zu beschämen, gab ich ihr eine Gelegenheit, ihre Ehrlichkeit beweisen zu können: ich sandte sie in die Stadt, eine größere Summe auf der Bank abzuholen. Den ganzen Tag wartete ich. Sie kam erst spät in der Nacht und – – hatte das Geld verloren. Erschüttert glaubte ich ihr kein Wort. Hier in diesem Raume, da, da schrie ich es ihr ins Gesicht und jagte sie vor versammelter Dienerschaft aus dem Hause. Dort ging sie hinaus. Ich werde ihren Blick nie vergessen, der mich traf. – Eine halbe Stunde später kam ein braver Mann mit dem Geld, er hatte es im Eisenbahnabteil gefunden. Sie hatte es verloren. *Stille.*

MARQUIS Als ich dann jene Totenmaske erblickte, erkannte ich sie sofort. Ich und Bientôt, sonst keiner – – denn keiner hatte sie im Leben jemals lächeln gesehen. Ja, es ist das Lächeln eines Engels, das Lächeln der Unschuld. Und ich bin ihr Mörder.

UNBEKANNTE *entsetzt:* Nein!!

MARQUIS Doch!

UNBEKANNTE *wie zuvor:* Sie sind doch kein Mörder, das seh ich Ihnen an!

MARQUIS *scharf:* Was sehen Sie mir an, was wissen Sie von mir?! Was wissen Sie von Ihrem Geliebten, Ihren Eltern, Freunden, Bekannten?! Nichts! Sie kennen die Fassade eines Hauses, vielleicht einige Zimmer, das ist alles! Decken Sie die Dächer ab: welche Verbrechen würden Sie entdecken! Hier! *Er reicht ihr hastig aus seiner Brieftasche einen vergilbten Brief.* Lesen Sie ihren Abschiedsbrief! Ihr letztes Wort, das sie mir gab – – – – Lesen Sie!

UNBEKANNTE *liest den Brief und legt ihn dann langsam auf den Schreibtisch:* Die Schrift gefällt mir nicht – –

MARQUIS *faßt sich ans Herz:* Ich muß Sie bitten, in einem

anderen Ton über dieses Wesen zu sprechen, das mein Schicksal geworden ist. Ich bitte um Ehrfurcht. – – So, nun gehen Sie hin und drehen Sie Ihren Film!

UNBEKANNTE *schluchzt.*

MARQUIS *horcht auf und ändert den Ton; fast sanft:* Was ist Ihnen?

UNBEKANNTE *fährt sich mit dem Taschentuch an die Augen; sehr leise:* Ich weiß es nicht. Vielleicht, weil Sie mich für etwas Schlechtes halten – –
Stille.

MARQUIS Verzeihen Sie einem alten Mann – –

UNBEKANNTE *weinend:* Lächerlich! Sie sind doch kein alter Mann!

MARQUIS *horcht wieder auf.*

UNBEKANNTE *ängstlich:* Darf ich jetzt gehen?
Es klopft auf die Tapetentüre.

MARQUIS *zuckt zusammen:* Herein!

9. Auftritt

Die Vorigen, Jean.

JEAN *tritt durch die Tapetentüre aufgeregt ein:* Marquis, ein aufgeregter Mensch möcht Sie sofort sprechen, er hat mich sogar bedroht! Ein Doktor Huelsen!

UNBEKANNTE Heiliges Känguruh, mein Bräutigam!

JEAN *feig:* Wer?!

UNBEKANNTE *entsetzt zum Marquis:* Rettens mich, rettens mich! Der glaubts mir ja nie und nimmer, daß ich nur wegen Ihnen bei Ihnen bin!

MARQUIS *perplex:* Wegen mir?

UNBEKANNTE Oder wegen uns! Ist ja gehupft, wie gesprungen! Rettens mich, der bringt mich noch um!

MARQUIS Nana!

379

JEAN Sicher!

UNBEKANNTE *zum Marquis:* Sie kennen seine Novellen nicht!

MARQUIS Leider – – *Er muß lächeln und deutet dann auf die Türe rechts.* Bitte! Ich werde schweigen.

UNBEKANNTE *wirft ihm einen ängstlich-dankbaren Blick zu:* Oh, Sie sind lieb – – *Rasch ab in die Bibliothek.*

MARQUIS *horcht abermals auf; dann zu Jean:* Ich lasse bitten!

JEAN *verbeugt sich hastig, läßt Huelsen ein und schließt stumm aufatmend die Tapetentüre hinter sich.*

10. Auftritt

Marquis, Huelsen.

HUELSEN *stürzt befrackt, ohne Hut und Mantel, herein; er ist außer sich.*

MARQUIS *erkennt ihn überrascht:* Ach! Ich hatte bereits die Ehre – –

HUELSEN *bitter:* Gewiß! Auf dem literarischen Tee bei der Baronesse Kalkowska! Marquis! Lange Worte haben wenig Sinn: bei Ihnen ist meine Braut. Ich weiß es unfehlbar! In der Bar, vom Mixer!

MARQUIS *kann es nicht fassen:* Von Robert?

HUELSEN Vom Jüngeren!

MARQUIS *beruhigt:* Achso.

HUELSEN Er hörte Sie telefonieren, daß eine junge Frau zu Ihnen kommen würde. Leugnen hat keinen Sinn! Ich fuhr sofort mit der Untergrund her, leider ist die Verbindung in der Nacht miserabel – –

MARQUIS *fällt ihm ins Wort:* Ihr Mixer hat sich geirrt. Hier im Hause befindet sich keine junge Dame.

HUELSEN Ehrenwort?

Stille.

MARQUIS *leise:* Ja. Ehrenwort.

HUELSEN Danke! Ich bin historisch bewandert, und es ist mir bekannt, daß ein Marquis de Bresançon noch nie sein Ehrenwort brach, ja, daß Ihr Geschlecht den Adel dem Tatbestand verdankt, daß einer Ihrer Vorfahren sein Wort, selbst auf der Folter, nicht gebrochen hat.

MARQUIS Ja.

HUELSEN *fixiert ihn:* Er ist lieber gestorben.

MARQUIS Sie haben recht.

Stille.

HUELSEN Verzeihung! *Er verbeugt sich steif verabschiedend.*

MARQUIS Bitte!

HUELSEN *rasch ab durch die Tapetentüre.*

MARQUIS *sieht ihm in Gedanken versunken nach.*

11. Auftritt

Marquis, Unbekannte.

UNBEKANNTE *erscheint behutsam:* Diesmal hab ich gehorcht – –

MARQUIS *hört kaum hin; wie zu sich selbst:* Andere sind zwar lieber gestorben – –

UNBEKANNTE *perplex:* Wie bitte?

MARQUIS *nickt ihr wehmütig lächelnd zu:* Sie haben alles gehört?

UNBEKANNTE Nicht alles. Nur, daß Sie nichts gesagt haben, das hab ich gehört – – *Sie lächelt dankbar.* Und ich werd auch nichts sagen. Auf Ehrenwort.

MARQUIS *gereizt:* Schweigen Sie, bitte!

Stille.

UNBEKANNTE *faßt es nicht, warum er sie angefahren hat; sachlich aus Gekränktheit:* Darf man jetzt weg?

381

MARQUIS *deutet auf die Tapetentüre.*

UNBEKANNTE *wendet sich langsam der Tapetentüre zu, am Fenster vorbei, blickt unwillkürlich hinaus und erschrickt sehr; unterdrückt:* Oh Gott! Ich kann nicht fort! Er steht vor dem Fenster!

MARQUIS *nickt ihr traurig zu:* War zu erwarten – – *Er tritt an das Fenster und blickt hinaus; nach einer kleinen Pause.* Stimmt. Er ist historisch bewandert, aber das Wort eines Bresançon gilt ihm nichts – –

UNBEKANNTE Der hat auch zu mir kein Vertrauen. Er ist ein geborener Pessimist.
Stille.

MARQUIS Es regnet.

UNBEKANNTE *ängstlich:* Jetzt sieht er mich an.

MARQUIS Er kann uns nicht sehen.

UNBEKANNTE *wie ein Kind:* Weil er geblendet ist?

MARQUIS Stimmt! *Er verläßt das Fenster.*
Stille.

UNBEKANNTE Der wird sich noch eine Lungenentzündung holen, und ich bin so müd – – *Sie verbeißt ein Gähnen.*

MARQUIS *schenkt ihr einen Whisky ein:* Wenn Sie befehlen, steht Ihnen jederzeit mein Schlafzimmer zu persönlicher Verfügung – – *Er deutet auf die Türe links.*

UNBEKANNTE Wo denken Sie hin?!

MARQUIS *sieht sie groß an:* Mein Kind, ich denk schon lange nichts – mehr – – *Er leert hastig seinen Whisky.* Da es Ihr Bräutigam mir nicht glauben will, daß Sie nicht hier sind, zwingt er Sie, noch hier zu bleiben. Leider besitz ich keinen Notausgang – – *Er lächelt abermals wehmütig.*

UNBEKANNTE Oh, Sie sind lieb! *Sie muß heftig gähnen.*
Jetzt fahren die Scheinwerfer eines Autos durch das Zimmer, man hört aber keinerlei Geräusch.

UNBEKANNTE Ein Auto! Es hält.

MARQUIS Hier?

UNBEKANNTE Ein Herr steigt aus.

MARQUIS *tritt wieder ans Fenster; überrascht:* Nevieux!

UNBEKANNTE Ach, ist das der dritte?

MARQUIS *rasch:* Ich muß Sie bitten, in der Bibliothek – –

UNBEKANNTE *fällt ihm ins Wort:* Ist da ein Divan drin?

MARQUIS Nein.

UNBEKANNTE Also nur Bücher – – *Sie lächelt.* Dann vielleicht doch lieber dort – – *Sie deutet nach links und
droht ihm mit dem Zeigefinger.* Aber nur zur allerpersönlichsten Verfügung!

MARQUIS *ungeduldig:* Ohne Zweifel! *Er geleitet sie nach
links.*

UNBEKANNTE Man ist doch kein Bücherwurm – –

MARQUIS Schlafen Sie gut! *Er schließt, kurz aufatmend,
die Türe links hinter ihr.*
Es klopft an die Tapetentüre.

MARQUIS Herein!

12. Auftritt

Marquis, Nevieux.

NEVIEUX *tritt ein, er scheint noch nervöser zu sein:* Marquis! Ich nehme an, Sie sind überrascht, daß ich abermals auftauche, aber Ihre Befürchtungen vorhin haben
mich zutiefst erschüttert. Sind Sie mit der Person ins
Reine gekommen?

MARQUIS *hält Distanz:* Die Kugel rollt noch.

NEVIEUX Dann kann man noch setzen. Marquis! Ich habe
Ihnen ein Geständnis – –

MARQUIS *fällt ihm ins Wort:* Sie haben geschwätzt?

NEVIEUX Nicht ich!

MARQUIS *fixiert ihn:* Nevieux, Sie sind ein Hasardeur.

NEVIEUX Leider! Aber jetzt haben Sie die Trümpfe und ich
bloß Mist. Ich vermutete ja sogleich, wer geschwätzt
haben dürfte, und ich nahm mir das Frauenzimmer,
sowie ich wieder zuhause war, energisch vor – – endlich
gab sie es zu: sie hat es der Hausmeisterin erzählt.

MARQUIS Versteh kein Wort.

NEVIEUX Marquis! Als Sie vor einem Menschenalter nach
jenem tragischen Vorfall heimlich nachforschten, ob
Ihre Unbekannte nicht doch irgendwo einen Verwandten hat, dem Sie irgend etwas Gutes tun könnten, um
Ihr Gewissen zu entlasten, da fanden Sie mich – – einen
sechzehnjährigen Lehrling. Zum Studium wars zu spät,
also kauften Sie mir ein Kohlengeschäft, ja sogar im
Testament, wenn ich wohl unterrichtet bin – –

MARQUIS Zur Sache!

NEVIEUX Ich schwieg, trug Ihre Last mit – – aber jetzt hab
ich Angst, denn ich habe die Skandalsucht der Öffentlichkeit mehr zu fürchten wie Sie!

MARQUIS Kaum!

NEVIEUX Doch! Dieser ganze Rattenschwanz von Presse
und Polizei – – Marquis! Ich bin ein Betrüger, ein erbärmlicher Betrüger! Und Ihre Unbekannte ist auch
eine Betrügerin! Sie ist gar nicht tot, sie lebt!

MARQUIS Nevieux!!

NEVIEUX Sie ging wohl in die Seine, aber sie schwamm
auch wieder heraus – – und hat es der Hausmeisterin
erzählt!

MARQUIS *starrt ihn total durcheinander an:* »Schwamm
auch wieder heraus«?

NEVIEUX So wahr ich lebe.

Stille.

MARQUIS *faßt sich ans Herz; sehr leise:* Und, meine Totenmaske?

NEVIEUX *zuckt die Schultern:* Das ist eine andere.

MARQUIS Eine andere? *Er fährt sich mit der Hand über die Augen.* Nein – nein! Sie lügen!

NEVIEUX Ehrenwort!

MARQUIS *macht eine wegwerfende Geste.*

NEVIEUX Ich kann es begreifen, daß ein Bresançon meinem Ehrenwort keinen Glauben schenkt.

MARQUIS *fixiert ihn grimmig.*

NEVIEUX Nicht schlagen, bitte.

MARQUIS Ich pflege nicht zu schlagen.
Stille.

NEVIEUX Wollen Herr Marquis Ihre Unbekannte sehen?

MARQUIS *faßt sich wieder ans Herz:* Sehen?

NEVIEUX Ich hab sie gleich mitgebracht. Ein korrekter Beweis aus Fleisch und Blut – – *Er öffnet die Tapetentüre und ruft hinaus.* Tante, komme herein!

13. Auftritt

Die Vorigen, Tante.
Die unbekannte Tante ist eine Greisin, die immer beschränkt vor sich hinzulächeln scheint. Sie tritt auf einen Stock gestützt ein.

TANTE *zu Nevieux:* Hast du mit ihm gesprochen?

NEVIEUX *laut:* Dort steht er!

TANTE *erblickt den Marquis erst jetzt:* Ah! *Sie verbeugt sich.* Ihr Diener, Marquis!

MARQUIS *erkennt sie allmählich erschüttert.*

TANTE *zu Nevieux; ängstlich:* Wird er mir verzeihen?

MARQUIS *fixiert sie.*

NEVIEUX *zum Marquis; bange:* Sie fragt, ob Sie uns verzeihen –

MARQUIS *unterbricht ihn tonlos:* Ja.

NEVIEUX Tausend Dank!

MARQUIS *schneidet ihm mit einer unwilligen Geste das Wort ab; dann nur um etwas zu sagen, zur Tante:* Und, wie gehts?

NEVIEUX *zum Marquis:* Sie müssen lauter reden – – *Laut.* Tante! Der Herr Marquis erkundigt sich, wie es dir geht?

TANTE Gut. *Sie lächelt den Marquis blöd an.*

Stille.

MARQUIS *plötzlich schneidend laut:* Sie waren eine gute Schwimmerin, wie?

TANTE *glotzt ihn an und zuckt dann entsetzt zusammen; zu Nevieux:* Robert, ich frier! Der Nebel ist schwarz und der Himmel ist Wasser – –

NEVIEUX *unterbricht sie:* Pst! Wir sind nicht zuhaus! *Zum Marquis.* Verzeihung, sie ist halt ein bisserl senil – – *Er deutet auf seine Stirne; zur Tante.* Komm! *Zum Marquis, sich verabschiedend.* Marquis! Ich werde alles in Raten zurück, jede Wohltat – –

MARQUIS Ich verzichte!

TANTE *keifend:* Bring mich ins Bett!

NEVIEUX *herrscht sie an:* Fängst schon wieder an?! *Ab mit ihr durch die Tapetentür.*

14. Auftritt

Marquis.

Draußen dämmert der neue Tag.

MARQUIS *sieht der Tante und Nevieux nach; tonlos:* Sie war es. – – *Er liest ihren Abschiedsbrief nochmals genau durch und blickt dann vor sich hin, als würde er sein Leben abrollen sehen; er nickt.* Das war mein Leben. Aber die Schrift gefällt mir nicht – – *Er grinst und zerreißt ihren Abschiedsbrief.*

Vorhang

Vierter Akt

Im Büro des Generaldirektors der Pandora-Filmgesell-
schaft Alexander Semper. Links steht ein großer Schreib-
tisch, rechts im Vordergrunde einige Klubsessel um einen
kleinen Konferenztisch. An der Wand kleben auffallende
Plakate mit marktschreierischen Titeln. Rechts die Ein-
gangstüre, links eine Tür zum Vorführraum und im Hin-
tergrund rechts ein Fenster, links hinter dem Schreibtisch
eine Tapetentüre mit der Aufschrift »Streng privat«.

1. Auftritt

Huelsen, Bossard.

HUELSEN *sitzt an Sempers Schreibtisch und beschäftigt*
  sich mit der eingelaufenen Post.

BOSSARD *tritt von rechts her ein und verbeugt sich tief:*
  Guten Morgen!

HUELSEN *blickt empor und starrt ihn überrascht an.*

BOSSARD *erkennt erst jetzt Huelsen und wird sehr verle-*
  gen: Ach!

HUELSEN *sehr sachlich:* Einen Augenblick, werde Herrn
  Generaldirektor sofort verständigen – *Er will durch die*
  Türe links ab, hält aber im letzten Augenblick und
  wendet sich wieder Bossard zu; im unterdrückt aufge-
  regten Ton. Sagen Sie: ist unsere Unbekannte im Hotel?

BOSSARD Als ich vor einer halben Stunde um halb acht das
  Hotel verließ, war sie noch nicht erschienen –

HUELSEN So –

BOSSARD *wird immer unsicherer:* Wir sind schon in größter Sorge. Wir wissen überhaupt nichts. War sie denn
  überhaupt auf dem Ball?

HUELSEN Ja.

BOSSARD Ging es glatt?

HUELSEN *grimmig:* Sehr glatt.

BOSSARD Na Gott sei Dank!

HUELSEN Nicht Gott sei Dank, sondern Dank eines »Herrn«, der obendrein meiner Überzeugung nach sein Ehrenwort brach – Schrecklich!

BOSSARD *bange:* Ist ihr etwas passiert?

HUELSEN Wie mans nimmt! Sie ist bei einem Kavalier.
Stille.

BOSSARD Ausgeschlossen!

HUELSEN Das war auch meine Meinung. Noch gestern!

BOSSARD Aber die geht doch zu keinem Kavalier, die nicht!

HUELSEN Auch nicht zum Marquis de Bresançon?

BOSSARD Wer ist das?

HUELSEN Ein Narr! Aber ein Jugendfreund Sempers.
Stille.

BOSSARD Herr Doktor! Ich kenne unsere Unbekannte und es ist meine feste Überzeugung, daß sie niemals –

HUELSEN *unterbricht ihn:* Auch nicht aus Berufsgründen?

BOSSARD Nein auch dann nicht. Aus gar keinen Gründen! Ausgeschlossen!
Stille.

HUELSEN *lächelt verlegen, denn er fühlt sich beschämt:* Ich danke Ihnen. Sie beschämen mich –

BOSSARD Oh bitte bitte!

HUELSEN Unsere Unbekannte erzählte mir mal, man könnte von Ihnen lernen – Es stimmt.

2. Auftritt

Die Vorigen, Semper.

SEMPER *tritt von links ein und erblickt Bossard:* Willkommen, willkommen! Das ist aber schön, daß Sie gleich gekommen sind, ich habe Ihnen ja auch gleich telephonieren lassen, daß ich begeistert bin! Professor, Sie sind ein Genie! Ein wissenschaftliches Wunderwerk und Ihr Gespenst spielt alle an die Wand! Grad hab ich mir die Probeaufnahme zum drittenmal vorführen lassen – phantastisch! Ein Naturtalent! Sogar der Vorführer ist zu mir gelaufen gekommen, wer das Mädel ist! Aber ich habe keinen Namen genannt. *Er lacht.*

BOSSARD Ich bin glücklich –

SEMPER *unterbricht ihn:* Und ich bin enthusiasmiert! Haben Sie nicht übrigens vielleicht ein Exposé über die wahre Geschichte, nur paar Zeilen?

BOSSARD *wechselt einen ängstlichen Blick mit Huelsen:* Eventuell.

SEMPER Nicht auszudenken! Das laß ich von einem blöden Routinier ausarbeiten und schon steht die Welt Kopf! Wissen Sie, Professor, man müßte Ihre Geisteraufnahmen verwenden, das wäre mal ein kühner Vorstoß ins Jenseits, so ungefähr die vierte Dimension als Rahmenhandlung zu einem handfesten Reißer –

BOSSARD *gibt sich einen Ruck:* Herr Generaldirektor! Es dürfte nun an der Zeit sein, daß ich Ihnen eine feierliche Erklärung –

SEMPER *unterbricht und läßt ihn im folgenden nicht mehr zu Wort kommen:* Sie meinen den Vertrag? Keine Sorge! Sie werden einen Grandseigneur kennen lernen! Aber, – *Er zieht ihn etwas näher zu sich und wirft einen verstohlenen Blick auf Huelsen; gedämpft –* jetzt hätt ich noch was privates, intimes –

BOSSARD *leise:* Dreht sichs um ihn?

SEMPER *leise:* Im Gegenteil: es dreht sich um mich! Professor, Sie wären der einzige Mediziner, zu dem ich Vertrauen hätt – als Patient.

BOSSARD *perplex:* Patient?

SEMPER *blickt wieder auf Huelsen:* Leise, leise! Nur nichts
vor dem Angestellten, sonst weiß es morgen die ganze
Branche! Kommens bitte, ich möcht Ihnen was zeigen
an mir. *Er zieht ihn fast mit sich auf die Tapetentüre zu.*

BOSSARD *verzweifelt:* Aber ich bin doch kein Arzt –

SEMPER *unterbricht ihn abermals:* Nicht so bescheiden,
Professor! Ich bin im Bild und hab mich erkundigt.

BOSSARD *verschlägts die Sprache.*

SEMPER Grad heut nacht hat mir eine Dame aus Argentinien von Ihren unglaublichen Heilerfolgen erzählt! Sie
kennt Sie genau!

BOSSARD Wen? Mich?

SEMPER Wen denn sonst?! Sie haben doch mit Ihrer Kunst
einem Ihrer Onkel das Leben gerettet, einem alten Farmer, der sich zwanzig Jahr eingebildet hat, daß er ein
Lama ist –

BOSSARD *irr:* Ein was?

SEMPER Ein Lama. Auf den Steppen, auf den Pampas!
Professor, ich beschwöre Sie, ich hab keine Ruh, bevor
Sie mich nicht untersucht haben! Ich hab eh nie Zeit –
Kommens! *Er drängt den total verwirrten Bossard mit
sich durch die Tapetentüre.*

3. Auftritt

Huelsen, Unbekannte.

UNBEKANNTE *tritt rasch durch die Türe links, erblickt
Huelsen, der Semper besorgt-neugierig nachsieht, und
schreit leise auf.*

HUELSEN *wendet sich ihr ruckartig zu:* Ach! Wo kommst
denn du her?

UNBEKANNTE Durch den Notausgang!

HUELSEN Schon wieder?!

UNBEKANNTE Schrei mich nicht an!

HUELSEN *schreit erst jetzt:* Wer schreit?!

DIE BEIDEN *fixieren sich.*

HUELSEN Wo warst du bis jetzt?

UNBEKANNTE *trotzig:* Auf dem Ball.

HUELSEN Bis acht Uhr früh?

UNBEKANNTE Nein.

HUELSEN Sondern?

UNBEKANNTE Ich war zuhaus.

HUELSEN *unterbricht sie:* Das ist nicht wahr.

UNBEKANNTE Du glaubst mir nicht?

HUELSEN Nein.

UNBEKANNTE *braust auf:* Ich laß mich nicht beleidigen, hörst du?! Ich hab dich noch nie belogen, mit keiner einzigen Kleinigkeit seit wir uns kennen und vorher auch nicht, du oberflächlicher Pedant, du hast also schon gar kein Recht –

HUELSEN *fällt ihr ins Wort:* »Oberflächlicher Pedant« hast du gesagt?!

UNBEKANNTE Beherrsch dich bitte.

HUELSEN *fixiert sie wütend:* Was liebst du denn eigentlich an mir?!

UNBEKANNTE *trotzig:* Nichts!

HUELSEN *hält dicht vor ihr.*

UNBEKANNTE *blickt ihn groß an und lächelt, als würde sie sagen wollen »ich liebe alles an dir«:* Absolut nichts.

HUELSEN Jetzt wirds mir zu dumm! *Er umarmt sie plötzlich und gibt ihr einen langen Kuß und sie umarmt ihn auch.*

Die Vorigen, Semper, Bossard.

SEMPER *erscheint außer sich in der Tapetentüre, gefolgt von Bossard.*

HUELSEN UND DIE UNBEKANNTE *fahren auseinander.*

SEMPER Na, das ist ja eine unerhörte Demaskierung! Hören Sie, Huelsen: er war der Oberkellner in »Flammende Begierde« und der stumme Oberstleutnant in »Des Königs Husaren«! Stumm in einem Tonfilm! Das sagt alles! Gegen so was hilft nur Polizei! Doktor, das Überfallkommando!

HUELSEN *versucht sich zu retten:* Aber Herr Generaldirektor –

SEMPER *unterbricht ihn:* Keine Widerrede! Sie haben recht gehabt: das sind Betrüger, diese Geisterbeschwörer! Fragens ihn selbst, den »Professor«! Grad hat er mir alles gebeichtet.

BOSSARD Freiwillig gebeichtet.

SEMPER Ist ja egal!

UNBEKANNTE Oho!

SEMPER *erblickt sie erst jetzt:* Ach, unsere liebe Unbekannte ist auch da? *Zu Bossard.* Und die kennt Sie aus Rio de Janeiro, obwohl sie seit 30 Jahren tot ist! Das ist ja ein Komplott! Eine Maffia mit Hilfe der Geisterwelt! *Zu Huelsen.* Wir befinden uns unter Hochstaplern. Die Unbekannte spielt die Unbekannte, eine Statistin!

UNBEKANNTE Ich bin eine Seminaristin, Sie, ich war schon ein Jahr engagiert als erste Kraft.

SEMPER *reagiert kaum auf sie:* Nein, diese Blamage! Wenn das die Branche erfährt! Ich wollte einen Engel entdecken und habe eine Statistin gefunden, ein Betrug ist das mit dieser vierten Dimension. Die Stratosphärenmusik ist eine Katzenmusik und es gibt auch kein Leben

nach dem Tod – hin ist hin! *Zu Bossard und der Unbe-*
kannten. Raus! Hinaus! *Es klopft an der Tür rechts.*
Herein!

5. Auftritt

Die Vorigen, Sekretärin.
SEKRETÄRIN *tritt rechts ein:* Ein Telegramm. *Überreicht es*
Semper und ab.

6. Auftritt

Die Vorigen. Ohne Sekretärin.
SEMPER *öffnet und liest das Telegramm, er überfliegt es*
abermals: Was? – – »Und so bitte ich Sie unter keinen
Umständen einen Film ›Die Unbekannte der Seine‹ zu
drehen. Trage alle Kosten. Entschädige Sie für alles – –«
Achtung, Semper, Achtung! Einen Moment! Kalkulation, innere Kalkulation! »Alle Kosten?« Aha! *Zu Bos-*
sard und zur Unbekannten. Ihr seid noch nicht draußen?!
BOSSARD *zuckt zusammen und will mit der Unbekannten*
nach rechts ab: Sofort!
SEMPER Halt! Nur näher Fräulein, wir beißen nicht!
UNBEKANNTE *tonlos:* Sie können ruhig beißen. Ich weiß,
wir haben verloren –
SEMPER Moment! *Zu Bossard und zur Unbekannten.*
Meine Herrschaften! Einen Alexander Semper kann
man nicht blamieren! Absurd! Ich habe doch schon
gestern Abend erkannt, was gespielt wird – Ich hab
diesen ganzen Spuk durchschaut! Aber ich habe nichts
gesagt, denn ich wollt dahinter kommen, ob diese unentdeckten Leut schauspielerische Genie sind oder auch

nicht! Die Herren Regisseure entdecken ja nichts mehr, da muß sich eben der Generaldirektor persönlich bemühen. Hingegen – exorbitant seid ihr auch nicht, ihr Unentdeckten! Aber trotzdem: Ich drehe den Film! »Die Unbekannte der Seine.« Und zwar mit euch!

UNBEKANNTE *überglücklich:* Mit mir?!

SEMPER Jawohl, in der Titelrolle! Der Vertrag ist perfekt. *Zu Huelsen.* Aber wir brauchen ein Drehbuch! Oder auch nur ein längeres Exposé, irgend eine Handlung, wir müssen sofort beginnen.

HUELSEN *zur Unbekannten:* Du hast doch ein Exposé.

UNBEKANNTE Aber das taugt doch nichts.

HUELSEN Wieso?

UNBEKANNTE Aber du hast es doch selbst gesagt, noch gestern.

HUELSEN Gestern ja, aber heute –

UNBEKANNTE *lächelt:* Heute bin ich mir klar darüber: es ist miserabel.

HUELSEN Eine unpraktische Selbsterkenntnis.

UNBEKANNTE *lächelt wieder:* Abwarten! Ich hätte nämlich ein viel besseres Exposé, muß mir das nur noch etwas überlegen – Es ist mir heut Nacht plötzlich eingefallen, wie die wahre Geschichte jenes Mädchens lautet – *Sie wendet sich hastig an Semper.* Kann ich jemandem diktieren? Bin gleich fertig, hab eine phantastisch filmische Idee! Ich weiß es jetzt positiv, warum die Unbekannte ins Wasser ging! Die Geschichte beginnt bei einem Marquis –

HUELSEN *horcht auf und unterbricht sie mißtrauisch:* Bei einem Marquis?

UNBEKANNTE *wird verlegen:* Nun ja – oder bei einem Baron, bei einem Kavalier der alten Schule.

SEMPER Bravo! Alte Schule ist immer filmisch.

UNBEKANNTE *halb zu Huelsen:* Und es wäre einmal keine

alltägliche Liebesgeschichte – sondern dieser Baron kennt ein verlorenes Mädchen, ein Mädel aus einer Besserungsanstalt – er beschützt und behütet sie –

SEMPER Besserungsanstalt – Hübsch, sehr hübsch.

UNBEKANNTE Vielleicht könnte man auch die Handlung so führen, daß das Mädchen ursprünglich aus einer Klosterschule entsprungen ist. Klosterschule und Besserungsanstalt – das Heilige und das Pikante –

SEMPER Ausgezeichnet! Superb! Sie engagiere ich noch als meinen Reklamechef.

UNBEKANNTE Ich bin nur eine Schauspielerin.

SEMPER Aber eine mit Phantasie! Also los, los, diktieren*s* das Exposé! Dort – *Er deutet auf die Türe links.* Meine Privatsekretärin steht Ihnen zur Verfügung.

UNBEKANNTE Danke! *Hocherfreut rasch ab nach links.*

7. Auftritt

Die Vorigen. Ohne Unbekannte.

SEMPER *bietet Bossard und Huelsen Platz an und deutet auf eine Zigarrenkiste:* Zigarre?

BOSSARD Danke. *Er bedient sich.*

SEMPER Sie sind zwar ein Schwindler, aber ein guter Mediziner.

BOSSARD Das geht oft Hand in Hand.

SEMPER Aber meistens umgekehrt: ein guter Schwindler und ein schlechter Mediziner – Na, Huelsen: Was sagen Sie zu dem Mädel? Haben Sie schon mal so was kennengelernt?

HUELSEN Ja. Herr Generaldirektor, darf ich bekanntmachen: – *Er deutet auf die Türe links.* Das Mädel ist meine Braut.

SEMPER Was hör ich?! Sie sind mit jener Begabung verschwägert? Warum haben Sie mir das denn nicht schon früher gesagt?

HUELSEN Ich hab doch erst gestern Abend, hier das Photo – *Er nimmt die Photographie aus seiner Brieftasche.*

SEMPER Ach das war jene –

HUELSEN *nimmt sich beglückt einen Anlauf:* Herr Generaldirektor!

SEMPER Das »General« schenk ich Ihnen! Aber nur Ihnen!

HUELSEN *verbeugt sich:* Ich bin sehr glücklich über meine Braut. Sie wollen ihr also tatsächlich die Titelrolle in dem Film –

SEMPER *unterbricht ihn:* Aber keine Idee! Ich werd mich hüten! Ich tu doch nur so, als würde ich den Film drehen, damit ich dem Marquis Gelegenheit geb, mir den unfertigen Film abzukaufen – *Er schlägt sich auf die Stirne.* Ein Köpfchen, was?

HUELSEN *sehr ernüchtert:* Ach so.

SEMPER Der Mann verspricht uns ein Vermögen, wenn wir den Film, den wir gar nicht drehen wollten, nicht drehen. Also müssen wir ihn drehen, damit wir ihn nicht drehen können –

BOSSARD Das ist aber nicht korrekt.

SEMPER Was?! Sie reden von korrekt. Sie mit Ihrer vierten Dimension?!

Das Telephon auf dem Schreibtisch läutet.

HUELSEN *am Apparat:* Ja. Wer?! – *Zu Semper.* Der Marquis de Bresançon wartet im Vorzimmer.

SEMPER *überrascht:* Ist schon persönlich erschienen? Das geht ja über Erwarten schnell! Soll herein kommen!

HUELSEN *am Apparat:* Herr Generaldirektor lassen bitten.

SEMPER *horcht auf:* Das »General« hab ich Ihnen doch geschenkt.

HUELSEN Ich verzichte.

8. Auftritt

Die Vorigen, Marquis.
MARQUIS *kommt von rechts.*
SEMPER Willkommen, Marquis!
MARQUIS Meine Hochachtung! Hätten Sie einige Augen-
 blicke Zeit für mich –
SEMPER *fällt ihm ins Wort:* Jederzeit. Natürlich!
MARQUIS Ich hoffe, Sie haben mein Schreiben erhalten –
SEMPER *läßt ihn kaum ausreden:* Ja gewiß, aber Ihr
 Wunsch wird ein sehr schweres Problem werden, denn
 die Vorarbeiten für unsere »Unbekannte der Seine«
 sind bereits derart weit gediehen, daß wir ohne mate-
 rielle Debakeln kaum zum Rückzug blasen werden
 können.
MARQUIS Ja –
SEMPER *unterbricht ihn:* Es wird sehr, sehr schwer fallen!
MARQUIS Aber –
SEMPER *unterbricht ihn abermals:* Es dürfte schier unmöglich sein! Ich habe bereits investiert und investiert –
 schier über meine Kraft! Allein die Kosten der Vor-
 reklame übersteigen meine Verhältnisse. Nein, nein,
 hochverehrter Herr Marquis, so plötzlich kann ich das
 nicht unterbrechen –

9. Auftritt

Die Vorigen, Unbekannte.
UNBEKANNTE *kommt rasch von links mit drei Schreibma-
schinenseiten; sie unterbricht Semper:* Hier ist die
Handlung! *Sie erblickt erst jetzt den Marquis und
schrickt zusammen.*
SEMPER *will die Seiten dem Marquis überreichen:* Eine

Zusammenfassung unseres Drehbuches für die Presse-propaganda – *Er überfliegt die Seiten.* Phänomenal! Auf die knappste Formel gebracht. *Zum Marquis.* Darf ich bitten, vielleicht interessiert es Sie?

MARQUIS *lächelt:* Gewiß.

UNBEKANNTE *reißt die Seiten aus Sempers Hand:* Nein!

SEMPER *perplex:* Was ist los?

UNBEKANNTE Nein – er soll es nicht lesen, er nicht!

SEMPER Aber erlauben Sie, der Marquis –

UNBEKANNTE *unterbricht ihn:* Marquis her, Marquis hin! Er ist doch ganz filmfremd.

SEMPER Spielt doch keine Rolle!

UNBEKANNTE Eher zerreiß ich es!

SEMPER Das können Sie nicht, wir haben einen Vertrag! Geben Sie es her, auf der Stelle!

UNBEKANNTE Ich denke nicht daran! *Sie zerreißt es in kleine Stückchen.*

SEMPER *nach einer kleinen Pause; am Telephon:* Bitte den Durchschlag. *Er blickt triumphierend auf die Unbe-kannte.*

HUELSEN *mißtrauisch zur Unbekannten:* Warum hast du es zerrissen?

UNBEKANNTE Ich dachte es hätte einen Sinn, aber es gibt eben immer noch einen Durchschlag.

HUELSEN Was ist denn passiert?

UNBEKANNTE *lächelt:* Es muß nichts passieren, damit et-was passiert –

10. Auftritt

Die Vorigen, Sekretärin.

SEKRETÄRIN *tritt von links ein und übergibt Semper den Durchschlag.*

398

SEMPER Man dankt.

SEKRETÄRIN *wieder ab nach links.*

11. Auftritt

Die Vorigen. Ohne Sekretärin.

SEMPER *überreicht die Seiten dem Marquis:* Darf man
bitten –

MARQUIS *nimmt sie nicht entgegen:* Danke. Aber ich lese
es nur dann, wenn die Dame nichts dagegen einzuwenden hat.

SEMPER Sie hat, kann und darf nichts dagegen! Zu guter
Letzt gehört alles mir – laut Vertrag! Es dreht sich hier
um einen Marquis –

MARQUIS *überrascht:* Ach.

UNBEKANNTE Nein, nicht um einen Marquis, sondern um
einen Baron!

MARQUIS *lächelt die Unbekannte leise an und nimmt Semper die Seiten ab.*

SEMPER *zu Bossard:* Herr Professor, bitte hätten Sie die
Güte, Ihre Mitarbeiter sofort herzubringen!

BOSSARD Warum?

SEMPER Wieso? Warum? Vertrag ist Vertrag.

BOSSARD In jedem Fall?

SEMPER In jedem!

BOSSARD Schön, wir sind sofort zur Stelle – *Er will nach
rechts ab, wendet sich aber noch einmal an Semper.*
Aber das Appartement ist noch nicht bezahlt.

SEMPER Was für Appartement?

BOSSARD Im Terminus.

SEMPER Wird bezahlt. Aber so gehen Sie doch schon!

BOSSARD *ab nach rechts.*

Die Vorigen. Ohne Bossard.

MARQUIS *hat das Exposé gelesen und wendet sich an die Unbekannte; er lächelt:* Und Sie spielen die Titelrolle?

SEMPER *kommt der Unbekannten zuvor:* Natürlich.

MARQUIS Hübsch. Sie wird Ihnen sicher liegen.

HUELSEN *kann sich nicht mehr zurückhalten und fährt plötzlich unterdrückt die Unbekannte an:* Warum hast du das Exposé zerrissen?! Warum hast du es ihm nicht geben wollen?!

MARQUIS *zu Huelsen:* Erlauben Sie, daß ich Ihre Frage beantworte. Diese Idee stammt nämlich nicht von jener Dame, sondern von mir.

UNBEKANNTE *braust auf:* Erlauben Sie, wie können Sie so etwas sagen?!

SEMPER Also das gehört alles nicht hierher, das gehört vor ein anderes Forum! Das ist ein privater Rechtsstreit, ich habe auf alle Fälle den Film erworben und werde ihn drehen, denn wie gesagt, ich habe bereits ein Vermögen investiert – und, hochverehrter Herr Marquis, ich kann es mir leider nicht leisten, Rücksichten auf private Empfindungen zu nehmen, so leid es mir tut. Sie schickten mir ein Telegramm –

MARQUIS *unterbricht ihn:* Das Telegramm ist überholt. Es hat sich inzwischen manches ereignet.

SEMPER Was heißt das?

MARQUIS Eben deshalb bin ich ja nun hier bei Ihnen erschienen, um Ihnen mitzuteilen, daß ich seit wenigen Stunden nichts mehr dagegen einzuwenden habe, daß Sie einen Film mit dem Titel »Die Unbekannte der Seine« drehen.

SEMPER *schnappt nach Luft.*

MARQUIS Ich wünsche sogar, daß dieser Film kommt. Und

zwar mit dieser Handlung – *Er deutet auf das Exposé in seiner Hand.*

UNBEKANNTE *perplex:* Wie bitte?!

MARQUIS *lächelt:* Jawohl, mit dieser Handlung, denn es hat sich seit gestern manches verändert, verändert über Nacht – die Fassade eines Lebens ist zusammen gebrochen, und wer wohnte in den Räumen? Die Angst. Die Angst vor dem eigenen Ich.

SEMPER Lauter Hieroglyphen!

MARQUIS *zur Unbekannten:* Gestern erzählte ich Ihnen diese Handlung –

HUELSEN *fällt ihm ins Wort:* Wo?

MARQUIS Auf dem Ball. *Zur Unbekannten.* Und heute muß ich hinzufügen, daß das Mädchen aus der Besserungsanstalt lebt.

UNBEKANNTE Lebt?!

MARQUIS Sie hat mich inzwischen sogar persönlich besucht. Und sie bat mich um Verzeihung, mich – – Aber ich bin nicht würdig ihr zu verzeihen, denn auch ich, wie jeder von uns, trägt eine Schuld. Und wir werden von ihr nur befreit, wenn wir einen Menschen finden, dem wir sie erzählen können, und der uns anhört –

SEMPER Versteh kein Wort! *Zu Huelsen.* Und Sie?

HUELSEN *zuckt die Schultern.*

UNBEKANNTE Ich glaube, ich fange erst jetzt an zu verstehen – *Sie blickt den Marquis groß an.*

MARQUIS Erinnern Sie sich, als Sie mir gestern – *Mit einem Blick auf Huelsen* – auf dem Ball – sagten, die Unbekannte sei erst im Tod so schön geworden, drum hat sie keiner erkennen können? Vielleicht haben wir sie alle gekannt, vielleicht keiner von uns. Zufällig ist es uns zugeflogen, ein Lächeln und wir fühlen uns schuldig. Mit Recht.

SEMPER Und das halten Sie für einen Film? So ein Lächeln? Das sind keine Aufgaben!

MARQUIS Gerade das würde ich als die Aufgabe des Filmes betrachten, nämlich all das Böse, das in uns lebt, erleben zu dürfen – wenn auch nur als Zuschauer.

SEMPER Und was versprechen Sie sich davon?

MARQUIS *lächelt:* Ich verspreche mir davon, das Kino als besserer Mensch, geläutert zu verlassen.

SEMPER Aber das ist ja unmöglich!

UNBEKANNTE *erfaßt blitzschnell die Situation:* Nichts ist unmöglich! Sie haben doch schon so viel investiert und haben doch schon alles engagiert! Und haben doch schon das phantastische Exposé vertraglich erworben! Es ist richtig, daß die Idee vom Marquis stammt, aber ich bin überzeugt, wir werden uns schon einigen – und ich schlage vor – daß das Drehbuch Herr Dr. Peter Huelsen bearbeitet!

HUELSEN *erfaßt natürlich auch die Situation:* Ich bin gern bereit. – Der Stoff interessiert mich ja schon lange.

MARQUIS *zu Huelsen:* Sie auch?

SEMPER Aber das geht doch nicht so, man kann doch nicht so – so einfach mit dem Kopf durch die Wand!

UNBEKANNTE Mit was denn sonst? Durch die Wand kommt man nur mit dem Kopf.

Vorhang

Varianten

Hin und her

HAVLICEK Die Hoffnung überlassens nur mir! *Er sieht ihr
nach; für sich*. Ein Engel!
Singt.
Ob auch ich mal ein Engerl werd,
wenn ich verlasse diese Erd?
Möglich.
Ob man auch dann den neuen Gast
nicht ohne Paß in' Himmel laßt?
Möglich!
Steh ich hier auf dieser Bruck
und kann nicht hin und kann nicht z'ruck,
so will ich Trost darin finden:
ich büß hier schon alle Sünden.

Haben Sie schon einmal eine Pechserie g'habt
so wie ich?
Sicher haben S' noch nie eine Pechserie g'habt,
so wie ich!
Denn wann Sie schon einmal so im Pech g'sessen waren
wie ich,
so warn S' sicher schon längst aus der Haut gefahren, –
ich noch nicht!

Ob so ein reizends junges Weib
auch in der Eh ein Engel bleibt?
Möglich.
Ob der am End nicht besser fahrt,
der sich die Illusion bewahrt?
Möglich.

Wenn man so oft, wie's mir passiert,
schon in der Wahl sich hat geirrt,
merkt man leider bald ihre Mängel
und wird skeptisch gegen Engel.

Haben Sie schon einmal eine Pechserie g'habt
so wie ich?
Sicher haben S' noch nie eine Pechserie g'habt,
so wie ich!
Denn wann Sie schon einmal so im Pech g'sessen waren
wie ich,
so warn S' sicher schon längst aus der Haut gefahren, –
ich noch nicht!

HAVLICEK Das war ein Hahn. Ist denn schon so spät
oder so früh? – Und ehe der Hahn dreimal kräht, wirst
du mich dreimal verraten – Gott, was für ein tiefes
Wort!
Er singt.
Ein tiefes Wort tut manchmal gut,
wenn dich verlassen möcht dein Mut.
Es hilft dir zwar nur indirekt,
wenn du so sitzst wie ich im Dreck, –
dann hat halt alles keinen Sinn,
her und hin.

Vor allen Dingen brauchen wir
ein Stück gestempeltes Papier,
und weh dem armen Untertan,
der kein Papier vorweisen kann!
Er ist verdammt und muß nun ziehn
her und hin.

Bist du noch so auf der Hut,
ohne Stempel wird nichts gut,
ohne Stempel gibts kein Leben,
ohne Stempel gehts daneben,
ohne Stempel kannst riskieren,
bis zum jüngsten Tag zu spazieren
als ein Pendel ohne Sinn
her und hin!

Jetzt geh ich da so hin und her
und her und hin und hin und her
und wieder her und wieder hin,
immer hin und her, immer her und hin, –

mich wunderts nur, daß ich noch bin,
bei all dem Her und Hin!

Vorhang

Zweiter Teil
Szene 1

Auf dem linken Ufer.
Nun hat der Hahn bereits dreimal gekräht, aber Szamek
und Mrschitzka sitzen noch immer vor der amtlichen
Baracke und haben noch immer Rum. Sie sind bereits
ziemlich angeheitert und singen abwechselnd:

> Als der Adam aus dem Paradies
> mit der Eva damals mußte scheiden
> und ihm Gott der Plagen viel verhieß,
> war der Adam wenig zu beneiden.
> Lieber Gott, so tät er sagen,
> ich will alles gern ertragen,
> bloß nicht den Durscht!

> Gott erbarmt sich seiner Not
> und gab ihm aus Gnade zwei Geschenke:
> er erfand für ihn den Tod
> und die alkoholischen Getränke.
> Und der Mensch zu seiner Labe
> macht Gebrauch von dieser Gabe, –
> er hat halt Durscht!

MRSCHITZKA *spricht:* Prost Szamek! Bist ein Genie!

SZAMEK Was ist ein Genie? Ein genialer Mensch. Und was
ist ein Mensch? Ein Nichts. Also was ist ein Genie? Gar
nichts!

MRSCHITZKA Das ist mir zu hoch. Aber wie du da zuvor
diesen Rauschgiftschmuggler entlarvt hast, das war
schon ganz großer kriminalistischer Stil! Eine Klasse
für sich, eine kriminalistische Sonderklasse für sich.
Nur versteh ich nicht, warum daß du keine Leibesvisitation –

SZAMEK *unterbricht ihn:* Weil ich davor einen Respekt

hab! Nämlich da hat mir erst unlängst so ein Subjekt anläßlich einer Leibesvisitation, die ich an ihm vorgenommen hab, mein Portemonnaie aus der Tasche gestohlen – –

MRSCHITZKA *fällt ihm ins Wort:* Was schadet das ab heut?! Ab heut, wo wir morgen Bankkontos haben werden! Zwanzigtausend! Das ist ein Wort, das zerfließt einem im Maul wie Butter – –

SZAMEK Die Hauptsach ist, daß wir ihn ergriffen haben, diesen Schmugglitschinski! Eingesperrt da drinnen! *Singt.*

Willst du dein vertrocknetes Gehirn
Für den Dienst am Vaterland erleuchten,
darfst du nicht vergessen es zu schmiern
und genügend täglich zu befeuchten.
Ohne diese Geistesfackel
bleibst du stets ein lahmer Lackel, –
das macht der Durscht!

Wenn die Sorge grimmig an dir frißt,
wird der Spiritus dich hold erfrischen,
und wenn du nicht ganz zufrieden bist,
denk dir bloß, wir hätten ›Prohibition‹!
Wenn man dort im Branntweinladen
nichts bekäm als Limonaden,
das wär ein Durscht!!

MRSCHITZKA Sollst leben, Thomas! Ich erhebe mein Glas auf das Gedeihen einer kriminalistischen Leuchte! *Er trinkt.* Meiner Seel, war das eine Lust, wie der da immer zerknirschter geworden ist und alles eingestanden hat!

SZAMEK Also eingestanden, daran kann ich mich nicht erinnern. Mir ist nur bekannt, daß er hartgesotten geleugnet hat.

MRSCHITZKA Aber ist er denn nicht zusammengebrochen

unter der Last der Indizien?

SZAMEK Nein. Er ist nur zusammengebrochen, weil du ihm das Bein gestellt hast, nachdem du ihm eine hingehaut hast.

MRSCHITZKA So? Hab ich das? – – Das weiß ich ja jetzt gar nicht mehr. Schrecklich. Neuerdings kommt mir das häufig vor – – zum Beispiel erst vorige Woch, da hab ich einem eine hingehaut, ganz ohne Grund, und hab das erst bemerkt, wie er mir eine zurückgehaut hat. Ein eigenartiger Zustand!

SZAMEK Sogenannte Absenz-Erscheinungen.

MRSCHITZKA Was? Abstinenz-Erscheinungen? Lächerlich!

SZAMEK Apropos Abstinenz: wo nur die Eva so lang bleibt, diese Bestie!

MRSCHITZKA Wo? Kann ich mir schon vorstellen!

SZAMEK Ich auch! *Er schlägt auf den Tisch; leise.* Das wird noch ein furchtbares Ende nehmen, ein Ende mit einer Axt – –

MRSCHITZKA Mir scheint, du bist angeheitert und siehst schwarz.

SZAMEK Schwarz ist noch viel zu weiß.

MRSCHITZKA Hättest halt das Fräulein Tochter nicht dem Schicksal überlassen sollen.

SZAMEK Dem Schicksal?

MRSCHITZKA Hast doch gesagt!

Stille.

SZAMEK Ja, jetzt erinner ich mich – – Hm. Also wenn das Schicksal eine Hand im Spiel hat, dann kommt die Bestie vor morgen früh nimmer heim – – *Er schläft plötzlich ein vor lauter Rum.*

MRSCHITZKA *betrachtet ihn:* Ist der jetzt schon wieder eingeschlafen? Na höchste Zeit, daß er pensioniert wird, diese Leuchte der Kriminalistik – – *Er gähnt und streckt sich.* Die Hauptsache ist, daß wir ihn ergriffen

haben, diesen Schmugglitschinski! Eingesperrt da drinnen! *Er deutet schwach auf die Baracke und schläft ein.*

Szene 2

*Jetzt tauchen Schmugglitschinski, noch immer als Kran-
kenschwester verkleidet, und Frau Leda auf. Sie bemerken
mit Zufriedenheit, daß Szamek und Mrschitzka eingeschlafen sind und gehen an ihnen vorbei über die Brücke.
Hier kann eventuell untermalende Bühnenmusik einset-
zen. – – – Schmugglitschinski und Frau Leda gehen im
folgenden über die Brücke.*

SCHMUGGLITSCHINSKI *atmet befreit auf, kaum daß er die
Brücke betreten hat, und entledigt sich seiner Kranken-
schwesterhaube; mit überaus tiefer Stimme:* Endlich!
Ich halts in dieser Hauben kaum mehr aus vor lauter
Hitz! *Er wischt sich mit seinem Taschentuch den
Schweiß von der Glatze.* Nur gut, daß wir jetzt schon
diese Malefizrekognosziererei hinter uns haben – *Er
starrt plötzlich Frau Leda an, die steif stehen bleibt,
nichts Gutes ahnend.* Was ist?

FRAU LEDA *mit schwacher Stimme:* Ich kann mich nicht
rühren.

SCHMUGGLITSCHINSKI Bist wieder weg?! Hast wieder geschnupft?

FRAU LEDA Nein. Gespritzt.

SCHMUGGLITSCHINSKI Nicht beherrschen kann sie sich!
Immer wieder dies blöde Rauschgift. Höchste Zeit, daß
du eine Entziehungskur durchmachst! Wie uns da jetzt
dieser Coup gelingt, kommst in eine Anstalt, das prophezeih ich dir, so wahr ich Schmugglitschinski heiß! *Er
schlägt Frau Leda plötzlich auf die Hand, eine Spritze
fällt zu Boden, klirrt und zerbricht. Er schüttelt sie und*

brüllt sie an. Schon wieder, Irrsinnige, schon wieder?!

FRAU LEDA *windet sich unter seinem Griff:* Aber du weißt doch, daß ich süchtig bin! Ich kann nicht so nüchtern schmuggeln.

SCHMUGGLITSCHINSKI Los! Zu! *Er pufft sie über die Brücke.*

FRAU LEDA Au!

SCHMUGGLITSCHINSKI Sei mir nicht bös, aber meine Brutalität ist deine einzige Rettung, Liebling.

FRAU LEDA Au, au!

Solcherart gehen die beiden über die Brücke – an Havlicek vorbei, den sie nicht bemerken, da er sich bei ihrem Kommen versteckt hatte, und der für das Publikum auch erst jetzt sichtbar wird.

Szene 3

HAVLICEK *taucht auf der Brücke auf und sieht interessiert den beiden nach.*

STIMME DER FRAU HANUSCH *von der Stelle aus, wo Havlicek sich verborgen gehalten hat:* Kann man jetzt kommen?

HAVLICEK Ohne Gefahr!

STIMME DER FRAU HANUSCH Ist die Luft rein?

HAVLICEK Wir sind unter uns.

FRAU HANUSCH *erhebt sich und kommt:* Gott, waren das aufregende Szenerien. Ich hab direkt Bauchweh vor lauter Empörung. Daß diese Krankenschwester die arme Kranke so barsch behandelt –

HAVLICEK *fällt ihr ins Wort:* Vielleicht gehört sich das so, damit sie gesund wird.

FRAU HANUSCH Dann soll sie lieber krank bleiben, aber ich kann halt niemand leiden sehen, wenn ich auch oft herzlos wirk durch meine drastische Manier.

HAVLICEK Sie und herzlos? Wo Sie mir da etwas zum Essen bringen mitten in der Nacht? Kalten Braten und passierten Roquefort? Das zeigt von keinem alltäglichen Herzen, Frau Hanusch!

FRAU HANUSCH Wissen Sie, ich war ja schon längst im Bett, aber ich hab keinen Schlaf gefunden, immer hab ich denken müssen: da geht jetzt ein Mann hin und her und niemand laßt ihn rein – – und plötzlich hats mich durchzuckt, ich raus aus dem Bett und daher – Aber Sie haben ja alles stehen lassen! Habens denn keinen Hunger?

HAVLICEK Hunger schon, aber keinen Appetit.

FRAU HANUSCH Armer Mensch!

HAVLICEK Und derweil ist passierter Roquefort meine Leibspeis – – mein Leibkäs gewissermaßen.

FRAU HANUSCH Das freut mich, daß ich es erraten hab.

HAVLICEK Tut mir gut, Frau Hanusch. Wissens, es schaut nämlich einfacher aus, als wie es ist, wenn man so weg muß aus einem Land, in dem man sich so eingelebt hat, auch wenn es vom Zuständigkeitsstandpunkte nicht die direkte Heimat war – – aber es hängen doch so viel Sachen an einem, an denen man hängt. Zum Beispiel, wie ich noch die Drogerie gehabt hab, da hättens mal meine Auslag sehen sollen – – es war das zwar keine große Auslag, mehr ein größeres Fenster, aber was ich da alles hineinarrangiert hab! Rechts medizinisch, links homöopathisch, vorn kosmetisch und hinten die Diskretion – – Red ich Ihnen zu viel?

FRAU HANUSCH Nein.

HAVLICEK Hm. Ja und der Apotheker nebenan, der hat mich dann zugrunde gerichtet. Plötzlich über Nacht hat der sich auch eine Drogerieabteilung angegliedert und dann ist meine Kundschaft dorthin.

FRAU HANUSCH Warum?

HAVLICEK Er war halt beliebter als ich. Das sind eben oft so dunkle Strömungen in der Menschenseele – – da steht man dann und wundert sich. Genau wie im Krieg. Waren Sie im Krieg?

FRAU HANUSCH Ich? Nein.

HAVLICEK Aber in Ihrem Alter – –

FRAU HANUSCH *unterbricht ihn:* Aber ich bin doch eine Frau!

HAVLICEK Großer Gott, das hab ich jetzt ganz vergessen! Meiner Seel, man wird halt schon blöd und blind, wenn man immer so hin und her und immer allein – – – Nur eine Frau könnt mich retten. Ohne Witz.

FRAU HANUSCH Ja. Ein Mann ist schon etwas Notwendiges, wenn er auch nur repräsentiert. Mein Seliger war ein stattlicher Herr. Hundertsiebzehn Kilo hat er gewogen und der ist mir weggestorben – – – Wieviel wiegen denn Sie?

HAVLICEK Weniger. Bedeutend.

FRAU HANUSCH Das merk ich. Wann sinds denn geboren?

HAVLICEK Warum?

FRAU HANUSCH Es interessiert mich.

HAVLICEK Am vierzehnten Juli. Das ist ein großer Tag in Frankreich – – Wissens, da tanzen die Leut auf den Boulevards.
Stille.

FRAU HANUSCH Vierzehnter Juli – – Stimmt!

HAVLICEK Was?

FRAU HANUSCH Ich hab jetzt nur schnell nachgerechnet. Astrologisch. Also nach den Sternen täten wir gut zueinanderpassen.

HAVLICEK Wer?

FRAU HANUSCH Wir zwei.

FRAU HANUSCH

Sehns die vielen Sternlein stehen
über uns?
Alle diese Sternlein weben
an Ihrem und an meinem Leben,
alle diese Sternlein drehen
sich um unser kleines Leben
über uns.

HAVLICEK

Wenn die vielen Sternlein eben
über uns
gar nichts täten, als bloß weben
an Ihrem und an meinem Leben,
wenn sie nur für uns so wandern,
was blieb dann für die andern
neben uns?
Sehns ich glaub nicht, daß das geht,
daß sich's ganze All bloß um uns beide dreht.

FRAU HANUSCH

Jeder Mensch hat einen Planeten.

HAVLICEK Dann hab ich, scheints einen Kometen:
der kommt nur ab und zu daran
und stört den andern ihre Bahn.

FRAU HANUSCH *gleichzeitig:*

Das ist hochinteressant!
Was ist der alls imstand!

HAVLICEK

Dann ist er plötzlich wieder verschwunden,
kümmert sich nicht um seine Kunden, –
wo ist er denn, mein spezieller Komet,
daß es mir so miserabel geht?

FRAU HANUSCH

    Herr Havlicek, gehns lästerns nicht
und glaubens an Ihr Himmelslicht!
Wenns nur die Sterne recht beschwören,
Zärtlich und anzüglich – tuns Ihnen gar noch einen
Schatz bescheren!

HAVLICEK *ohne zu verstehen:*

    Ists weiter nichts? Das tu ich gern.
Nur glaub ich nicht mehr recht an meinen Stern.

BEIDE *zusammen:*

    Venus, Mars und Jupiter, Merkurius,
Pluto und Saturn und Uranus,
bringts uns bittschön kein Verdruß,
tuts doch an unserm armem Leben
mit Vernunft und Ordnung weben
über uns!
Und vergeßts nicht, unserm Leben
auch ein bisserl Glück zu geben
über uns!

FRAU HANUSCH *fällt ihm plötzlich um den Hals und küßt ihn.*

HAVLICEK *etwas betroffen:* Was war das jetzt?

FRAU HANUSCH Ein Stern!

HAVLICEK In unserem Alter? *Er lächelt verlegen.*

FRAU HANUSCH Man ist so alt, wie man sich fühlt und ich
fühl mich noch! – – Schad, daß ich jetzt weg muß, aber
ich muß auf meine Reputation achten, auch wenn ich
morgen Konkurs ansag.

HAVLICEK Auf Wiedersehen. Und ich danke für Speise und
Trank – –

FRAU HANUSCH Geh, du hast ja nichts gegessen! *Sie will
das Essen wieder mitnehmen.*

HAVLICEK Halt! Laß es da! Jetzt hab ich Appetit!

FRAU HANUSCH *gibt ihm rasch einen Kuß:* Schmecken soll

es dir! Schmecken, du braver Mann – – *Rasch ab nach rechts.*

HAVLICEK *ißt und trällert vor sich hin.*

Szene 4

Frau Hanusch geht nun über die Brücke und erreicht das rechte Ufer. Erstaunt sieht sie sich um, da niemand zu sehen ist. Dann horcht sie, nähert sich vorsichtig dem Raubritterturm und sieht durch das Schlüsselloch hinein.

FRAU HANUSCH *erhebt sich wieder:* Gott, es ist doch das Schönste, zwei so junge Menschen in der Umarmung – – *Sie singt.*

Wenn heutzutag ein nettes junges Paar
brennheiß verliebt ist und mit Haut und Haar,
so ist die Frage bald geklärt,
wie man beisamm ist möglichst ungestört.
Heut sind die jungen Leut halt gscheit!
Gmöcht hätten wir ja auch, –
nur leider war es damals noch nicht der Brauch.

Wenn eine Dame, die sich ordntlich pflegt,
nicht grad das Gsicht hat, was man eben trägt,
so nimmts ein' Farbtopf aus dem Schrein
und malt sich in ihr Gsicht ein neues 'nein.
Heut sind die Frauen so viel gscheit!
Gmöcht hätten wir ja auch, –
nur leider war es damals noch nicht der Brauch.

Wenn über diesen oder jenen Fragn
die Volksvertreter sich die Köpf einschlagn,
so schickt mans heim, sperrt d'Buden zu
und hat vom ganzen Parlament sei' Ruh.
Heut sind halt die Minister gscheit!

Gmöcht hättens früher ja auch, –
nur leider war es damals noch nicht Brauch.

Heut hat mir träumt von einem fernen Land,
wo Politik ist gänzlich unbekannt,
dort ist man friedlich und human,
sogar die Frau vertragt sich mit ihrm Mann,
dort kennt man weder Neid noch Streit, –
so möchten Sies halt auch?
Nur leider ist es bei uns noch nicht Brauch.
Ab in Gedanken versunken.

Szene 5

KONSTANTIN *erscheint in der Tür des Raubritterturmes;
er ist etwas derangiert und sieht sich um:* Es war doch
wer da – –

EVA *taucht hinter ihm auf, gleichfalls etwas derangiert:* So
komm doch! Wer soll denn schon?

KONSTANTIN Still! *Er lauscht.* Jetzt hör ich nichts, aber es
ist wer vorbei. Du weißt, ich hör immer her auf die
Grenz, in jeder Situation – und ich hab ein scharfes
Gehör.

EVA Ja, dir entgeht nichts.

KONSTANTIN Hoffentlich warens nicht unsere Rauschgiftschmuggler. Du, jetzt hab ich direkt Gewissensbiss wegen der zwanzigtausend.

EVA Was ist ein Mensch neben einer Million?

KONSTANTIN Nichts.

EVA Komm – –

KONSTANTIN *folgt ihr wieder in seinen Raubritterturm.*

Szene 6

Frau Leda und Schmugglitschinski erscheinen wieder.

FRAU LEDA *leise:* Niemand da? Kein Grenzorgan? Fein!

SCHMUGGLITSCHINSKI *streift wieder seine Haube ab und wischt sich den Schweiß von der Glatze:* Um so besser!

FRAU LEDA Wisch dir lieber nicht die Glatze, sondern gib das verabredete Zeichen!

SCHMUGGLITSCHINSKI *etwas perplex:* Also werd mir nur nicht zu aktiv! *Er winkt mit einer Taschenlaterne.*

Szene 7

Auf dieses verabredete Zeichen hin kommen vorsichtig drei Schmuggler.

SCHMUGGLITSCHINSKI *zu den drei Schmugglern:* Letzter Appell: Hat ein jeder sein Milligramm bei sich?

Szene 8

Die drei Schmuggler kommen zu keiner Antwort mehr, da nun Konstantin wieder aus seinem Raubritterturm tritt und die fünf Leute erblickt.

EVAS STIMME *aus dem Raubritterturm* Konstantin! Es ist doch nichts!

KONSTANTIN *beiseite:* Die Kranke und die Heilige? Zu dieser Stund, wo ein jeder anständige Mensch im Bett liegt? Komisch! *Laut.* Ihren Grenzschein bitte!

SCHMUGGLITSCHINSKI *schlägt ihn k. o.*

KONSTANTIN *bricht lautlos zusammen.*

EVAS STIMME Konstantin! Wo bleibst denn schon wieder so lange?

Eva erscheint, erblickt auf dem Boden ihren bewußtlosen
Bräutigam und dann die Krankenschwester ohne Haube –
sie schreit gellend auf.

SCHMUGGLITSCHINSKI *hält ihr den Mund zu; zu seinen*
  Leuten: Rasch! Knebel! Strick! Rascher! So! Und jetzt
  auch diesen Burschen da.
  Die Schmuggler knebeln und fesseln Konstantin und
  Eva und begeben sich dann unter Anführung Schmug-
  glitschinskis auf die Brücke.
  Alle Schmugglerszenen sind musikalisch untermalt ge-
  dacht.

Szene 10

SCHMUGGLITSCHINSKI *hält plötzlich auf der Brücke und*
  gibt den anderen ebenfalls ein Zeichen zu halten; mit
  unterdrückter Stimme: Was seh ich? Moment! – – Da
  steht ja einer auf der Brücke! Ich wittere Verrat –
FRAU LEDA Um Gottes willen!
SCHMUGGLITSCHINSKI Wer kann das sein? Vielleicht ein
  Agent – ein Vorposten – vorsichtig! *Er setzt seine Haube*
  wieder auf.
FRAU LEDA Nur Mut, wir sind zu fünft!
SCHMUGGLITSCHINSKI *deutet auf die drei Schmuggler:* Die
  zählen nicht mit!
DIE SCHMUGGLER Oho!
SCHMUGGLITSCHINSKI Das sind nur Kulis!
DIE SCHMUGGLER Oho!
SCHMUGGLITSCHINSKI Jetzt aber kein Oho mehr.
DIE SCHMUGGLER Oho!
SCHMUGGLITSCHINSKI *zu Frau Leda:* Wie oft hab ich dir

schon gesagt, verkehr nicht mit dem Personal! Jetzt sind sie frech. *Zu den Schmugglern.* Wartet da! Wir zwei erledigen das schon, und zwar mit List – *Zu Frau Leda.* Komm!

Szene 11

Die beiden nähern sich nun Havlicek, der sie, an das Brückengeländer gelehnt, betrachtet.

SCHMUGGLITSCHINSKI *sehr leise:* Fang an, Leda.

FRAU LEDA *zu Havlicek:* Guten Tag, der Herr.

HAVLICEK Gute Nacht.

FRAU LEDA Ich wäre Ihnen sehr verbunden, wenn wir über die Grenze könnten – ich und die Krankenschwester – –

HAVLICEK Oh bitte, bitte!

FRAU LEDA Aber wir haben leider keinen Grenzschein.

HAVLICEK Keinen Grenzschein? Auweh, dann ist es faul! Also ohne Papier geht das nicht.

FRAU LEDA Ganz sicher nicht?

HAVLICEK Liebe Frau, ich muß es doch wissen –

FRAU LEDA Naturnotwendig, Sie als Grenzorgan – *Sie wendet sich zu Schmugglitschinski und flüstert unter Seitenblicken auf Havlicek mit ihm.*

HAVLICEK ›Grenzorgan‹? Ich?

SCHMUGGLITSCHINSKI *mit tiefer Stimme zu Leda:* Richtig! *Mit verstellter Stimme zu Havlicek.* Bitte strengen Sie sich doch nur nicht so an, als könnten Sie nicht bis drei zählen! *Mit tiefer Stimme.* Wir wissen – *Mit verstellter Stimme* – wen wir vor uns haben – *Mit tiefer Stimme* – und wir wissen – *Mit verstellter Stimme* – daß eine derartige Erkenntnis – *Mit tiefer Stimme* – Geld kostet.

HAVLICEK *zuckt bei jeder ›tiefen Stimme‹ zusammen.*

SCHMUGGLITSCHINSKI *mit verstellter Stimme:* Kurz und gut – *Er reißt die Haube herunter; mit tiefer Stimme –* Ich bin Schmugglitschinski!

HAVLICEK Großer Gott, ein Mann! Ein richtiger Mann!

FRAU LEDA Und ob!

SCHMUGGLITSCHINSKI *zu Leda:* Also das geht dich nichts mehr an! *Zu Havlicek.* Herr! Hier haben Sie fünfzig Gulden und verschwinden Sie, ja?!

HAVLICEK Fünfzig Gulden?!

SCHMUGGLITSCHINSKI Fünfundfünfzig! Aber verschwinden, verschwinden! Avanti, avanti!

HAVLICEK Verschwinden? Wohin, bitte?

SCHMUGGLITSCHINSKI Irgendwohin, Sie eigensinniges Subjekt!

HAVLICEK *brüllt ihn an:* Aber ich kann doch nicht verschwinden, ich bin doch schon verschwunden!

SCHMUGGLITSCHINSKI *wechselt einen überraschten Blick mit Leda:* Ein Narr! *Zu Havlicek.* So nehmen Sie doch Vernunft an!

HAVLICEK Was hab ich davon? Ich bin sehr arm –

SCHMUGGLITSCHINSKI Und da weisen Sie fünfundfünfzig Gulden zurück?

HAVLICEK Was hab ich davon auf einer Brück?! Gesetz ist Gesetz! Und wenn das Gesetz für mich gilt, dann gilt es auch für Sie! O Sie täuschen sich in mir, daß irgend einer sich außerhalb des Gesetzes stellen kann, nur weil er Geld hat!

SCHMUGGLITSCHINSKI Dann bleibt uns allerdings nur dies – *Er packt Havlicek.*

HAVLICEK Hilfe! Hilfe!

SCHMUGGLITSCHINSKI *hält ihm den Mund zu und wirft ihn über die Brücke ins Wasser; dann zu Leda:* Vorwärts los! *Er geht mit ihr weiter über die Brücke, die dreht sich*

*aber rascher, so daß Szamek und Mrschitzka ins Bild
kommen.*

Szene 12

MRSCHITZKA *wacht auf:* Hat da nicht wer nach Hilfe ge-
rufen? *Er ergreift sein Gewehr, bleibt aber sitzen.*
SZAMEK Es war mir auch so – *Er schläft wieder ein.*
MRSCHITZKA Die Stimme kam von drüben, also gehts uns
korrekterweise nichts an, wenn einer umgebracht
wird – *Er schläft auch wieder ein.*

Szene 25

Finale

HAVLICEK
Daß ich das noch durft erleben,
daß es solche reine Freuden gibt!
Plötzlich ist die Grenz gefallen,
ich darf mit den andern allen
in der alten, niegekannten Heimat leben,
die man ohne Grenzen liebt!

SZAMEK
Ohne Grenzen, ohne Grenzen
gäb es keinen Staat und keine Ordnung in der Welt.
Wir tun von den Grenzen leben,
also muß es Grenzen geben.
Nein, das wär ein ganz ein arges Gfrett,
wenn man keine Grenzen, keine Grenzen hätt!

ALLE
Ja, das ist wahr,

das ist ganz klar,
so könnts nicht gehn!
Ohne Grenzen, ohne Grenzen
wär das Leben gar nicht schön.

KONSTANTIN

Denn wenn ein jeder das tät, was er möcht,
und das unterließ, was er nicht möcht,
wenn ein jeder so wär, wie er ist, –
na servus! Das wär ein feiner Mist.
Na gute Nacht, das wär ein Erwachen!
Da hätten wir alle nichts zu lachen!

ALLE

Ja, das ist wahr,
Das ist ganz klar,
So könnts nicht gehn:
Ohne Grenzen, ohne Grenzen
Wär das Leben gar nicht schön!

FRAU HANUSCH

Die Jugend, die ist allweil keck
und räumert gern alle Grenzen weg.
Wir reiferen, gesetzteren Leut,
wir denken an die Ewigkeit.

HAVLICEK, PRIVATPÄDAGOGE, SEINE FRAU

Wir denken an die Ewigkeit!

PRIVATPÄDAGOGE

Vor allen Dingen leiden wir
an einem schrecklichen Gewirr
von Wünschen, Begierden, Gedanken,
von Trieben, gesunden und kranken,
gescheiten und dummen,
geraden und krummen,
wie's heutzutag der Fall ist,
wo kaum noch wer normal ist.

HAVLICEK
In Anbetracht solcher Innenleben
muß es eben Grenzen geben.

ALLE
Ja, das ist wahr!
Es liegt ganz klar
in der Natur:
ohne Grenzen, ohne Grenzen
gibt es keinerlei Kultur!

Y *erscheint auf der Brücke – – er kam vom rechten Ufer.*

MRSCHITZKA *erblickt ihn:* Was seh ich?! Bin ich denn blind?!

SZAMEK Die Exzellenz!

KONSTANTIN Wie kommt denn der von mir dort drüben da
hier her?!

Y Wenn mir nur ein lebendes Wesen sagen könnt, wo
mein penetranter Wagen – –

KONSTANTIN *unterbricht ihn:* Wie kommens denn her von
jenseits der Grenz?!

Y Über die Brücke!

KONSTANTIN Aber wie sinds denn hinüber? Da müssens ja
direkt geschwommen sein!

Y Vielleicht bin ich auch geschwommen! Ich bin ja so
kurzsichtig und ohne Brille seh ich keine Grenzen!

HAVLICEK Dort ist die Tür! Hier ist die Grenz! Marsch!

Y *ab.*

ALLE
Dort ist die Tür! Hier ist die Grenz!
Das gilt für alle in Permanenz.
Grenzen wird es immer geben,
denn von den Grenzen tun wir leben.
So ziehen wir die Konsequenz:
Es lebe hoch die schöne Grenz!

ENDE

Himmelwärts

Im Himmel.
St. Petrus – Engerl.

Und alles was auf Erden g'schieht
Das wird hier droben mitnotiert
Ob groß oder klein
Ich trag alles ein!

Ob einer tut was gutes
Ob einer verprügelt sein Weib
Ob einer lebt als Eremit
Ob einer erobert ein Kaiserreich –

Alles wird hier mitnotiert
Alles, was drunten passiert.

Der Lug und der Trug
Die Wahrheit und die Ehr
Das Gute und das Schlechte
Das Falsche und das Echte

Ich bin die Zeit
Liebe Leut –
Ich leb schon eine Ewigkeit
Und notier bis zum jüngsten Tag – –
Dann leg ich die Feder beiseite –
Dann hör ich auf – – dann hab ich meine Ruh – –

Heroben vergeht die Zeit so schnell
Ich komm oft gar nicht mit –

Schauplatz: Tief drunten in der Hölle.

Szene 1

CHORGESANG DER VERDAMMTEN
O in der Höll drunt ist es heiß
Rinnen müßt da unser Schweiß
Wenn er nur grad rinnen tät
Von morgens früh bis abends spät!
Aber das ist ja grad unsere Qual
Daß wir nicht dürfen nach freier Wahl
Schweißeln, dünsteln, transpirieren
Obwohl es uns tut irritieren!

O Teufel, du harter, du böser du
Laß endlich uns schwitzen für immerzu!

Szene 2

EIN VIZETEUFEL *kommt:* Ruhe! Was plärrt Ihr da schon
wieder Chorål im Dreivierteltakt?! Blamage! Immer
nur / sich selbst beschweren, das hält ja beim Teufel
kein Teufel aus! Zum Teufel!/

Auf der Erde.

Im Mittelalter. Vier Landsknechte saufen in einem Keller.
Die Wirtin bedient.

ERSTER Bier her! Sonst erzähl ich euch nichts!

WIRTIN *kommt mit einem Humpen:* Gleich zahlen, Thomas – –

ERSTER Ich hab kein Geld! Wer zahlt für mich, sonst erzähl ich euch nichts!

ZWEITER Du erzählst uns ja immer dasselbe!

ALLE *außer dem Ersten, lachen.*

DRITTER Und außerdem lügt er, wenn er das Maul auftut!

ERSTER *zum Dritten:* Wer lügt?! Na wart, du! Wenn ich betrunken bin, dann sag ich die Wahrheit, bitt ich mir aus! Und ich schwörs euch beim sämtlichen Bier der Welt, wißt ihr Bsoffenen, wen ich gestern gesehen hab?! Den Teufel!

WIRTIN Was?! *Sie bekreuzigt sich.*

ERSTER Hört her! Ich geh grad durch die Siebenkreuzgassen, und da fängt plötzlich die Luft an, so komisch zu flimmern, wie lauter kleine Flammen, als tät die Luft in der Sonne brennen – –

ZWEITER Da wirds eher bei dir im Kopf gebrannt haben, das Bier – – *Er grinst.*

ERSTER Nein, du Aff, ich war ganz nüchtern, mit dem Teufel mach ich keinen Spaß! Also, ich geh durch die Siebenkreuzgassen und da geht auf einmal der Teufel vor mir und geht schnurstracks und verschwindet – – wißt ihr wo? In dem – *Er deutet auf den Dritten* – seinem Haus!

DRITTER Was?! Bei mir?!

ERSTER Ja, bei dir! Und weißt du, wer ihn erwartet hat? Dein Weib!

WIRTIN Jesus Maria!

DRITTER Was?! Mein Weib?!

ERSTER Ja, und der hat gleich seinen Arm um ihre Taille gelegt und ist mit ihr verschwunden – – Glotz nicht so dumm, dein Weib hat was mit dem Teufel, verstanden?!

DRITTER *zieht sein Schwert:* Was hast gesagt?! Das sollst mir büßen! *Er will auf ihn zu, faßt sich plötzlich ans Herz und bricht zusammen.*

ALLE *stehen versteinert.*

ZWEITER Mir scheint, den hat der Teufel geholt.

WIRTIN Seine Frau ist eine Hex, das steht fest – – *Sie bekreuzigt sich wieder.*

ERSTER *plötzlich:* Aber ist ja alles gar nicht wahr, ich hab ja nur einen Witz gemacht! War ja alles nur Schwindel!

WIRTIN Das kannst du jetzt nicht mehr erzählen!

ZWEITER Jetzt ist es zu spät.

Variante zu Seite 199 ff.

[. . .]

VIZETEUFEL Gratuliere!

LUISE Ich gehöre Ihnen ganz und gar –

TEUFEL *nickt zustimmend:* Laut Vertrag –

VIZETEUFEL Gratuliere!

TEUFEL Kusch!

VIZETEUFEL Aufzuwarten!

LUISE *starrt in den Spiegel und spricht zu sich:* Luise!
Luise! – bist allein im Zimmer und gehst durch alle deine
Zimmer und in jedem sitzt eine Luise, und nur im Salon
sitzen zwei und die eine schwört: »Nie wieder, nie wieder«. Und die andere sagt: »Du kannst doch nicht
schwören, du hast doch keine Finger, keine Hand, keinen Arm –«

TEUFEL Was sind denn das für Gefühle?!

LUISE *brüllt sich im Spiegel an:* Meine privatesten Gefühle. Pfui Teufel! *Sie spuckt sich im Spiegel an, fährt
hoch und eilt zitternd hin und her.*

TEUFEL »Privateste«? Aha! *Zum Vizeteufel.* Wer hat denn
in einen Vertrag schon wieder einmal »privat« statt
»privatest« geschrieben? Du! Diese Schlamperei schreit
zum Himmel! Raus! *Deutet auf den Kessel.* Rein!

VIZETEUFEL *ab.*

TEUFEL *sieht ihm grimmig nach:* Daß ich immer erniedrigt
werden muß.

LUISE *stampft mit dem Fuß:* Hörst du mich da drunten?

TEUFEL Gewiß, gewiß!

Stille.

LUISE *plötzlich leise vor sich hin:* Es schneit, es schneit –
Sie nickt – und ein Reh tritt aus dem Wald. Ich sehs noch
dort stehen im Schnee –

TEUFEL Was?

LUISE Das Reh. Der Winter ist tief, aber mir ists heiß.

TEUFEL Mir scheint, du solltest dich mal ein bisserl analysieren lassen –

LUISE Analysieren?

TEUFEL Oder im Gegenteil: synthetisieren. Was weiß ich! Von da herunten kann ich Analyse und Synthese nicht so genau unterscheiden, es ist ja auch wurscht – kurz und gut: ich weiß nur, du brauchst einen Mann.

LUISE Ph! Als hätt ich nicht schon genug Männer gehabt!

TEUFEL Dann war eben der richtige nicht dabei.

LUISE *seufzt:* Ich glaube nicht daran –

TEUFEL An was?

LUISE Daß es den richtigen überhaupt gibt.

TEUFEL »Überhaupt gibt«? Einen Moment! *Er steigt empor.* Luise, Luiserl. Wie kannst du ein derart ungereimtes Zeug daherreden, daß es für dich keinen Mann gibt und zwar erst überhaupt nicht! Es ist eben der richtige noch nicht gekommen. Schau mich an!

LUISE *starrt ihn an:* Ich schau.
Stille.

TEUFEL *unsicher:* Was schaust du so?

LUISE Du bist so haarig.

TEUFEL Haarig? Aber Kind! Es kommt doch nicht auf das Äußere an, es kommt doch auf ganz andere Werte an, auf innere Werte – da kann einer haarig sein, wie er mag, es ist doch egal, wie einer aussieht.

LUISE Meinst du?

TEUFEL Ja. Die Hauptsache ist, daß er ein Kerl ist da drinnen.

LUISE *höhnisch:* Und das sagst du?

TEUFEL Jawohl, ich!

LUISE Du, der du mich durch einen Vertrag an dich gebunden hast?!

TEUFEL Ich dich? Du hast doch den Vertrag freiwillig unterschrieben!

LUISE Freiwillig?! Ich war doch in größter Not, wußte nicht mehr, wo mir der Kopf stand –

TEUFEL Für die Not kann ich nichts.

LUISE Sondern?

TEUFEL *blickt zum Himmel empor:* Reden wir nicht mehr darüber. Sonst werd ich wieder an allem schuld, und zwar automatisch. – *Er legt seinen Arm um ihre Schulter.* Glaub nur ja nicht, daß es allen Teufeln gut geht, ich habs dir ja gesagt, vertraglich gesagt, daß du die wahre Liebe nur bei mir findest – bei mir wirst du alles vergessen –

LUISE *weg von ihm:* Du bist mir zu haarig –

TEUFEL Aber es kommt doch nicht auf das Äußere an! Es ist doch gleich, wie wer aussieht!

LUISE Da bin ich anderer Meinung.

TEUFEL *herrscht sie an:* Sei nicht so äußerlich, ja?! Das ist ja eine Affenschand!

LUISE Schand her, Schand hin! Ich bin an dich vertraglich gebunden, das stimmt! Aber ich halt das nicht mehr aus, jawohl, ich halt das nicht mehr aus! Ich möcht einen Mann haben, zu dem ich auch richtig gehöre –

TEUFEL Du sprichst, als gehörst du nicht zu mir – und derweil hast du doch unterschrieben –

LUISE So reit doch nicht immer darauf herum!

TEUFEL Ich reit nicht!

LUISE Ich auch nicht!

TEUFEL Na also!

Stille.

LUISE *gehässig:* Na also. Und ich sags dir jetzt in größter Ruhe: lösen wir unsern Vertrag.

TEUFEL Was hör ich? Lösen? Den Vertrag?

LUISE *starrt stumm und stier ins Leere, bricht nun über*

ihrem Toilettentisch nieder und weint: Bitte, bitte, bitte –

Sie weint leise.

Stille.

TEUFEL Na servus! *Er blickt nach dem Himmel empor.* Möchte nur gern wissen, wer mir dieses Weekend wieder mal vermasselt –

LUISE *erhebt sich plötzlich:* Es ist aus zwischen uns –

TEUFEL Und warum?

LUISE Ich will nicht mehr so weiterleben. Ich möchte einen richtigen Mann lieben können und von dem möcht ich ein Kind –

TEUFEL Ein Kind?! Ja schämst du dich denn gar nicht?! Als Fräulein ein Kind?!

LUISE Entrüste dich nicht, nur weil du niemals Vater sein kannst. Deine Kinder – na gute Nacht!

TEUFEL Gute Nacht oder guten Tag! Ich kann keine Kinder fabrizieren, denn ich bin ein Prinzip! Ich kann es soweit bringen, daß du eine schöne Stimme hast, daß du einen Roman schreibst, einen sehr erfolgreichen Roman –

LUISE Ich verzichte auf jeden Roman! Ich möchte ein Kind!

TEUFEL Launen!

LUISE Das sind keine Launen, das sind meine tiefsten innersten Gedanken, meine privatesten Gefühle –

TEUFEL »Privatesten«?!

LUISE Ich möchte das kleine Glück.

TEUFEL So?! Das kleine?! In einer Wohnküche mit Mann und Kind – habe die Ehre!

LUISE So lösen wir doch unseren Vertrag!

TEUFEL So?! Und dann hättest du gleich ein Kind?!

LUISE Sofort! Weil dann die innere Bereitschaft dafür da wär –

TEUFEL Verkrampfte Person!

434

LUISE Ich kann so nicht weiter – *Sie weint.*

TEUFEL Und dein Erfolg?! Und dein Triumphe?!

LUISE Die freun mich nicht!

TEUFEL Tu nur nicht so blasiert, ja?!

LUISE Gib mich frei! Die Zeit steht nicht still und ich hab Angst, was ich noch alles anstellen werd, damit ich mich vergessen kann!

TEUFEL Was willst denn anstellen?!

LUISE Ich werde dich betrügen.

TEUFEL Mich?!

LUISE Ich setz dir Hörner auf –

TEUFEL Untersteh dich –

LUISE *unterbricht ihn:* Ich untersteh mich! Ich zerreiße jeden Vertrag! Es gibt keinen Vertrag, der meinen freien Willen bindet!!

TEUFEL Das wär aber nicht anständig zu mir.

LUISE Zu dir?! Kann man zu dir überhaupt anständig sein?!

TEUFEL Leider nein.

INSPIZIENT *erscheint in der Garderobentür:* Ihr Auftritt bitte! *Ab.*

LUISE *tonlos:* Ich komm schon – – *Sie rafft sich etwas zusammen, trocknet ihre Tränen, schminkt sich ein bisserl um die Augen herum ab, um aufzutreten.*

TEUFEL *allein:* Peinlich, peinlich! Hab ich mir anders erwartet – – *Er zieht sich den Frack aus.*

LUISE *singt nun auf der Bühne.*

TEUFEL *horcht auf:* Schön. Wenn man bedenkt, so eine Prachtstimm kommt von mir und bringt ihr keine Freud – – *Er lauscht wieder ein bisserl.* Schad, daß die sich nicht freut, hätt mich gern ein bisserl mitgefreut – – und derweil? Wieder ein verpatzter Nachmittag! Hölle, Tod und ich selbst, was ich mach, mach ich falsch! *Er blickt in den Himmel empor.* Jetzt sollt ihr mich aber mal kennenlernen, ihr dort ganz droben über euren höchsten Wolken! Jetzt bin ich imstand und zerreiß den Vertrag! *Er nimmt den Vertrag aus der Schublade seines Nachtkasterls, setzt sich auf den Bettrand und überfliegt ihn.* Das ist er, Name, ledig, oval, geboren wann, sterben wann, keine besonderen Merkmale – – *Er zerreißt den Vertrag.* Jetzt soll sie mit ihrem freien Willen fertig werden!

LUISE *hört plötzlich zu singen auf.*

TEUFEL *lauscht.*

Musik bricht ab und Tumult auf der Bühne.

Anhang

Eine Unbekannte aus der Seine

Ödön von Horváths langjährige Freundin Hertha Pauli berichtete aus dem Jahr 1933: »›Schreiben wir die Inconnue de la Seine zusammen‹, schlug er mir eines Tages vor. Ich war glücklich. Doch stellte es sich heraus, daß Ödön weder eine Vorlage (wie meine Erzählung)[2] benutzen, noch irgendwelche Ideen verwenden oder Vorschläge annehmen konnte. Seine Figuren erschienen, besaßen ein Eigenleben und taten, was sie wollten. Er schrieb es auf und war unfähig, etwas daran bewußt zu ändern. So entstand ›Die Unbekannte aus der Seine‹. Genau wie seine anderen Stücke.«[3]

Am 13. 7. 1933 meldete ›Die deutsche Bühne‹ in der Rubrik »Neue Werke« Horváths *Unbekannte aus der Seine* – und einen Monat später, am 12. 8. 1933, schrieb Franz Theodor Csokor, der sich bei Jan Fabricius[4] am Wörthersee in Kärnten aufhielt, an Horváth, der zwischenzeitlich die Wohnung Csokors in Wien[5] benutzte: »Deine ›Unbekannte aus der Seine‹ bringt also das ›Theater der Neunundvierzig‹ im Keller des Hôtel de France als nächste Premiere? Das Stück gehört natürlich auf eine richtige Bühne, und es ist eine Affenschande, daß in einem Land, wo man vorderhand noch das Maul aufmachen kann, und nicht nur zum Fressen, sondern auch, um etwas zu sagen wie Du – damit in eine Katakombe gegangen werden muß.«[6] Am 2. 9. 1933 berichtete Csokor seinem Freund Ferdinand Bruckner, daß er »eben« Horváths »seltsam gespenstiges Kammerspiel« *Eine Unbekannte aus der Seine* lese und es »eine herrliche Rolle für die Elisabeth Bergner«[7] enthalte. Am 16. 9. 1933 erschien in der ›Deutschen Bühne‹ dann die Notiz, daß der Georg Marton Verlag in Wien die Vertriebsrechte erworben habe.

Unter der Überschrift *Oedön-Horvath-Premiere am Reinhardt-Seminar* berichtete die ›Wiener Allgemeine Zeitung‹ am 11. 1. 1934, Horváth habe »soeben ein neues Stück vollendet, ›Die Unbekannte aus der Seine‹, das von Direktor Dr. Preminger zur Uraufführung angenommen wurde. Interessanterweise wird aber die Uraufführung nicht im Theater in der Josefstadt, sondern im Schönbrunner Schloßtheater[8], dargestellt von Schülern des Reinhardt-Seminars, unter

Regie Dr. Premingers selbst, erfolgen. ›Mein neues Stück‹, erzählt Oedön Horvath, ›ist ein ausgesprochenes literarisches Experiment. Seine Aufführung muß für jeden Theaterdirektor zunächst als ein Wagnis erscheinen. Ich bin selbst der Ansicht, daß es höchst fraglich ist, ob das Stück im Abendrepertoire eines großen Theaters en suite gespielt werden könnte. Bei der herrschenden Situation im Theaterleben bedeuten Stücke, die in irgend einer Weise ein gewagtes Experiment darstellen, ein ganz außerordentliches Risiko. [. . .] Von der Wirkung, die das Stück im Schönbrunner Schloßtheater haben wird, wird es abhängen, ob es vielleicht doch in einen Abendspielplan übernommen werden kann.‹«

Die geplante Uraufführung am Reinhardt-Seminar kam dann nicht zustande. Sie fand erst am 16. 9. 1947 am Volkstheater in Linz-Urfahr statt; Regie führte Theo Frisch-Gerlach.[9]

Skizzen und Entwürfe im Nachlaß fehlen; erhalten sind zwei textidentische Typoskripte[10], von denen eines den Vermerk »Copyright 1933 bei Georg Marton, Wien«, das andere den Vermerk »Copyright 1934 by Georg Marton, Wien« trägt und mit einigen wenigen hs Korrekturen Horváths versehen ist. Dieses 74seitige Exemplar diente als Druckvorlage.

Im Druck erschien Horváths *Unbekannte aus der Seine* zum ersten Mal in dem Auswahlband *Stücke*, hg. v. Traugott Krischke, Reinbek bei Hamburg 1961 (S. 205-247).

Unter dem Titel *Neznámá ze Seiny* erschien die tschechische Übersetzung von Karla Kvasnickova in dem Auswahlband *Povídky z Vídeňského lesa a jiné hry* (zusammen mit *Geschichten aus dem Wiener Wald* und *Figaro läßt sich scheiden*) 1968 bei Orbis in Prag.

Hin und her

Am 25. 7. 1933 wurde zwischen Marton und Horváth ein Vertrag über ein Stück mit dem »provisorischen Titel« *Die Brücke* geschlossen.[11] In der ›Wiener Allgemeinen Zeitung‹ vom 14. 9. 1933 äußerte sich Horváth über die Entstehung des Stückes: *Ich habe mir diese Fabel bis in ihre letzten Einzelheiten ausgedacht und schon fünf Tage lang daran gearbeitet, als ich zu meiner größten Überraschung eine*

*Zeitungsmeldung las, die genau den Inhalt meines Stückes enthielt.
[...] Ich habe dieser Meldung nichts für mein Stück entnommen – es
ist reiner Zufall, daß ich eine Handlung ersann, die sich kurz darauf
dann wirklich zutrug.*[12] Gleichzeitig kündigte die Zeitung an, daß
Hin und her »höchstwahrscheinlich um die Weihnachtszeit am Deutschen Volkstheater [in Wien] unter der Regie Karl Heinz Martins zur
Uraufführung gelangen wird«. Diese Mitteilung rief einen Presse-
skandal hervor. Im Wiener ›12-Uhr-Blatt‹, der Mittagsausgabe des
berüchtigten deutschnationalen und antisemitischen ›8-Uhr-Blattes‹,
erschien am 15. 9. 1933 unter der Überschrift *Ein berüchtigter Autor
im Deutschen Volkstheater* ein Hetzartikel gegen Horváth, »der
Österreich vor den Augen des Auslands in den Kot gezerrt und den
Berlinern den Österreicher als kretiniertes Wesen vorgestellt hat«.
Fünf Wochen später, am 21. 10., polemisierte das gleiche Blatt mit
einer gezielten Auswahl negativer österreichischer Pressestimmen zur
Uraufführung von *Geschichten aus dem Wiener Wald* noch einmal gegen Horváth, der daraufhin die Zeitung verklagte. Im Januar 1934
wurde die »Preßklage« vor dem Wiener Strafbezirksgericht 1 verhan-
delt und der verantwortliche Schriftleiter des ›12-Uhr-Blattes‹ Dr. Felix Potz schließlich zu einer Geldstrafe von 200 Schilling verurteilt.[13]
Auch im Interview mit der ›Wiener Allgmeinen Zeitung‹ am 11. 1.
1934 sagte Horváth, daß sein Stück *voraussichtlich im Februar [...]
am Deutschen Volkstheater herauskommen* werde.[14] Aber weder *Die
Unbekannte aus der Seine* am ›Schönbrunner Schloßtheater‹ noch
Hin und her am ›Deutschen Volkstheater‹ wurden wie vorgesehen in
Wien uraufgeführt.

Den wenigen aufgefundenen skizzenhaften Notizen[15] in Horváths
Nachlaß ist zu entnehmen, daß Horváth ursprünglich drei Possen
mit je einem Akt zusammenfassen wollte: *Hin und her, Drunter und
drüber, Auf und ab.* Auf einem anderen Skizzenblatt[16] ist zu lesen:
Drunter und Drüber.
Posse mit Gesang und Tanz in zwei Teilen.
Erster Teil: Hin und her.
Zweiter Teil: Auf und ab.
Zum *Zweiten Teil* skizzierte Horváth[17]:
Frau Hanusch: Ich hab gedacht, ich krieg wieder einen Mann zum

441

repräsentieren, derweil hat er sich sein Zimmer zu einem Laboratorium eingerichtet – – da hörens nur, wie er kracht! Manchmal fürcht ich mich direkt, dass das Haus explodiert!

Eva: Liebe Frau Havlicek, mit den Männern haben wir unser Kreuz – mein Konstantin war immer so frisch rasiert, und jetzt mein ich oft, er sieht aus wie ein Apostel.

Zu einem vorgesehenen *Dritten Teil* hieß es in einer Skizze[18]:

1.) Die Kranken: Der Meister wird bald kommen –

Havlicek: (kommt) Grüss Gott, da bin ich! Na, wo fehlts? Nein, bei Scharlach kann ich nicht helfen – nein nein nein!

Kranker: Sie können alles!

Havlicek: Stimmt nicht. Ich hab nur ein Hustenbonbons erfunden –

Eine Kranke: (hysterisch) Hustenbonbons! Gross ist Deine Güte, Meister!!

(alle ab)

Frau Hanusch: (kommt mit) ⟨?⟩ (der nicht)
Sanatorium Havlicek
Inhaberin: Frau Havlicek.

Havlicek: Was soll das?

Frau Havlicek: Das Schild.

Havlicek: Aber ich hab doch nur ein Hustenbonbons erfunden – [Und Du hast überhaupt nix erfunden!]

⊗

Eva: (kommt zu) Frau Hav: – *Eva:* Mein Konstantin ist erkaltet. –
Frau Hav: Er wird Dich segnen. Hier eine Pille!

Hav: (zur Frau) [Streich das Schild durch! Gasthof Havlicek. Was brauch ich die Kranken? Mir genügen die gesunden Gäst! Ich möcht keine Pillen verkaufen, ich möcht Bier ausschenken!] Du bist so habgierig! Du kannst das Glück nicht ertragen – und wenn wer das nicht ertragen kann, dann gehts hin und her, und auf und ab und drunter und drüber!

Auf einem anderen Blatt[19] entwarf Horváth:

⟨1.)⟩ Hin und Her.

⟨2.)⟩ Auf und Ab.
Frau Hanusch – ist pleite

442

[*Wir sind schon seit dem Frühjahr verheiratet.*
Eva: Bei meinem Vater waren noch verschie-
dene Widerstände zu überwinden. Aber nach-
dem unsere beiden Staaten einen Nichtangriffs-
pakt unterzeichnet haben, hat er nichts dagegen
gehabt, dass wir heiraten.]

⟨*Eva heiratet ins Pleitehaus.*⟩

Havlicek.

Die Gläubiger. – einer hat Husten, kriegt von Havlicek ein
Hustenbonbons. Wird gesund. Will es abkau-
fen. – – Alle drei Gläubiger überbieten sich im
Steigern.

Havlicek nimmt das Geld.

(*Nur Konstantin hat Husten und kriegt ihn nicht los.*)

[*Konstantin: Dein Hustenbonbons ist Dreck – jetzt werd ich*
meine ganze Hochzeitsnacht verhusten. Wenn ich mir nur nicht
erbrech!
Eva: Du wirst nicht husten – ich werd Dich in meine Arme
nehmen und es wird ganz still auf der Welt sein – kein Husten
wird unser Glück stören.]

Unter der Überschrift *Die brave Fee von Felsenstadt,* als *Posse in*
einem Akt geplant[20], findet sich ein erster szenischer Hinweis auf das
spätere zentrale Thema von *Hin und her:*

Frau Hanusch: Ich hab um mein letztes Geld telegraphiert. Nach
beiden Seiten. Es sind doch keine Untermenschen!

Havlicek: Doch!

Frau Hanusch: Ruhe! (Ins Publikum) Er hat nix gesagt!

Und mit Bleistift dazu notiert: *durch die Presse habens die Minister*
erfahren und alle haben gelacht.

Havlicek: Aber ich bin doch kein Witz.

Am *13. Dezember wird mein Stück »Hin und her« am* Schauspielhaus in Zürich *uraufgeführt,* unter der Regie von Gustav Hartung. In
einer wunderbaren *Besetzung,* teilte Horváth am 2. 12. 1934 von
Berlin aus seinen Eltern in München mit. *Es ist ein Stück mit Musik*
und Gesang – das erstemal, dass ich Lieder geschrieben habe. Die
Musik ist von einem berühmten Komponisten, Hans Gál, und ist

443

wunderbar![21] Mit ihm zusammen entstanden einige Couplets. »Horváth hatte Mühe damit, denn er hatte keinerlei Erfahrung dieser Art«, erinnerte sich Hans Gál. »Aber welche von ihm und welche von mir sind, kann ich nicht sagen: manchmal war eine Strophe, manchmal bloss die erste Zeile von ihm. Allerhand musste ich in Zürich während der Vorbereitung der Aufführung improvisieren, da schließlich jeder der Mitwirkenden einen Song haben wollte.«[22] Auch der Regisseur hatte Änderungswünsche. Noch am 9. 12., vier Tage vor der Uraufführung, schickte Horváth dem Regisseur eine *neue Szene, hoffentlich gefällt sie Ihnen!*[23] Bei der Uraufführung am 13. 12. 1934 am Zürcher Schauspielhaus war Horváths *Lustspiel*[24], das er selbst auch als *Posse mit Gesang*[25] bezeichnet hatte, als »Komödie in zwei Teilen« deklariert. Die Besetzung: Fritz Essler (Ferdinand Havlicek), Heinrich Gretler (Thomas Szamek), Gusti Huber (Eva), Emil Stöhr (Konstantin), Herman Wlach (Mrschitzka), Luise Franke-Booch (Frau Hanusch), Kurt Horwitz (X), Hans Wlasak (Y), Wolfgang Heinz (Sekretär), Leonard Stekel (Privatpädagoge), Evi Lissa (Seine Frau), Josy Holsten (Frau Leda), Erwin Kalser (Schmugglitschinski); Bühnenbild: Teo Otto.

Hans Gál berichtete: »Horváth, der damals in Berlin lebte, war nicht [. . .] anwesend; aber er rief mich unmittelbar darauf telephonisch an. Seine Hauptfrage musste ich leider negativ beantworten: es war kein Erfolg. Der drastische deutsch-böhmische Dialekt, in dem das Stück geschrieben ist, [. . .] ist jedem Menschen in Wien mit allen seinen humoristischen Untertönen bekannt, oder war es zu einer Zeit, als es in Wien so viele tschechische Dienstboten gab. In Zürich wirkte er wie eine Fremdsprache.«[26]

Unter den Premierengästen war auch Thomas Mann. In sein Tagebuch notierte er: »Mit K. ins Theater, wo wir ein minutenweise komisches, aber zu einfallsarmes Singspiel von O. Horvath sahen.«[27] In der Rezension der ›Neuen Zürcher Zeitung‹ vom 14. 12. 1934 hieß es: »Eine prächtige Idee, dieses Hin und Her, Her und Hin, aber sie wird in Horvaths Stück so zerdehnt, daß ihre komödienhafte Wirkung allmählich verlorengeht, sich in Posse verflüchtigt. [. . .] In der Art, wie Horvath seine knapp gezeichneten Menschen auf- und abtreten läßt, wie er sie sprunghaft kontrastiert, im oft zärtlich lyrisch gehobenen Dialog gesunde Natursprache, gemischt mit literarischen Wendungen, reden läßt, – darin liegen Beziehungen zum Volksstück der Raimund und Nestroy.«[28] In der in Prag erscheinenden Emigrantenzeitschrift ›Die Neue Weltbühne‹ verurteilte Josef Halperin die Inszenierung Gustav Hartungs. »So trat die Stärke Horváths vor seinen Schwächen zurück.«[29] Nach der zweiten Aufführung am 15. 12. wurde das Stück in Zürich abgesetzt.

Der Abdruck folgt dem mit hs Korrekturen und Veränderungen versehenen, 95 Seiten umfassenden Typoskript[30] Horváths, das, als *Lustspiel in zwei Teilen* bezeichnet, auf dem Titelblatt nur den Stempel »Georg Marton Verlag [Wien] 1., Bösendorferstrasse 4« trägt, ohne Copyright-Vermerk. Die auf den Seiten 404 bis 425 abgedruckten Varianten berücksichtigen die für die Zürcher Uraufführung erfolgten Veränderungen in einem insgesamt 53 (*Erster Teil*) und 44 (*Zweiter Teil*) Seiten umfassenden, mit zahlreichen hs Korrekturen und Ergänzungen versehenen Typoskript Horváths.[31] Das Titelblatt in Horváths Handschrift lautet:

HIN UND HER
Posse in zwei Teilen von Ödön von Horváth
Musik von Hans Gál.
Darunter in fremder Handschrift: »Als unverkäufliches Manuskript vervielfältigt. Alle Rechte vorbehalten. Zu beziehen ausschliesslich und allein durch den *Verlag Georg Marton, Wien 1., Bösendorferstrasse 4.* Copyright 1933 by Georg Marton, Wien.«

Die ursprüngliche Fassung von Horváths Lustspiel wird hier zum ersten Mal abgedruckt; die erste Publikation der Posse in der Zürcher Fassung erfolgte in Band II der *Gesammelten Werke*, Frankfurt/ Main 1970 (S. 201-272).
Eine russische Übersetzung von K. Asadowskij erschien (zusammen mit *Sladek, Italienische Nacht, Kasimir und Karoline* und *Don Juan kommt aus dem Krieg*) in dem Sammelband *P'esy* [*Stücke*] 1980 in Moskau (Verlag Wissenschaft).

Im Interview, das am 14. 9. 1933 in der ›Wiener Allgemeinen Zeitung‹ veröffentlicht wurde, hatte Horváth erklärt: *Mein neues Stück soll eine Märchenposse werden, aber ohne Zauberei. Ich halte die Form der Märchenposse gerade in der gegenwärtigen Zeit für sehr günstig, da man in dieser Form sehr vieles sagen kann, was man sonst nicht aussprechen dürfte.*[32]

Horváth hatte am 19. 4. 1934 mit dem ›Neuen Bühnenverlag im Verlag für Kulturpolitik G.m.b.H.‹ in Berlin einen Vertrag über *Himmelwärts* abgeschlossen und sich verpflichtet, »das nächste Werk, das er allein oder mit anderen verfassen wird, [. . .] ohne sich anderweitig zu binden«, wieder dem ›Neuen Bühnenverlag‹ anzubieten.[33] Dieses »nächste Werk« Horváths, *Das unbekannte Leben*, übernahm der Max Pfeffer Verlag in seinen Vertrieb.

»Horváth zimmert eine Komödie ›Himmelwärts‹, er ist recht verbittert, weil er seit 1933, wo ihm Deutschland verschlossen wurde, in Wien nur an kleinen Bühnen mit Zufallsensembles, die sich aus deutschen Schauspieleremigranten zusammensetzen, gespielt wird – und das sehr selten«, schrieb Csokor am 20. 11. 1934 an Bruckner.[34] Dem Wiener Kritiker Felix Fischer schien es anläßlich der Uraufführung »freilich begreiflich, daß das Lustspiel [. . .] von den Wiener Theaterleitern zurückgewiesen wurde, denn der Witz [. . .] ist denn doch etwas zu schal«[35], für Oskar Maurus Fontana im ›Wiener Tag‹ war die Komödie »noch ein Versprechen, wohl amüsant und oft zündend, aber als Ganzes noch zerflatternd und sucherisch«.[36] Durch ein, wie Csokor es genannt hatte, »Zufallsensemble« an der ›Freien Bühne in der Komödie‹ in Wien war *Himmelwärts* in einer »autorisierte[n] Bühnenbearbeitung« Philipp von Zeskas mit dessen Gesangstexten, vertont von J. C. Knaflitsch, als Matinée am 5. 12. 1937 uraufgeführt worden. Unter der Regie von Peter Michel spielten Jane Maria Talmar (Luise), Egon Sala (Hilfsregisseur), Eduard Loibner (Petrus), Peter Preses (Teufel), Max Wittmann (Vizeteufel), Kurt Labatt (Intendant), Paula Janower (Frau Steinthaler), Hugo Dölblin (Autogrammjäger), Hugo Riedel (Gerichtsdiener); Bühnenbild: Otto Liewehr.

Ursprünglich hatte Horváth Himmelwärts als *Komödie des Men-*

schen in drei Teilen geplant.[37] Dem hs Skizzenblatt Horváths zufolge, waren als Personen vorgesehen: *Alexander, Napoleon, Robespierre, Barbarossa. Isabella und Ferdinand* von Kastilien und deren Beichtvater Thomas de *Torquemada*, 1485 bis 1498 Leiter der spanischen Inquisition; auch *Juppiter im Rollstuhl, Hera, Merkur, Mars* und *Venus*. Von einer *Märchenposse in zehn Bildern* mit dem Titel *Oben und unten* blieben drei maschinenschriftliche Titelblätter[38] erhalten, die folgende *Personen auf Erden* vorsahen: *Luise Der Stadttheaterintendant Lauterbach, ein Hilfsregisseur Der Bühnenportier Ein Dienstmann Ein Autogrammjäger Der Feuerwehrhauptmann Die Garderobenhex Der Inspizient in der grossen Oper Der Generalintendant Der Kapellmeister Der Oberregisseur Ein Richter Ein Staatsanwalt Ein Pflichtverteidiger Ein Polizist Herr Emanuel Hubermüller Ein Staatsgefängniswärter Mitglieder des Stadttheaters, zahlreiche Autogrammjäger, viele Feuerwehrleut, Zuhörer und zwei entlassene Gefangene*. Als *Personen im Himmel* waren vorgesehen: *St. Peter Vier Engerl Frau Steuerkontrollor Steinthalter, Luises Mutter Julius Caesar G. E. Lessing Sehr viel Engerl*. Als *Personen in der Hölle* waren angeführt: *Der Teufel Ein Vizeteufel Zwei Verdammte Herr Steuerkontrollor Steinthaler, Luises Vater Robert Stänkerl, eine gebesserte arme Seele Höllenschergen und viele Verdammte*.

Druckvorlage war das als »unverkäufliches Manuskript vervielfältigt[e]« Textbuch des »Neuen Bühnenverlags im Verlag für Kulturpolitik G.m.b.H., Berlin W 50, Marburger Strasse 12« mit Copyright 1934.[39]
Dieses Textbuch war auch Grundlage für die »autorisierte Bühnenbearbeitung« der Uraufführung; von Horváth durchgeführte Änderungen und Ergänzungen sind innerhalb der Varianten abgedruckt. *Himmelwärts* wurde zum ersten Mal gedruckt in Band II der *Gesammelten Werke*, Frankfurt/Main 1970 (S. 273-324).

Das unbekannte Leben und *Mit dem Kopf durch die Wand*
Über die Entstehungszeit berichtet Wera Liessem, die sich seit Mitte des Jahres 1935 zusammen mit Ödön von Horváth in Wien aufhielt:

»Nun war alles in Wien sehr schwer. Das Geld war knapp. Wir versetzten zeitweise alles, was wir hatten. Horváth versuchte es bei seinen Verlegern, bekam Vorschuß – und versuchte ein Stück nach einer alten Geschichte *Die Unbekannte aus der Seine* zu schreiben. Zu diesem Zweck hatten wir vor, an die Riviera, in die Gegend von San Remo eine Sommerreise zu machen, wo er dieses Thema zu gebären versuchte. Wir kauften einen Fiatwagen und fuhren los, und in San Remo war das Klima ungeeignet, der Stoff und Vorschuß machten Horváth fertig. Jedenfalls fuhren wir sozusagen ohne rechtes Ergebnis zurück. Das Geld war nun vollkommen durcheinander und das Stück war gegen seine Auffassung, mehr erzwungen als wirklich gut.«[40]

Am 22. 10. 1935 schrieb Dr. Rudolf Beer, seit 1921 Direktor des Wiener ›Raimund Theaters‹, seit 1924 auch des ›Deutschen Volkstheaters‹ und ab 1934 der ›Scala‹ in Wien, daß er »mit wirklichem Interesse« Horváths Stück *Das unbekannte Leben* gelesen und es ihm »ausserordentlich gefallen« habe. »Ich hoffe, dass sich auch der erwartete Publikumserfolg einstellt. Wir werden wie mündlich vereinbart einen näheren Aufführungstermin festlegen. Über die Besetzung und die übrigen Details, werden wir uns ja, ebenso wie über den Titel des Stückes noch unterhalten.«[41]

Die Überlegungen reichten von *L'inconnue dans la Seine* über *Das unbekannte Leben* bis zu *Falsche Komplexe* und schließlich *Mit dem Kopf durch die Wand*. Die ursprünglich noch deutlich erkennbaren Ansätze, die deutsche Filmindustrie der 20er und 30er Jahre zu persiflieren und zu parodieren[42], wurden zugunsten gängiger Lustspieleffekte mehr und mehr in den Hintergrund gedrängt. Am 29. 12. 1935 berichtete Csokor Ferdinand Bruckner, »die Komödie ›mit dem Kopf durch die Wand‹ fiel an der ›Scala‹ sanft durch, weniger des Autors wegen als dank der ›Bearbeitung‹ des Direktor-Regisseurs Rudolf Beer. Egon Friedell spielte mit und trieb schon bei den Proben Unfug aller Art, während Ödön, resigniert an einer Zwiebel kauend, Beers ›Verbesserungen‹ über sich ergehen ließ, des üblen Ausgangs sicher.«[43]

Am 10. 12. 1935 fand die Uraufführung in der ›Scala‹ in Wien statt. Unter der Regie von Rudolf Beer spielten: Hans von Zedlitz (Marquis von Bresançon), Karl Forest (Bientôt), Friedrich Kühne (Bos-

448

sard), Wera Liessem (Suzanne), Egon Friedell (Semper), Hans Holt (Dr. Peter Hülsen), Hermann Kner (Nevieux), Luise Kartousch (Tante), Ernst Wieland (Robert), Kurt Retzer (Adolf), Georg Hoffmann (Notar Pellier), Karl Hey (Renard), Arthur Rieck (Mathieu), Lothar Hoßner (Jean), Georg Schauhuber (Bildreporter), Werner Michel (Pianist), Franz Koschwitz (Zimmerkellner), Heinz Reichardt (Manuel), Else Liewehr (Margot), Henriette Minersky (Desiree), Elisabeth Reiter (Erste Sekretärin), Nushy György (Zweite Sekretärin); Chanson: Worte von Fritz Eckhardt, Musik von Werner Michel. Der Rezensent Richard Götz fragte im ›Wiener Tag‹ vom 11. 12. 1935 »was das Stück zu bedeuten hat und warum es ›Mit dem Kopf durch die Wand‹ heißt; wenn anders nicht damit bedeutet werden soll, daß es Köpfe gibt und Wände, und unter diesen solche, an denen jene sich zuschanden rennen«.[44] Auch in der Wochenausgabe des ›Neuen Wiener Tagblattes‹ ist von »gar nicht beneidenswerten Zuhörern« die Rede; das Bemühen des Kritikers, doch etwas Gutes an Horváths Stück zu finden, wurde in dem Satz spürbar: »Horváth hat gewiß keine alltägliche Komödie geschrieben, sie darf sogar Anspruch auf literarische Wertung erheben, aber die Handlung bedürfte größerer Klarheit und eine Milderung der Wahnvorstellung, von denen man im Theater lieber verschont bliebe.«[45] In der ›Neuen Freien Presse‹ hieß es: »Ein paar Szenen gelingen, ein paar Figuren. Sie bleiben übrig, stehen auf der Bühne, während das Stück immer mehr zerbröckelt und sich auflöst.«[46] Auch Alfred Polgar rezensierte »das neue Stück des ausgezeichneten Desillusionisten Ödön Horváth [...], dessen frühere Theaterstücke ihn als Durch- und Durch-Schauer, als Meister bösartigen Spaßes erwiesen«, fand aber in dieser Komödie »die Überlegenheit spöttischer Betrachtung ersetzt durch eine festgefrorene Grimasse der Überlegenheit«.[47] Für Horváth war das ganze ein »Sündenfall«. Er schrieb später rückblickend: *Einmal beging ich einen Sündenfall. Ich schrieb ein Stück »Mit dem Kopf durch die Wand«, ich machte Kompromisse, verdorben durch den neupreussischen Einfluss und wollte ein Geschäft machen. Es wurde gespielt und fiel durch. Eine gerechte Strafe.*[48] Am 11. 4. 1936 schrieb Csokor über Horváth: »Sein Mißgeschick an der ›Scala‹ hat er schon überwunden. ›Man lernt nur aus seinen Niederlagen!‹ meint er.«[49]

Der Abdruck von *Das unbekannte Leben* folgt dem 103seitigen Typoskript (ohne Titelblatt und Personenregister)[50]; es wird hier zum ersten Mal veröffentlicht. Die Druckvorlage für *Mit dem Kopf durch die Wand* ist ein als »Regie- und Soufflierbuch« bezeichnetes und »als Manuskript vervielfältigt[es]« Typoskript des »Bühnenverlags Max Pfeffer, Wien–Berlin (Zentralbüro: Wien 1., Bösendorferstrasse 1)« mit Copyright 1935. Diesem mit hs Korrekturen versehenen Typoskript[51] folgt der Abdruck des *Ersten* bis *Dritten Aktes* (paginiert mit -3- bis -93-); der Schluß wurde von Horváth durch eine neue, von ihm hs korrigierte Reinschrift[52] des IV. *Aktes* (paginiert von -1- bis -16-) ersetzt. Diese Fassung entspricht der in Wien uraufgeführten Version, wobei das im Programm genannte »Vorspiel« dem Beginn des Ersten Aktes (S. 327 f. dieser Ausgabe) entspricht; das von Fritz Eckhardt verfaßte Chanson muß als verschollen gelten.

Eine Unbekannte aus der Seine

9 *Unbekannte aus der Seine* – Unter dem Titel *L'inconnue de la*
Seine erschien im ›Berliner Tageblatt‹ vom 4. 11. 1931 eine
Erzählung von Hertha Pauli (1909-1972), in der es hieß: »Kennen Sie die Plastik ›L'inconnue de la Seine‹? Es ist die Totenmaske eines unbekannten jungen Mädchens, das man ertrunken
aus der Seine gezogen hat. Das Original der Maske, das vor
vielen Jahren in der Morgue hergestellt wurde, ist nicht mehr zu
finden. Aber die Abdrücke – in Wachs, Terrakotta oder Gips –
sind allerorts zu haben und werden immer wieder gekauft.« In
ihren Memoiren berichtete Hertha Pauli (*Der Riß der Zeit geht*
durch mein Herz. Ein Erlebnisbuch, Wien–Hamburg 1970, S.
60): »Einmal wollten er [Horváth] und ich ein Stück zusammen
schreiben, nach meiner Erzählung *L'Inconnue de la Seine*. Das
Lächeln der Totenmaske hatte uns beide schon lange fasziniert.
Aber zu dem gemeinsamen Stück war es nie gekommen, denn
Ödöns *Unbekannte aus der Seine* besaß bald ein Eigenleben, wie
alle seine Figuren, und ging ganz andere Wege.« Die Maske der
Inconnue de la Seine war zum ersten Mal 1910 von Rainer
Maria Rilke (1875-1926) in *Die Aufzeichnungen des Malte*
Laurids Brigge erwähnt worden: »Der Mouleur, an dem ich
jeden Tag vorüberkomme, hat zwei Masken neben seiner Tür
ausgehängt. Das Gesicht der jungen Ertränkten, das man in der
Morgue abnahm, weil es so schön war, weil es lächelte, weil es
so täuschend lächelte, als wüßte es.« 1927 wurde diese Maske in
dem Band *Das ewige Antlitz. Eine Sammlung von Totenmasken*
von Ernst Benkard veröffentlicht. »In geheimnisvolles aber auch
gnädiges Dunkel scheint alles gehüllt, was die Geschichte dieses
holden, aber offenbar nicht glücklichen jungen Weibes anlangt.
Vor den Augen dieser Welt und vor den Maßstäben ihres selbst-
gerechten Urteils eine Selbstmörderin, die den Tod in den Fluten
der Seine erwählt, da die Bürde, mit der ihre schwachen Schultern beladen, ihr wohl zu schwer geschienen. Und jedoch ein
zarter Schmetterling, der, sorglos beschwingt, an der Leuchte

des Lebens seine feinen Flügel vor der Zeit verflattert und versengt hat. Die Totenmaske ist in der Morgue zu Paris genommen worden. Der Aufbewahrungsort des Originals ist mir unbekannt« (S. 51); der Band erreichte 1930 die 4. Auflage, 1933 die 15. Auflage und 1935 die 19. Auflage. 1930 erschien eine Reproduktion der Maske auch in dem von Egon Friedell (1878–1938) eingeleiteten Band *Das letzte Gesicht.* – Ebenfalls 1930 publizierte Alfred Wiedemann seine Erzählung *L'Inconnue de la Seine* und 1934 Reinhold Conrad Muschler die Novelle *Die Unbekannte*, die bis Januar 1935 eine Auflage von 70 000 und bis Januar von 100 000 Exemplaren erreichte. – Vgl. auch *The Unbekannte and the Undine Legend*, in: Christopher B. Balme, *The reformations of comedy: genre critique in the comedies of Ödön von Horváth*, Dunedin [Neuseeland] 1985, S. 167-170. – Siehe auch *Das unbekannte Leben* (S. 215-324) und *Mit dem Kopf durch die Wand* (S. 325-402).

11 *Gent* – Kurzform des engl. gentleman; ironisch gebraucht für: Geck, feiner Mann.

Nummer neun – Siehe hierzu *Der jüngste Tag* (Band 10).

13 *Casanova* – Girolamo Ciacomo Casanova, Chevalier de Seintgalt (1725-1798).

Rosen bringen Glück – In der Blumensprache bedeutet die rote Rose Liebe und Hochzeit, die weiße Rose hingegen Entsagung und Tod.

15 *Kretin* – Schwachsinniger Mensch; nach dem gleichbedeutenden franz. crétin, abgeleitet vom roman. cretina für: Kreatur, elendes Geschöpf.

eine offene Wunde – Vgl. *Der ewige Spießer*, Bd. 12, 136.

präzisen Ruf – Von Horváth bewußt falsche Anwendung eines Prädikats; richtig müßte es heißen: du mußt peinlich präzise (für: genau) auf deinen guten Ruf achten!

17 *Zirkel* – Siehe auch den *spiritistischen Zirkel* in *Jugend ohne Gott*, Bd. 13, 85 u. 172.

18 *Brosche aus Venedig* – Neben dem Fremdenverkehr waren Ende der zwanziger Jahre vor allem Glasindustrie und Kunstgewerbe die beiden Haupterwerbszweige der ital. Hafenstadt Venedig. Bei der *Brosche aus Venedig* handelt es sich also um ein relativ wertloses Geschenk.

23 *Geheimrat* – Titel, der nach Art. 109 der Weimarer Verfassung vom 11. 8. 1919 nicht mehr verliehen werden durfte; hier ironisch gemeint.

28 *Tango* – Seit 1911 als Gesellschaftstanz in Europa bekannt.

manches Liedlein singen – Redewendung; schon bei dem Berliner Hofprediger Johannes Agricola (eigentl. Schnitter, 1494-1566), *Sybenhundert und fünftzig Teütscher Sprichwörter verneüwert und gebessert* (1534): »Ich wolt einem wol ein liedlein davon singen.«

29 *schönen Tage von Aranjuez* – Nach Friedrich Schiller (1759-1805), *Dom Karlos, Infant von Spanien* (1787): »Die schönen Tage von Aranjuez / Sind nun zu Ende« (1,1).

Pa – Kurzform von: papa! auch: baba! für: leb wohl!

34 *Antonius von Padua* – (1195-1231), Bußprediger in Frankreich und Italien; wurde 1232 auf Grund seiner Wundertätigkeit heiliggesprochen; sein Fest wird am Tag seines Todes, am 13. Juni, begangen; Antonius von Padua gilt als Fürsprecher in besonderem Anliegen.

40 *»Es war einmal ein Musikus ...«* – Text und Melodie von Friedrich Schwarz (1895-1933).

41 *lautes Singen* – Nach § 360 Nr. 11 wurde ruhestörender Lärm als »grober Unfug« mit einer Geldstrafe bis zu 150 Mark oder Haft bestraft.

Jubiläum der Daktyloskopie – 1933 jährte sich zum fünfzigsten Mal die Einführung der Daktyloskopie in der deutschen Kriminalistik. Als Daktyloskopie bezeichnet man (nach dem griech. daktylos für: Finger) die Wissenschaft der Hand- bzw. Fingerabdrücke. Die Daktyloskopie löste 1903, zuerst in Sachsen, dann in Bayern und in Berlin, die seit 1890 angewandte Bertillonage, eine nach dem Chef des Identifizierungsamtes an der Polizeipräfektur in Paris, Alphonse Bertillon (1853-1914), entwickelte Methode der Identifizierung durch Körpervermessung, ab. Das Fingerabdruckverfahren verwendete erstmals Sir William Herschel 1858 bei der indischen Zivilverwaltung in Kalkutta. Der Generalinspekteur der Polizei in Kalkutta, Henry, setzte 1901 als Polizeipräsident in London in Zusammenarbeit mit dem englischen Naturforscher Sir Francis Galton (1822-1911) die Daktyloskopie als Identifizierungsmethode in England durch; wenig später folgten Wien und Budapest.

42 *Auflauf* – Als »rechtswidrige Ansammlung von Menschen auf öffentlichen Wegen, Straßen oder Plätzen« definiert, wurde jeder Bürger, »der sich, nachdem die Menge von dem zuständigen Beamten oder Befehlshaber der bewaffneten Macht dreimal zur Entfernung aufgefordert, nicht entfernt«, mit Gefängnis bis zu 3 Monaten oder Geldstrafe bis zu 10 000 RM bestraft.

wegwerfend über einen Toten – Nach dem von Diogenes Laertius (um 275 n. Chr.) aus dem Griech. übersetzten lat.: De mortuis nihil nisi bene (dt.: Über die Toten soll man nur Gutes sagen).

44 *vorherbestimmt* – Durch zahlreiche im *Neuen Testament* ent-
haltene Stellen (Brief an die Römer 8,29 f., 9,14-23, Markus 4,11
u. a.) provozierte Lehre von der »Pädestination« des Menschen,
daß durch Gott Verdammnis oder Seligkeit eines jeden Einzelnen vorherbestimmt und festgelegt sei.

45 *Maharadscha* – Indischer Fürstentitel; Radscha in Sanskrit bedeutet König, Fürst; Maharadscha ist die erhöhte Form und
bedeutet Großkönig.

46 *Pilsner* – Bezeichnung einer weltbekannten Biersorte aus der zweit-
größten böhmischen Stadt Pilsen, wo vier Großbrauereien einen
jährlichen Absatz von 1. Mill. Hektoliter Bier erzielten (1933).

Lemberg – Stadt in Ostgalizien, 219 400 Einw. (1921). Gegründet um 1270, seit 1340 polnisch, fiel 1772 durch die erste polni-
sche Teilung an Österreich und wurde Hauptstadt des österr.
Kronlandes Galizien. Nach dem 1. Weltkrieg wurde Lemberg
am 1. 11. 1918 von Ukrainern besetzt und vom 20. bis zum 22.
11. 1918 von den Polen zurückerobert.

48 *Tapetentüre* – In einer mit Tapeten verkleideten Wand ange-
brachte Türe, die, mit der gleichen Tapete überklebt, als Tür
nicht erkennbar ist.

zusammentranspirier – In Österr. heute noch gebräuchlich für:
zusammenschwitzen; nach dem franz. transpirer für: ausdün-
sten, schwitzen.

52 *Kusch* – Im 17. Jh. abgeleitet von dem franz. Befehl aus der
Hundedressur: couche! für: lieg! In der derben Umgangssprache
gebräuchlich für: halt den Mund!

55 *Leergebrannt ist die Stätte* – Nach Friedrich Schillers *Lied von
der Glocke* (1799).

56 *strafbar* – Bei Zechprellerei lag nach § 263 StGB »Vermögens-
schädigung durch Täuschung in Bereicherungsabsicht« vor, da
»durch Verschweigen und gleichzeitige Vorspiegelung falscher
Tatsachen« (Zahlungsfähigkeit) der Tatbestand des Betrugs gegeben ist; das österr. Strafgesetz ahndete nach den §§ 197-205
den Betrug ähnlich wie das deutsche mit einer Geldstrafe oder
Gefängnis.

57 *Kuckuck* – Einerseits Anspielung auf den Ruf von Kindern beim
Versteckspiel; hier aber auch auf den ermordeten Uhrmacher,
der in der Auslage Kuckucksuhren hatte (S. 11).

58 *Geschichte* – Anspielungen Horváths auf verschiedene bekannte Motive; *auf den Schlachtfeldern* bezieht sich auf Jeanne
d'Arc (1410/12-1431); *in den Bergwerken* auf die Figur der Anna
in Hugo von Hofmannsthals (1874-1929) Drama *Das Bergwerk
zu Falun* (geschrieben 1899, vollständig veröffentlicht 1932); *ich
bin der Säbel* ist eine Anspielung auf *Das Lied vom Säbel* in der
Operette *Die Großherzogin von Gerolstein* (1869) von Jaques
Offenbach (1819-1880) nach dem Roman *Les mystères de Paris*
(*Die Geheimnisse von Paris*; 1842/43) von Eugène Sue (1804-
1857); Karl Kraus (1874-1936) hatte die Texte von Henri Meil-
hac (1831-1897) und Ludovic Helévy (1834-1908) 1931 neu
bearbeitet; bei dem *Berg, der zusammenstürzt* handelt es sich
um eine Anspielung auf Hiob 9,5: »Er ist es, der Berge versetzt
ohne daß sie es merken, der in seinem Zorne sie umstürzt.«

59 *Hiobsbotschaft* – Bei Hiob 1,13-19.

62 *Dromedar aus einer Mücke* – Abwandlung der auf Horaz (65-8
v. Chr.) zurückgeführten Redensart »elephantum ex musca
facit« (dt.: aus einer Mücke einen Elefanten machen).

Bijouterie – Nach dem franz. bijou für: Kleinod, abgewandelt
für auffälligen aber billigen Schmuck.

64 *Le roi est mort, vive le roi!* – Unter diesem Titel (dt.: Der König ist tot, es lebe der König!) veröffentlichte François René Vicomte de Chateaubriand (1768-1848) eine Flugschrift zum Tod von Ludwig XVIII. (1755-1824).

67 *einen Menschen zu brauchen* – Vgl. Parallele zu Reithofers Satz in *Sechsunddreißig Stunden* (Bd. 12, 125): *Es ist gut, wenn man weiß, wo ein Mensch wohnt.*

69 *Totenmaske* – Siehe auch S. 451 f.; die deutsche Journalistin Dora Lüttchen recherchierte 1937 im Auftrag der Berliner Illustrierten ›Koralle‹ die Herkunft der »Unbekannten aus der Seine«: in einer Berliner Kunsthandlung fand man eine Anleitung für Kunstschüler aus dem Jahr 1868; darin war auch die Maske der »Unbekannten« und wie man sie zu zeichnen hatte; ein Berliner Gipsformer hatte die Maske 1905 aus Paris nach Berlin mitgebracht. (Nach Peter Bendix, *Das Lächeln, das nicht sterben konnte*, in: Bild am Sonntag, 13. 6. 1982, S. 54 f.)

73 *mal wer gesagt* – Hinweis auf Hertha Pauli und deren Plan, gemeinsam mit Horváth ein Bühnenstück über die »Unbekannte aus der Seine« zu schreiben. – Siehe auch S. 451.

irdisches Jammertal – In der lat. Bibelübersetzung (Vulgata) hieß es in Psalm 84,7 »vallis lacrimarum« (dt.: Tal der Tränen), was in den neuen Übertragungen mit »Tal der Quellen« übersetzt wird.

74 *Nationalfeiertag* – Obwohl Horváth sein Stück nicht in Paris, sondern *in einer großen Stadt, durch die ein Fluß fließt* (S. 10) angesiedelt hat, spielt er hier auf den 14. Juli, den Nationalfeiertag (Erstürmung der Bastille 1789), an.

Kinder sind doch die Zukunft – Als »offenbar eine fast zwanghafte Fixierung des Autors« interpretiert Jürgen Schröder (*Das Spätwerk Ödön von Horváths*, in: Traugott Krischke [Hg.], *Ödön von Horváth*, Frankfurt/Main 1981, S. 125-155; hier

S. 144), daß »fast alle Schlüsse der späten Werke [. . .] im Zeichen der Kinderwelt« stehen und verweist u. a. auf: »*Hin und her:* Eva erwartet ein Kind (S. 149); in *Figaro:* die Heimschule für ›Findelkinder‹ im Schloß, Figaros endlicher Kinderwunsch, der ihn zur ›Menschlichkeit‹ zurückführt, die ›klirrende Fensterscheibe‹ (Bd. 8, 166 ff.); in *Pompeji* (Band 10) sind am Ende die ›Kinder Gottes‹ in der Katakombe versammelt; der Schluß des *Don Juan* steht im Zeichen des Schneemanns und von zweimal zwei Mädchen (Bd. 9, 65 ff.); Mutter und Kind tauchen am Ende von *Ein Kind unserer Zeit* auf« (Bd. 14, 126 f.), schließlich noch auf das »Kinder- und Kindheitsmotiv auf den letzten Seiten von *Jugend ohne Gott*« (Bd. 13, 146 f.).

Hin und her

75 *Lustspiel* – Später bezeichnete Horváth sein Stück als *Posse*, so auch im Interview mit der ›Wiener Allgemeinen Zeitung‹ am 14. 9. 1933: *Mein Stück ist eine Posse mit Gesang und man sagt, daß es in mancher Hinsicht an Nestroy und Raimund erinnert.* Bei der Uraufführung im Züricher Schauspielhaus wurde das Stück als »Komödie« bezeichnet. – Der Hinweis von Johanna Bossinade (*Vom Kleinbürger zum Menschen. Die späten Dramen Ödön von Horváths*, Diss. Amsterdam 1984, S. 140) auf die »Nestroy-Tradition« im Zusammenhang mit Nestroys Einakter *Hinüber und herüber* aus dem Jahr 1844 ist irreführend (S. 140); Nestroys »Intermezzo, nach einer dem ›Humoristen‹ entnommenen Anekdote dramatisiert«, weist keinerlei Parallelen zu Horváths *Hin und her* auf.

76 *Grenzorgan* – In Österreich heute noch gebräuchlich für: Beamter.

zwei Staaten – Vgl. Horváths Hinweis auf eine Zeitungsmeldung in seinem Interview mit der ›Wiener Allgemeinen Zeitung‹ vom 14. 9. 1933: *Diese Meldung war ein Telegramm, aus dem hervorging, daß ein Mann aus der Tschechoslowakei abgescho-*

ben worden war. Auch die Brücke kam in dem Telegramm vor und es hieß, daß dieser Mann mehrere Nächte auf dieser Brücke schlafend zubringen mußte. [...] *In meinem Stück ist freilich von Phantasiestaaten die Rede, es ist dabei an keinen der existierenden Staaten speziell gedacht.*

kleiner Grenzverkehr – Erleichterte Zollformalitäten innerhalb des unmittelbaren Grenzgebietes.

Drehbühne – Kreisförmige, um eine Achse drehbare Spielfläche im Bühnenboden, die einen raschen Szenenwechsel (ohne Umbau-Pausen) ermöglicht. In Deutschland erstmals von dem Theatertechniker Karl Lautenschläger (1843-1906) im Jahr 1896 bei einer Inszenierung von Mozarts *Don Giovanni* im Münchner Residenztheater verwendet.

77 *Brückenkopf* – Befestigung am Anfang oder Ende einer Brücke gegen feindliche Angriffe.

Privatpädagoge – Horváth scheint diese Berufsbezeichnung auf Grund der im *Großen Brockhaus* (Leipzig 1933, Bd. 14, S. 47) gegebenen Definition gewählt zu haben: »Pädagog (griech. paidagogos ›Knabenführer‹), bei den alten Athenern Bezeichnung für den Hausklaven, der den Söhnen der reichen Bürger, Begleiter, Aufseher und Lehrer war; gegenwärtig Bezeichnung für den beruflich tätigen Erzieher und Lehrer, der berufswissenschaftlich vorgebildet ist, und für den Wissenschaftler, der sich mit Erziehungsfragen beschäftigt.«

80 *Exekutivministerium* – Mit Exekutive wird im weitesten Sinn jede Staatstätigkeit im Rahmen der bestehenden Gesetze umschrieben; hier ist die oberste vorgesetzte Behörde aller Exekutivorgane, also aller, die gesetzliche und richterliche Gewalt ausüben, gemeint.

81 *Per Schub* – Umgangssprachl. Verkürzung der polizeilichen Maßnahme »Schubtransport«, durch die Personen, bei denen zu erwarten ist, daß sie einer einfachen Weisung (z. B. Ausweisungsbefehl) nicht Folge leisten, unter Anwendung von Gewalt an einen anderen Ort (oder in ein anderes Land) geschafft werden.

behufs – Im *Duden* (17., neu bearbeitete und erweiterte Auflage, 1973) als »Papierdeutsch« bezeichnet, vermerkt das *Österreichische Wörterbuch* (36., überarbeitete Auflage, 1985) »Amtssprache« für: zwecks.

Ausweisung – In Österreich eine administrative oder gerichtliche Maßnahme, als »Abschaffung« bezeichnet. – Im Deutschen Reich regelte seit 23. 3. 1934 ein neues Gesetz die »Reichsverweisung« wegen staatsfeindlicher Betätigung oder Verurteilung wegen Verbrechen oder Vergehen.

Hascherl – In Bayern und Österreich umgangssprachl. für: bedauernswerter Mensch.

Aschenbröderl – Österr. Verkleinerungsform für die Figur der Aschenputtel in den *Kinder- und Hausmärchen* der Brüder Grimm (1857). – Siehe auch Bd. 1, 293.

82 *Diskretes* – Innerhalb der Drogerie sind darunter das Geschlechtsleben betreffende Artikel gemeint.

84 *ein Gesetz* – Anspielung Horváths auf das Gesetz zur Regelung der ungarischen Staatsbürgerschaft mit Inkrafttreten des Friedensvertrages von Trianon am 26. 7. 1921. Innerhalb eines Jahres mußten alle ungarischen Staatsbürger, deren Wohnsitz in einem anderen Land lag, für die ungarische Staatsbürgerschaft optieren bzw. um Aufrechterhaltung der Staatsbürgerschaft ansuchen. Im Ausland lebende ungarische Staatsbürger mußten ihre Staatsbürgerschaft alle 10 Jahre durch einen Staatsbürgerschaftsnachweis erneuern.

seine Staatsbürgerschaft – Vgl. hierzu den Bericht im Programmheft des Züricher Schauspielhauses anläßlich der Uraufführung am 13. 12. 1934: »Er [Horváth] packte gerade seine Koffer, als wir ihn kennen lernten. Er hatte 15 Jahre im Ausland gelebt und mußte schleunigst nach Budapest fahren, um seine ungarische Staatsbürgerschaft nicht zu verlieren. Glücklicherweise war ihm das einen Tag vor Ablauf der 15 Jahre eingefallen.« Vermutlich war es Horváths Reise am 10. 12. 1933 nach Budapest.

89 *kommod* – Im 18. Jh. aus dem Franz. entlehnt für: bequem.

90 *Fußlappen* – Zum Schutz gegen Kälte, aber auch um in schlecht sitzenden Uniformstiefeln besseren Halt zu haben, wickelten die Soldaten ihre Füße in Lappen.

zuständig – In Österreich: heimatberechtigt.

91 *Feix nicht!* – Für: grinse nicht!

93 *Sumatra* – Nach Borneo die größte Insel Niederländisch-Indiens; der auf Sumatra angebaute Kaffee zählte zu den besten Sorten.

volljährig – Im österr. Recht trat nach § 21 das Allgem. BGB (in der Fassung des Gesetzes vom 6. 2. 1919) die Volljährigkeit mit Vollendung des 21. Lebensjahres ein und beendete gleichzeitig die elterliche Gewalt; im deutschen Recht war die Volljährigkeit durch § 2 des BGB auf dieselbe Weise geregelt.

94 *Tableau* – In der Theatersprache das Schlußbild, bevor sich der Vorhang schließt. In diesem Sinne von Horváth hier gebraucht.

Bankert – Für: uneheliches Kind; nach dem mhdt. banchart für: ein auf der Bank der Magd (statt im Ehebett des Hausherrn) gezeugtes Kind.

Padischah – Persischer Fürstentitel, der für vornehmer als Schah galt; 1926 nahm der Emir von Afghanistan den Titel Padischah (König) an.

95 *chinesische Mauer* – Befestigung Chinas gegen die nördl. Grenzvölker, von Kaiser Schi huang-ti (221-210 v. Chr.) erbaut; die etwa 2450 km lange, 16 m hohe und 5-8 m starke Mauer gilt als größtes Bauwerk der Welt.

Gigolo – Eintänzer in einem Lokal; in übertragenem Sinn auch für einen Mann gebraucht, der sich von Frauen bezahlen läßt; populär geworden durch den Schlager *Schöner Gigolo, armer Gigolo* aus dem Jahr 1929; Text von Julius Brammer, vertont von Leonello Casucci.

96 *Billetdoux* – Aus dem Franz. für: Liebesbrief.

99 *Spiegelschrank* – Christopher B. Balme deutet in seiner Dissertation *The reformation of comedy* (S. 194) Spiegel als »a popular object in the fairy-tale where it can function as a source of information and prophecy«. Balme verweist auf *Der Alpenkönig und der Menschenfeind* (1828) von Ferdinand Raimund (1790-1836), in dem »a mirror opens a vista from the real world into the ›Feenwelt‹ of the Alpenkönig«.

100 *Noten* – Im diplomatischen Verkehr jede offizielle Mitteilung, die ein Staat an einen anderen Staat richtet.

Interpellationen – An eine Regierung gerichtete förmliche Anfrage, um Klärung einer Angelegenheit.

Senat – In einzelnen Staaten die an der Gesetzgebung, neben der Zweiten Kammer (Unterhaus), mitwirkende Erste Kammer (Oberhaus).

Demarchen – Diplomatische Schritte.

Völkerrecht – Hinweis auf das im 1919 gegründeten Völker-
bund vereinbarte Völkerrecht; die am 28. 4. 1919 verabschiedete
Völkerbundsatzung sollte die politische Ordnung zwischen den
Staaten regeln und zukünftige Konflikte vermeiden helfen.

Haag – Die holl. Hauptstadt Den Haag (1930: 433 525 Einw.)
war Sitz der Reichsregierung der Niederlande und des Internationalen Gerichtshofes bei Verstößen gegen das Völkerrecht.

Genf – Nach Zürich und Basel bevölkerungsreichste Stadt
(1920: 135 060 Einw.) der Schweiz, war seit 1920 Sitz des Völ-
kerbunds.

102 *Gas* – Gemeint ist das aus Steinkohle gewonnene Leuchtgas, das
seit dem 19. Jh. zu Beleuchtungs- und Heizungszwecken genutzt
wurde; Einatmen von Kohlenoxid (CO) war eine damals häufig
praktizierte Selbstmord-Methode.

110 *Radio* – Volkstümliche Abkürzung für Rundfunkempfänger;
1923 wurde zum Preis von 350 Mill. Mark in Berlin die erste
Rundfunkgenehmigung erteilt und am 29. 10. 1923 um 8 Uhr
abends durch die Berliner Funkstunde AG das erste Unterhal-
tungskonzert ausgestrahlt. Die Zahl der Rundfunkteilnehmer
stieg von 9000 am 1. 4. 1924 auf 100 000 am 1. 7. 1924, über-
schritt bis zum Jahr 1926 die Millionengrenze und erreichte
1932 4,2 Mill. Teilnehmer. Für eine monatliche Gebühr von
2 RM erhielt man die Genehmigung (Verleihe) zum Betrieb
einer Empfängeranlage; auf Grund der »Verleihungsurkunde«
war jeder Rundfunkteilnehmer gegen Personenschaden bis zu
100 000 RM und gegen Sachschaden bis zu 25 000 RM ver-
sichert; bei besonderen Gelegenheiten (z. B. Geburtstag) war es
zulässig »den Lautsprecher mit unverminderter Stärke bis zur
Beendigung einer Sendung anzustellen«. – Siehe auch Bd. 13,
162 f.

111 *fesche Katz* – In Österreich umgangssprachl. für: hübsches
Mädchen.

112 *Kokain* – Aus Kokosblättern gewonnenes weißes Pulver, mit dem u. a. Sigmund Freud (1856-1939) im Jahr 1884 glaubte, Morphium-Süchtige heilen zu können. Schon zu Beginn des 20. Jhs. galt Kokain in Paris, London, München und Berlin als beliebtes Rauschmittel; vor allem in den zwanziger Jahren stieg die Zahl der Kokain-Süchtigen rapid an.

113 *Amok* – Abgel. von malaiisch amuk für: Wut, wütend; bei den Malaien eine plötzlich auftretende Geistesstörung. Der von dieser Wut Befallene zieht seinen Kris (Dolch), springt auf und sticht im Laufen jeden nieder, der sich ihm in den Weg stellt.

114 *schwankendes Rohr* – Nach Matthäus 11,7 und Lukas 7,24.

Macchiavelli – Niccolò Macchiavelli (1469-1527), ital. Staatsmann und Geschichtsschreiber, dessen Gegner ihn der Rechtfertigung einer von allen ethischen Normen losgelösten Machtpolitik bezichtigten.

120 *Leuchte* – In übertragenem Sinn: ein kluger Mensch; vermutl. nach dem Begriff »lumina civitatis« (Staatsleuchten), mit dem Marcus Tullius Cicero (106-43 v. Chr.) in *Catilinariae orationes* (dt.: Catilinarische Reden) berühmte Männer bezeichnete.

121 *Absenz-Erscheinungen* – Nach dem lat. absentia für: Abwesenheit; in der Medizin Bezeichnung für anfallartige Bewußtseinstrübung bei Epilepsie.

Abstinenz-Erscheinungen – Nach 1928 verstand man unter »Abstinenz« ausschließlich »Enthaltung, bes. von alkoholischen Getränken und Geschlechtsverkehr« (*Der Große Brockhaus*, Bd. 1, S. 58), während heute der Begriff auch auf andere Gebiete der Enthaltsamkeit ausgedehnt wird. Bei abruptem Absetzen von Alkohol, Nikotin und anderen Suchtmitteln kann es zu Entzugserscheinungen kommen, die sich in Herzflattern, Schweißausbrüchen und bis zur Aggressivität gesteigerter Reizbarkeit äußern.

126 *passierter Roquefort* – Durch ein Sieb gepreßter franz. Käse.

127 *homöopathisch* – Als Homöopathie von dem Arzt Samuel Friedrich Christian Hahnemann (1755-1843) begründet und 1796 im ›Journal für praktische Arzneikunde‹ veröffentlicht, wird ein Heilverfahren bezeichnet, bei dem der Kranke mit Mitteln behandelt wird, die bei einem Gesunden ähnliche Krankheitserscheinungen hervorrufen würden. Seit 1925 setzte sich in Deutschland vor allem der Berliner Chirurg August Bier (1861-1949) mit Publikationen (*Wie sollen wir uns zur Homöopathie stellen?*) und Behandlungsmethoden für die Anerkennung der Homöopathie als Behandlungsmethode ein.

128 *vierzehnten Juli* – Vgl. Anm. S. 457 zu *Nationalfeiertag*.

129 *Szene 8* – Im Typoskript bezeichnete Horváth diese Szene versehentlich als *Szene 9* und setzte diese Zählung bis zum Ende fort; dieser Fehler wurde hier korrigiert.

131 *Morphium, Opium* – Wie das Kokain (S. 463) zählten Opium und Morphium zu den begehrtesten Rauschgiften vor allem in den zwanziger Jahren. 1927 schrieb Dr. O. F. Scheuer in der *Sittengeschichte des Lasterns* (S. 121): »Der Dekadenz unserer Tage aber genügt der wohlbekannte Alkoholrausch mit seinen nicht minder bekannten Folgen schon längst nicht mehr, weil er an den widerstandslos gewordenen und entnervten Körper zu starke Zumutungen stellt. Man greift deshalb zu Rauschgiften, die unter gleisnerischer Maske viel milder und angenehmer wirken, dafür aber hinterher den Körper und den Geist um so rascher und gründlicher zerrütten. Opium, Morphium und Kokain sind die bekanntesten dieser narkotischen Gifte.«

132 *Ridikül!* – Eigenwillige Schreibweise für das franz. ridicule für: lächerlich.

135 *im frühen Mittelalter* – Über das »Klosterwesen und Prostitution« schrieb 1879 August Bebel (1840-1913) in *Die Frau und der*

465

Sozialismus (Frankfurt/Main 1981, S. 97): »Mönchs- und Nonnenklöster, und ihre Zahl war Legion, unterschieden sich nicht selten von öffentlichen Häusern nur dadurch, daß darin das Leben noch zügelloser und ausschweifender war.« – Vgl. hierzu auch Dr. Paul Englisch, *Sittengeschichte Europas* (Berlin 1931, S. 151): »Klöster waren nichts weiter als Freudenhäuser und wurden auch als solche angesehen, und nichts bezeichnet ihren sittlichen Tiefstand besser als die Beschwerde der Frauenhäuser über die ihnen durch die Nonnenklöster gemachte Konkurrenz, hatten sie selbst doch für die Erlaubnis zur Ausübung ihres Gewerbes hohe Abgaben zu zahlen, während die Klosterfrauen davon befreit waren. Da vielfach die Frauenhäuser geistlichen Würdenträgern gehörten, so ergab sich das ergötzliche Schauspiel, daß diese Herren, denen die konkurrierenden Klöster mit unterstanden, gegen die Nonnenklöster einschreiten mußten, nur weil durch deren Ausschweifungen ihre Einkünfte eine Schmälerung erfuhren.«

Goddam! – Eigentl. goddamn! für: Gottverflucht!

140 *platterdings* – Veraltet für: geradezu.

141 *Routin* – Für: Routine, Gewohnheit.

143 *einkasteln* – Für: einsperren.

147 *kein Hund* – Nach Hans Hauenstein, *Wiener Dialekt, Weanerische Drahdiwaberln von A–Z* (Wien ²1978, S. 86), hatten »Ritter oder Feldherren der damaligen Zeit auf dem Boden ihrer eisernen Kassa oder in ihrer Schatztruhe einen Hund gemalt. Wenn man soviel Geldstücke ausgegeben hatte, daß der gemalte Hund sichtbar wurde, dann war man ›auf den Hund gekommen‹ (man war ›blank‹ und hatte abgewirtschaftet)«.

Depesch – Nach dem ital. dispaccio für: Eilbotschaft; das Schreiben, das zwischen einem Außenministerium und dem ihm unterstellten diplomatischen Vertreter gewechselt wurde, mußte auf schnellstem Weg (durch Kurier) befördert werden; im 20. Jh. auch für telegraphisch übermittelte Nachrichten (Telegramme) verwendet.

Morse-Alphabet – Die nach seinem Erfinder Samuel Morse (1791-1872) benannte Zeichenschrift, die sich ausschließlich aus Punkten und Strichen zusammensetzt und seit Mitte des 19. Jhs. zur telegraphischen Nachrichtenübermittlung dient.

148 *dringend, als dreifach* – Anfang 1934 betrug die Wortgebühr für gewöhnliche Telegramme im Ortsverkehr 8 Rpf., im Fernverkehr 15 Rpf.; Mindestsatz für ein Telegramm war die zehnfache Wortgebühr. Für dringende Telegramme war die dreifache Gebühr zu zahlen.

153 *Podagra* – Veraltet für: Gicht in den Füßen.

Himmelwärts

158 *Himmel, Erde, Hölle* – Die Forderung Horváths, die Bühne *in drei übereinanderliegende Teile* zu gliedern, war wohl angeregt durch Heinz Hilperts (1890-1967) Inszenierung von Ferdinand Bruckners (eigentl. Theodor Tagger; 1891-1958) Schauspiel *Die Verbrecher* am 23. 10. 1928 im Deutschen Theater in Berlin. Auf einer Simultanbühne zeigte die Inszenierung das gleichzeitige Geschehen in den drei Stockwerken eines Mietshauses. Eine weitere Anregung mag Horváth in der Komödie von Walter Hasenclever (1890-1940) *Ehen werden im Himmel geschlossen* gefunden haben, die am 12. 10. 1928 in den Kammerspielen des Deutschen Theaters in Berlin uraufgeführt wurde. Der liebe Gott, Sankt Peter und die heilige Magdalena traten in moderner Kleidung in einem Himmels-Salon auf.

159 *Himmel voller Geigen* – »Und der Himmel hängt voller Geigen« stammt aus der Operette *Der liebe Augustin* (1912) von Leo Fall (1873-1925) mit den Texten von Rudolf Bernauer (1880-1953) und Ernst Welisch (1875-1941).

Himmelsleiter – Nach Genesis 28,12: »Und er [Jakob] träumte: Eine Leiter stand auf der Erde, ihre Spitze berührte den Himmel. Gottes Engel stiegen auf und nieder.«

Bub – Die Erzählung des Buben, der sich beim Fußballspiel erkältet hat, findet sich auch in Horváths *Sportmärchen* (Band 11) und in *Jugend ohne Gott*, Bd. 13, 31 f.

Goal! – Aus dem Engl. für: Tor! Beim Fußball.

160 *Sphärenmusik* – Nach der Lehre der Pythagoreer (ein von Pythagoras aus Samos im 6. Jh. v. Chr. gegründeter Bund) bringen die sich bewegenden Gestirne Klänge hervor; nach Aristoteles (384-322 v. Chr.) allerdings ist die Sphärenmusik unhörbar.

161 *Bühnentürl* – Österr. umgangssprachl. für: Bühneneingang für Schauspieler.

Meistersinger-Ouvertüre – Vorspiel zu der Oper *Die Meistersinger von Nürnberg* von Richard Wagner (1813-1883). Die Uraufführung des Vorspiels fand am 2. 6. 1862 im Leipziger Schauspielhaus statt.

Luise – Vorbild für die Figur dürfte die Sängerin Maria Elsner (1905-1983) gewesen sein, mit der Horváth befreundet und kurze Zeit (1933/34) verheiratet war.

Dienstmann – Nach der Gewerbeordnung zugelassene Person, die auf öffentlichen Straßen und Plätzen gegen Entgelt Dienste als Träger oder Bote anbot.

162 *Hilfsregisseur* – Früher die Bezeichnung für den Regieassistenten am Theater.

166 *in persona* – Lat. für: persönlich.

167 *Rapport* – Aus dem Franz. für: (militärische) Meldung, Bericht.

170 *vermaledeiter* – Veraltet für: verfluchter.

Impertienz! – Nach dem lat. impertinens (für: nicht zur Sache gehörend) im 17. Jh. aus der Juristensprache entlehnt; in übertragenem Sinn gebraucht für: Frechheit, Unverschämtheit.

171 *faschiert* – Für: durch den Wolf gedrehtes Fleisch; Gehacktes.

keines gekrümmt wird – Das Sprichwort »niemandem ein Härchen krümmen« geht zurück auf Lukas 12,7 und Matthäus 12,7, daß »die Haare des Hauptes alle gezählt« sind.

175 *Bohèmenatur* – Künstlernatur; siehe *Der ewige Spießer* 12, 235.

Widerspenstigen Zähmung – *Der Widerspenstigen Zähmung* (*The Taming of the Shrew*) von William Shakespeare (1564-1616), um 1593 entstanden, am 13. 6. 1594 in London uraufgeführt; zu Horváths Zeiten wurde auf den deutschen Bühnen fast ausschließlich die Übersetzung von August Wilhelm von Schlegel (1767-1845) und Ludwig Tieck (1773-1853) gespielt.

179 *Mariandjosef!* – Für: Maria und Josef!

stad! – Österr. mundartl. für: leise, still.

180 *nebbich* – Vgl. Peter Wehle, *Sprechen Sie Wienerisch? Von Adaxl bis Zwutschkerl* (Wien–Heidelberg 1980, S. 65): »Nebbich wird von jedem zweiten Fachmann etymologisch anders erklärt: Es könnte eine Kontamination [Wortverschmelzung] von ›nicht-über-mich‹-soll-es-kommen sein, tatsächlich wird es oft in diesem Sinn gebraucht – ›Ein Erdbeben – no, da möcht ich nebbich nicht dort sein!‹ Es könnte aber auch slawisch gemeint sein: ja nebych – ich würde nicht. Interessant ist, daß es keine jüdische Ableitung gibt.« – Siehe auch *Der ewige Spießer* 12, 364 u. 411.

Modulation – Wechsel der Tonart; nach dem lat. modulatio für: Takt.

181 *Rollmops* – Salzhering, dessen entgrätete Hälften um ein Stück Gurke, Zwiebel und Gewürz gerollt und durch einen Holzstift zusammengehalten wird; gilt wegen seiner Säure als wirksames Mittel bei Alkoholmißbrauch.

185 *gestern zum Beispiel* – Anspielung Horváths auf die Februar-Unruhen 1934 in Wien, bei denen neun Sozialdemokraten, unter ihnen Georg Weissel (geb. 1899), Karl Münichreiter (geb. 1891) und Koloman Wallisch (geb. 1889) standrechtlich zum Tode verurteilt und gehenkt wurden. – Siehe auch *Figaro läßt sich scheiden*, Bd. 8, 191.

186 *spanischen Stiefel* – Nach E. A. Rauter (*Folter-Lexikon. Die Kunst der verzögerten Humanschlachtung von Nero bis Westmoreland*, Hamburg 1969, S. 152) »eine Art Stiefel oder Schuhe, die man anfeuchtete und dann dem Beine des Inquisiten anlegte. Alsdann ward das Bein ans Feuer gebracht, und das an der Wärme getrocknete Pergament schrumpft allmählich dermaßen zusammen, daß der Schmerz nicht zu ertragen war. [...] Andern Ortes nahm man vier Eichenbretter, die mit starken Stricken umwickelt wurden. Zwei dieser Bretter wurden an die innere Seite der Beine des Verbrechers gelegt, die andern beiden an die äußere. Diese Bretter mit den Beinen dazwischen schnürte man fest zusammen, dergestalt, daß die inneren Bretter sich berührten, doch nicht so hermetisch geschlossen, daß man nicht von oben die Spitze eines Keils hätte dazwischen klemmen können. Auf diesen Keil ward gehämmert, bis entweder die Beine in eine unerträgliche Presse kamen, oder die Bretter zersprangen und mit ihnen die Knochen des Beins. Eine gewöhnliche Folter bestand aus vier, eine außerordentliche aus acht Keilen.«

Daumenschrauben – Nach E. A. Rauter (*Folter-Lexikon*, S. 38) waren die einfachen Daumenschrauben »zwei auf einen Holz block befestigte Eisenplatten, die an zwei, zuweilen auch an drei

Schraubenspindeln mittels Schraubenschlüssel zusammen gedreht wurden, während die Daumen dazwischen lagen. Die Druckflächen waren gewöhnlich rautenförmig eingefeilt, oder durch Einhauen mit dem Spitzeisen mit kleinen scharfen Spitzen unregelmäßig bedeckt«. Zur Intensivierung der Folter »pflegte der Henker, nach dem Zusammenschrauben mit dem Schraubenschlüssel auf die Platte zu klopfen, auch wurden häufig die Schrauben gelockert, um dann fester zusammen gezogen zu werden«. In den doppelten Daumenstock (Mecklenburger Instrument) »wurden die Daumen und großen Zehen kreuzweis eingeschraubt, wodurch der Körper in stark gekrümmte Lage gebracht wurde, während man unter den Armen und Beinen noch eiserne Stäbe oder Stangen durchsteckte. In dieser Stellung zog man den Delinquenten an Stricken in die Höhe und ließ ihn so hängen.«

187 *ich auch mal höher war* – Der christl. Lehre folgend, wurden die gestürzten Engel zu Teufeln; vgl. Offenbarung 12,7-9.

Ursturm – Horváth folgt hier der »Welteislehre« (Glacialkosmonogie), die von dem österr. Ingenieur Hanns Hörbiger (1860-1931) aufgestellt worden war. Hanns Hörbiger war der Vater des Schauspielers Paul Hörbiger (1894-1981), der in der Uraufführung von *Geschichten aus dem Wiener Wald* die Rolle des Rittmeisters gespielt hatte und mit Horváth befreundet war. 1930 veröffentlichte der Naturwissenschaftler Hans Wolfgang Behm (1890-?), der 1929 bereits das Buch *Welteislehre, ihre Bedeutung im Kulturbild der Gegenwart* publiziert hatte, die Biographie *Hörbiger. Ein Schicksal.*

188 *verhatschte Absätz* – Österr. umgangsprachl. für: abgetretene Absätze.

bis zum jüngsten Tag – Nach Johannes 12,48: »Wer mich ablehnt und meine Worte nicht annimmt, der hat seinen Richter: das Wort, das ich verkündet habe, wird ihn richten am jüngsten Tage.«

190 *Karten schlagen* – Karten legen, um die Zukunft daraus zu ersehen; *schlagen* ist die verkürzte Form für: Umschlagen der Karte, vom gleichförmigen Muster (auf der Rückseite) zum Bild und Zeichen (auf der Vorderseite der Karte).

abzwicken – Österr. umgangssprachl. für: wegnehmen.

193 *schlampert* – Österr. mundartl. für: unordentlich.

194 *logieren* – In Österr. heute noch gebräuchlich für: (vorübergehend) wohnen.

197 *Walpurgisnacht* – Die letzten neun Tage vor dem 1. Mai heißen Walpurgatage; die Nacht vom 21. zum 22. April ist die Walpurgisnacht, in der sich die Hexen am Blocksberg (Brocken) versammeln. Nach verschiedenen Zeremonien wird die jüngste und schönste Hexe nackt auf einen Altar gelegt und Satan vollzieht den Geschlechtsakt mit ihr, während alle anwesenden Frauen und Männer ebenfalls kopulieren.

Aufklärerei – Europäische Geistesbewegung, die das 18. Jh. beherrschte und die Vernunft als eigentlichen Wertmaßstab ansah. Friedrich Wilhelm I. (1688-1740, König seit 1713) und Maria Theresia (1717-1780, Kaiserin seit 1740) setzten den Hexenverfolgungen in Preußen und in Österreich ein Ende.

Großwardein – Ung. Nagyvárad; Garnisonstadt, kam 1919 von Ungarn an Rumänien; 90 000 Einw. (1923; 60% Magyaren, 26% Juden, 12% Rumänen).

Gschau – Österr. mundartl. für: Geschau.

200 *dich segnen* – Abgel. von gesegneten Leibes sein für: schwanger sein.

204   *Puritaner* – Seit etwa 1560 die Bezeichnung für die engl. Protestanten, deren sittliche Ideale strenge Selbstzucht und Beherrschung des Trieblebens waren.

205   *den Gabriel, den Uriel* – Zwei der (sieben) Erzengel. Gabriel verkündete nach Lukas 1,26-38 Maria die Geburt Jesu.

206   *Cesare Borgia* – (1475/76-1507), Erzbischof von Valencia und Kardinal; ermordete 1500 den Gatten seiner Schwester Lucrezia (1480-1519).

       Ave Caesar! – Auch: »Ave Imperator!« war der offizielle Gruß gegenüber den röm. Kaisern. – Siehe auch Bd. 13,174.

209   *steht die Welt nimmer lang* – »Da wird einem halt angst und bang,/Die Welt steht auf kein-n Fall mehr lang« lautet der Kehrreim des Liedes *Es ist kein' Ordnung mehr jetzt in die Stern'*, das der Schuster Knierim in *Der böse Geist Lumpazivagabundus oder das liederliche Kleeblatt* (1833) von Johann Nestroy (1801-1862) nach der Musik von Adolf Müller (1801-1886) singt.

Das unbekannte Leben
und
Mit dem Kopf durch die Wand

217/– *»Was Ihr wollt« – Twelfth Night, or What You Will* (dt.: Dreikönigsabend, oder Was ihr wollt), Komödie von William Shakespeare (1564-1616), zwischen 1600 und 1602 entstanden; erste bezeugte Aufführung am 2. 3. 1602 in London. Die einzige Verfilmung 1910 in den USA (Regie: J. S. Blackton).

218/– *Macbeth-Film* – Shakespeares *Tragedie of Macbeth* wurde 1908 in den USA (Regie: J. S. Blackton), 1909 in Frankreich (Regie: A. Calmettes) und 1922 in Deutschland (Regie: H. Schall) verfilmt.

der wandernde Wald – Vgl. den Beitrag von Lotte H. Eisner (1896-1983) im Berliner ›Film-Kurier‹ am 3. 10. 1932 *Ein Wald wird ummontiert – Fritz Lang beginnt zu drehen.* Dort heißt es: »Lichter streuen, silbrig treten Blattgewinde an Ästen hervor, es leuchten Stämme auf, Gräser trifft ein Glanz. Das Malerauge Langs umfaßt das alles voll Glück: ›Immer habe ich mir gewünscht einen Wald nachts zu drehen, so ganz ausgeleuchtet – und das hat noch keiner gemacht.‹ Aber noch wird dieser Wald nicht gedreht. Er wandelt sich zu dem wandernden Birnam-Wald von Dunsinan des Macbeth: Abgehauene Bäume werden in Massen einhergeschleppt, durch das ganze Gelände scheinen sie zu wandeln wie die Praktikabel, die ein Wort von einem Platz zum andern pflanzt. Holzunterlagen tragen diese Bäume und sie werden aufs neue in die Erde eingegraben, dorthin wo ihr Schöpfer Lang es befiehlt« (zit. nach: *Lotte H. Eisner. Ich hatte einst ein schönes Vaterland. Memoiren.* Geschrieben von Martje Grohmann, Heidelberg 1984, S. 119).

Magiobiologie – Bezeichnung für Symptome aus den Grenzbereichen von Magie und Biologie.

Metapsychologie – Auch: Parapsychologie.

Parapsychologie – Bezeichnung für außersinnliche (okkulte) Erscheinungen. Der Begriff stammt von dem Psychologen Max Dessoir (1867-1947), dessen Buch *Vom Jenseits der Seele* (1907) zum Standardwerk der Parapsychologie wurde.

Magiophysik – Bezeichnung für Symptome aus den Grenzbereichen von Magie und Physik.

Apporten – Im Okkultismus das Herbeischaffen von Gegenständen durch Geisterhand.

vierten Dimension – Im Okkultismus die über die drei Dimensionen des menschlichen Raumes hinausgehende, nur Geistern zugängliche (vierte) Dimension; von Karl Friedrich Zoellner (1834-1882) in seinem Werk *Die transcendentale Physik und die sogenannte Philosophie* (1879) geprägter Begriff.

spiritistische Hypothese – Im Gegensatz zum Okkultismus ging der Spiritismus davon aus, daß Geister in das Leben einzugreifen vermögen.

aus einem Saulus ein Paulus – Nach der *Apostelgeschichte* 9,3-6 die Bekehrung des Christenverfolgers Saulus zum Apostel Paulus.

einem Alchimisten – Chemie des Mittelalters, die anstrebte, unedle in edle Stoffe zu verwandeln, also auch Gold und Silber herzustellen.

Perzent – In Österreich heute noch gebräuchliche Form für: Prozent.

–/331 *ich bin* – Anspielung auf den Produzenten Eric[h] Pommer (1889-1966); ein »geborener Anreger und Förderer, behandelte er filmische und kaufmännische Angelegenheiten mit demselben Geschick; und vor allem wußte er aus Regisseuren und Schauspielern schöpferische Energien herauszulocken« (Siegfried Kracauer, *Von Caligari zu Hitler. Eine psychologische Geschichte des deutschen Films*, Frankfurt/Main 1984, S. 72). – »Man braucht ihm nur eine Idee vorzutragen, und er weiß sofort, ob sie was wert ist oder nicht. Er liest ein Filmmanuskript in einer halben Stunde und legt seinen Finger an die wunde Stelle. Er hat Phantasie genug, um Schauspieler, Regisseure und Fotografen für einen Film auszuwählen.« (Curt Riess, *Das gab's nur einmal. Die große Zeit des deutschen Films*, Frankfurt/Main–Berlin–Wien 1985, Bd. 1, S. 110)

218/– *Operateur* – Veraltet für: Kameramann (auch für: Filmvor-führer).

Morena – Erna Morena, geb. Fuchs (1885-1962), verheira-tet mit dem Schriftsteller Wilhelm Herzog (1884-1960), war eine der meistgefragten Schauspielerinnen des deutschen Stummfilms.

219/– *Zola* – Émile Zola (1840-1902), sozialkritischer franz. Schriftsteller.

219 *Lassens mich aus* – Österr. umgangssprachl. für: verscho-nen Sie mich.

221/– *Regisseur Mayberg* – Möglicherweise Anspielung auf die Regisseure Joe *May* (eigentl. Julius Otto Mandl, 1880-1976) und Richard Eich*berg* (1887-1952), wobei die Be-schreibung *homme des femmes* (für: Typ für Frauen) eher auf den Regisseur Fritz Lang (1890-1976) zutrifft, der von 1920 bis 1933 mit Thea von Harbou zusammenarbeitete, mit der er auch einige Jahre verheiratet war.

222 *Mona Lisa* – Gemeint ist das Bildnis des Leonardo da Vinci (1452-1519), das etwa 1503-06 entstand und angeblich die Gattin des florentinischen Edelmannes Francesco del Gio-condo darstellt.

223 *Unikum* – Origineller Mensch, Type; nach dem lat. unicum (für: etwas Einmaliges).

226 *Claire Carry* – Möglicherweise Anspielung auf den frühe-ren Operettenstar Herma Angelot (eigentl. Minna Pfle-ger), die Frau des Regisseurs Joe May, die unter dem Na-men Mia May eine vielbeschäftigte Filmschauspielerin war.

227   *eiserne Stirne* – Bei Isaias 48,4 ist von der »Stirne von Erz«
        (in älteren Übersetzungen: »eherne Stirn«) die Rede; Mar-
        tin Luther (1483-1546) prägte in seiner Schrift *Wider den
        falsch genannten geistlichen Stand des Papstes und der
        Bischöfe* (1522) den Begriff »eiserne Stirn«.

230   *Hell* – Möglicherweise Anspielung auf den Schriftsteller
        und Drehbuchautor Leo Heller (1876-?). Er schrieb (zusam-
        men mit Ruth Goetz, eigentl. Ruth von Schüching) u. a. die
        Drehbücher zu *Die Gesunkenen* (1926) und *Dirnentragödie*
        (1927).

        Claustal – Möglicherweise Anspielung auf Axel Egge-
        brecht (geb. 1899), der seit 1925 als freier Schriftsteller,
        Filmdramaturg und Drehbuchautor in Berlin arbeitete. –
        Siehe auch S. 478.

        Barbou – Anspielung auf die Romanschriftstellerin und
        Drehbuchautorin Thea von Harbou (1888-1954); wenn
        Horváth sie als *alte Dame* bezeichnet, dann von der Warte
        des 33jährigen. Als Horváth sein »Schlüsselstück« *Das un-
        bekannte Leben* schrieb, war Thea von Harbou 47 Jahre
        alt.

        Sängerkrieg – *Sängerkrieg auf der Wartburg* ist ein mhd.
        Gedicht eines unbekannten Verfassers aus der 2. Hälfte
        des 13. Jhs. in Erinnerung an den Landgrafen Hermann
        von Thüringen (1190-1217), Freund der Minnesänger,
        der 1207 auf der Wartburg (südlich von Eisenach) einen
        Sängerkrieg veranstaltet haben soll. Richard Wagner
        (1813-1883) verwendete Motive daraus in seiner roman-
        tischen Oper *Tannhäuser und der Sängerkrieg auf Wart-
        burg*, die am 19. 10. 1845 in Dresden uraufgeführt
        wurde.

231 *Sadist* – Nach den von Donatien-Alphonse François Marquis de Sade (1740-1814) beschriebenen sexuellen Grausamkeiten geprägter Begriff, den der Wiener Neurologe Richard Freiherr von Krafft-Ebing (1840-1902) im Jahre 1891 in die Sexualwissenschaft einführte.

Bröseln – Brosamen, Krümel.

Hosen verkauft – Anspielung auf Ernst Lubitsch (1892-1947), dessen Vater Schneidermeister war und in dessen Geschäft Ernst Lubitsch lernte, ehe er 1911 von dem Schauspieler Viktor Arnold (1873-1914) Max Reinhardt (eigentl. Max Goldmann, 1873-1943) vorgestellt wurde.

233 *»Figaros Hochzeit«* – *Le Nozze di Figaro*, Opernlibretto von Lorenzo Da Ponte (eigentl. Emanuele Conegliano, 1749-1838) für Wolfgang Amadeus Mozart (1756-1791). Am 1. 5. 1786 wurde Mozarts Oper *Figaros Hochzeit* in Wien uraufgeführt. Vgl. Bd 8,188 f.

zartesten Mädchenfilme – Weiterer Beleg für die Anspielung auf Axel Eggebrecht (siehe S. 477), der u. a. die Drehbücher zu den Filmen *Die Republik der Backfische* und *Der Kampf der Tertia* schrieb.

234 *Waadtländer* – Waadt oder Waadtland, franz. Pays de Vaud, Kanton im Südwesten der Schweiz.

Tilli – Thea von Harbou (siehe S. 476) hatte keine Tochter, aber ihre Mutter hieß Clotilde (Tilli) Constanze, geb. d'Alinge (1857-1938).

235 *das eigene Nest beschmutzen* – Nach dem dt. Sprichwort: »Es ist ein arger Vogel, der sein Nest beschmutzt« bzw. »Nur der Wiedehopf beschmutzt sein Nest«.

237   *eine junge Schauspielerin* – Autobiographische Anspielung
        Horváths auf seine langjährige Freundin Wera Liessem
        (geb. 1912), die als Schauspielerin in Frankfurt und Bern
        beschäftigt war, ehe sie 1933 nach Berlin kam.

240/327 *Hotel Terminus* – Vgl. Ulrich Bechers Mitteilung, daß Hor-
        váth später (im April 1938) in Zürich, »ein sehr bescheide-
        nes Stübchen nahe dem Bellevue Zürichs, über dem von
        einem Italiener bewirtschafteten Restaurant Terminus«
        mietete (Ulrich Becher, *Stammgast im Liliputanercafé*, in:
        Ödön von Horvath, *Stücke*, Reinbek bei Hamburg 1961,
        S. 419-429; hier S. 425).

        Louis-seize – Bezeichnung für eine Stilrichtung (nach Lud-
        wig XVI., 1754-1793, König 1774-1792), die im Gegensatz
        zum verschnörkelten Stil des Rokoko durch Geradlinigkeit
        und Symmetrie gekennzeichnet wurde.

        Imitator beim Varieté – Aus dem Zirkus hervorgegangen,
        hatte sich gegen Ende des 19. Jhs. das Varieté entwickelt,
        dessen Programm aus verschiedenen Einzelnummern (Tän-
        zen, Kunststücken aller Art, humoristischen Vorträgen)
        bestand. Zu diesen festen Nummern gehörte auch der Imi-
        tator, der verschiedene bekannte Persönlichkeiten und de-
        ren Stimmen (auch Tierstimmen) nachahmte. Besonders
        bekannte Varietés waren das Ronacher in Wien, der Win-
        tergarten in Berlin, der Kristallpalast in Leipzig und das
        Royal Orfeum in Budapest.

        Richard-Wagner-Mütze – Die für den Komponisten Ri-
        chard Wagner (1813-1883) typische Kopfbedeckung.

        Gralsmotiv – In der Ouvertüre zu der romantischen Oper
        Lohengrin (1850) und in dem Bühnenweihfestspiel *Parsifal*
        (1882) von Richard Wagner.

Offenbach-Bart – Backenbart, wie ihn der Komponist Jaques Offenbach (1819-1880) trug.

242/– »*Journal*« – Nach dem 1893 in Wien gegründeten ›Neuen Wiener Journal‹.

243/334 *Ich bin Mediziner* – Möglicherweise Anspielung auf den Arzt Albert Freiherr von Schrenck-Notzing (1862-1929), der vom Studium der Hypnose zur Parapsychologie kam. Seine jahrelangen Untersuchungen und Forschungen publizierte er in seinen Hauptwerken *Materialisationsphänomene* (1914, ²1923) und *Physikalische Phänomene des Mediumismus* (1920). – ›Der Querschnitt‹ widmete dem Thema Okkultismus Ende Dezember 1932 (12. Jg., H.12) ein ganzes Heft.

–/334 *Borodino* – Dorf südwestl. von Moskau; angesprochen ist die Schlacht bei Borodino am 1. 8. 1812 während des russ. Feldzugs Napoleons.

243/334 *materialisierte sie sich* – Im Okkultismus: sie trat in Erscheinung.

243/335 *Seance* – Aus dem Franz. für: Sitzung; im dt. Sprachgebrauch ausschließlich für eine spiritistische Sitzung.

244/335 *Tischerlrückerei* – Die Teilnehmer einer Seance versammeln sich um den Tisch und bilden durch Berührung der aufgelegten Hände eine Kette; der gerufene Geist antwortet mit Klopfzeichen oder durch Heben bzw. Senken des Tisches.

245/336 *Haba español?* – Sprechen Sie spanisch?

247/338 *das Stummerl* – Wienerisch für: der kleine Stumme.

249/341 *eines gefallenen Engels* – Siehe S. 471.

251/342 *Abulie* – Aus dem Griech. für: Willenlosigkeit, Willens-
schwäche.

255/346 *Damoklesschwert* – Nach Marcus Tullius Cicero (106-43
v. Chr.), *Tusculanae disputationes* (dt.: Gespräche in Tus-
culum; um 45 v. Chr.) ließ der Tyrann Dionysios d. Ä. von
Syrakus (405-367 v. Chr.) ein an einem Pferdehaar befestig-
tes Schwert über dem Haupt seines Günstlings Damokles
schweben, während dieser feierte.

257/348 *Filmbörse* – Um die Besetzung kleinerer Rollen und das
Engagement von Komparsen zu erleichtern, wurde 1918
von den Verbänden der Filmhersteller die Filmbörse eingerichtet, ein Ort, an dem sich Kleindarsteller aufhielten und
auf ein Engagement warteten.

258/349 *Untergrund* – In Berlin wurde die erste Untergrundbahn
1902 auf der Strecke Warschauer Brücke – Potsdamer Platz
eröffnet.

259/– *Spitz* – Umgangssprachl. für: Zigarettenspitze.

261/– *im zweiten Rang* – Man unterschied zwischen Parkett,
erster Rang und zweiter Rang.

263/353 *offiziöser* – Halbamtlicher.

264/354 *Wen die Götter* – Freie Übersetzung eines griech. Fragmen-
tes bei Lykurgos (ca. 390-324 v. Chr.), das dt. lautet: »Wenn
der Zorn der Dämonen einen Menschen vernichten will, so
nimmt er ihm zuerst den Verstand« und bei dem Komödien-
dichter Publius Syrus (1. Jh. v. Chr.): »Stultum facit For-
tuna quem vult perdere« (dt.: Das Glück macht den, den es
vernichten will, zuerst einmal dumm).

265/351 *Jupiterlampen* – Nach der Berliner Firma »Jupiterlicht«
benannte, sehr starke und mobile Lampen für Filmaufnah-
men.

267/356 *den Satz mit den grünen Augen* – Selbstparodie Horváths; vgl. hierzu den Satz in *Eine Unbekannte aus der Seine,* S. 59.

270/360 *Film erst in den Kinderschuhen* – Eine weitere Anspielung auf Ernst Lubitsch (siehe S. 478), der erst 1913 Kontakt zur Filmindustrie bekam.

Tonfilm – Am 24. 9. 1923 hatte der erste Dokumentarfilm in der Berliner Alhambra Premiere, der mit Ton versehen war: *Das Leben auf dem Dorfe*; der erste abendfüllende Dokumentar-Tonfilm wurde am 12. 3. 1929 in Berlin uraufgeführt: *Melodie der Welt* von Walter Ruttmann (1887-1941). *Der singende Narr* (Originaltitel: *The Singing Fool*) mit Al Jolson (1883-1950) in der Hauptrolle, war der erste amerikanische Spielfilm mit Ton (am 10. 6. 1929) in Berlin erstaufgeführt). – Siehe auch *Geschichten aus dem Wiener Wald* 4,219.

ein Mann von Wort – Nach Friedrich Schiller, *Die Piccolomini* (1799): »Das ist gesprochen wie ein Mann!« (4,4).

274/– *Jack Traverson* – Anspielung auf den deutschen Boxer Max Schmeling (geb. 1905), der 1926 deutscher Meister im Halbschwergewicht und 1927 Europameister im Halbschwergewicht wurde. Der Kampf gegen Jack Sharkey am 12. 6. 1930 im New Yorker Madison Square Garden brachte Max Schmeling den Weltmeistertitel (im Schwergewicht). – 1930 wurde mit Max Schmeling der Spielfilm *Liebe im Ring* gedreht. Unter der Regie von Reinhold Schünzel (1888-1954) waren Olga Tschechowa (geb. 1897) und Renate Müller (1907-1937) die beiden Partnerinnen von Schmeling.

Kainz – Josef Kainz (1858-1910), einer der berühmtesten Bühnenschauspieler; zuerst in Berlin, seit 1899 am Wiener Burgtheater.

275/–   *Flip* – Alkoholisches Mischgetränk mit Zucker und Ei.

276/–   Kretin – Siehe S. 452.

277/–   *Menagerie* – Aus dem Franz. für: Tierschau.

278/363 *Baroness Kalkowska* – Möglicherweise Anspielung auf die in Berlin lebende Lyrikerin Eleonore Kalkowska (1883-?).

280/–   *Mill* – Umgangssprachl. Verkürzung von Mille für: Tausend.

292/374 *Trumpf sticht* – Im Kartenspiel vorteilhafte Farbe, die es ermöglicht, die anderen Karten zu nehmen.

   Rien ne va plus! – Franz. für: Nichts geht mehr! beim Roulettspiel; es darf nichts mehr eingesetzt werden.

   Rot oder schwarz – »Rouge« oder »noire«; beim Roulett ist das rote oder schwarze numerierte Feld, auf das die Kugel rollt, entscheidend für Gewinn oder Verlust.

295/377 *manövriert* – Auf dem Franz. für: in eine bestimmte Situation gebracht.

296/377 *zum guten Hirten* – Nach Psalm 23,1: »Der Herr ist mein Hirt« und Johannes, 10. Kap.: »Jesus der gute Hirte«.

   Korrektionsanstalt – Auch sog. Besserungsanstalt zur Unterbringung straffälliger, rückfälliger oder gefährdeter Personen; entweder auf staatlicher oder privater Basis.

297/378 *Decken Sie die Dächer ab* – Anspielung auf die Figur des Asmodeus in dem Roman *Le diable boiteux* (1707; dt.: Der hinkende Teufel) von Alain-René Lesage (1668-1747).

316/–   *paranoid* – Aus dem Griech. für: an Wahnvorstellungen leidend.

manisch-depressiv – Abwechselnd in krankhaft erregter und krankhaft betrübter Stimmung.

318/– *Seminaristin* – Ausdruck für eine Absolventin des Max-Reinhardt-Seminars, der Schauspielschule in Wien, die am 23. 4. 1928 gegründet worden war.

319/392 »*Des Königs Husaren*« – Anspielung auf den Stummfilm *Die Königsgrenadiere* aus dem Jahr 1924/25 mit Ruth Carel, Heinrich Seitz, Carl Walther Meyer, Karl Pott; Regie: Géza von Bolvary-Zahn.

322/– *Rußland* – Anspielung auf die Filme sowjetischer Regisseure wie Sergej Michailowitsch Eisenstein (1898-1948) oder Wsewolod Illarianowitsch Pudowkin (1893-1953), die mit unbekannten Schauspielern und Laien arbeiteten.

323/– *das Gruseln zu lernen* – Das *Märchen von einem der auszog, das Fürchten zu lernen* in den *Kinder- und Hausmärchen* der Brüder Grimm.

1 Bei der Transkription der hs (= handschriftlichen) Texte Ödön
  von Horváths werden durch
  []   Zusätze bzw. Ergänzungen,
  ⟨ ⟩ Tilgungen,
  ⟨?⟩ fragliche Lesart bzw. nicht zu ermittelnder Text
  markiert. Innerhalb dieser Transkriptionen wird der Autortext
  durch *Kursivdruck*, der Editortext durch Geradschrift ausgewie-
  sen. Abkürzungen für den Aufbewahrungsort:
  HA/B = Ödön von Horváth-Archiv in Berlin an der Akademie
           der Künste (mit nachfolgender Ordnungsnummer),
  HA/W = Ödön von Horváth Forschungsstelle in Wien im Tho-
           mas Sessler Verlag.

2 Hertha Pauli, *L'inconnue de la Seine*, in: Berliner Tageblatt, 4. 11.
  1931; siehe auch S. 451.

3 Hertha Pauli, *Erinnerungen an Ödön von Horváth*; 9seitiges
  unveröffentlichtes Typoskript, Huntington, 5. 6. 1956.

4 Vgl. Franz Theodor Csokor, *Zeuge einer Zeit. Briefe aus dem
  Exil 1933-1950*, München–Wien 1964 (S. 21): »Jan Fabricius,
  hervorragender holländischer Romanschriftsteller, ging nach der
  Besetzung seiner Heimat in die Widerstandsbewegung, wo er
  gegen das Dritte Reich kämpfte, bei Kriegsende war er im BBC in
  London für die Befreiung der Niederlande tätig. Zur Zeit lebt er
  im Haag.«

5 Wien III., Rennweg 41.

6 Csokor, S. 28.

7 Ebd., S. 31. Nach Luise Ullrich (*Komm auf die Schaukel Luise.
  Balance eines Lebens*, Percha 1973, S. 108) hatte Horváth die
  Rolle ihr zugesagt, aber auch Marianne Hoppe (in der TV-Sen-
  dung *Zeugen des Jahrhunderts*, ZDF, 20. 4. 1987).

8 Das einzige noch bestehende Barocktheater Wiens, 1747 eröffnet,
  dient als Übungs- und Aufführungsbühne des Reinhardt-Seminars.

9 Bis Ende der 70er Jahre wurde fälschlicherweise die als Uraufführung deklarierte Inszenierung von Kurt Radlecker im ›Studio der
  Hochschulen in der Kolingasse‹ in Wien am 2. 12. 1949 genannt;

1977 erfolgte durch Wolfgang Lechner (*Mechanismen der Literaturrezeption in Österreich am Beispiel Ödön von Horváths*, Stuttgart 1978, S. 48) die Richtigstellung.

10 HA/W.

11 Originalvertrag HA/W.

12 [Anonym,] *Oedön von Horvath über sein neues Stück*, in: Wiener Allgemeine Zeitung, 14. 9. 1933.

13 Zit. nach einem undatierten Zeitungsausschnitt; Handschriftensammlung der Österreichischen Nationalbibliothek, Wien.

14 [Piero Rismondo,] *Oedön-Horvath-Premiere am Reinhardt-Seminar*, in: Wiener Allgemeine Zeitung, 11. 1. 1934.

15 HA/B,43e.

16 HA/B,43h.

17 HA/B,43e.

18 HA/B,43f.

19 HA/B,43f.

20 HA/B,43b.

21 Original HA/W.

22 Hans Gál am 29. 5. 1978 an den Hg.

23 Original HA/W.

24 Siehe S. 75.

25 Wie 12.

26 Hans Gál am 22. 2. 1978 an den Hg.

27 Thomas Mann, *Tagebücher 1933-1934*, hg. v. Peter de Mendelssohn, Frankfurt/Main 1977, S. 586.

28 wti, *Schauspielhaus. »Hin und Her« von Horvath (13. Dez.)*, in: Neue Zürcher Zeitung, 14. 12. 1934.

29 Zit. nach *Anmerkungen* in: Ödön von Horváth, *Ausgewählte Werke*, hg. v. Hansjörg Schneider, Berlin 1981, Bd. 2, S. 480.

30 HA/W.

31 Ebd.

32 Wie 12.

33 Original HA/W.

34 Csokor, S. 91.

35 Felix Fischer, *Lustspielpremiere der »Freien Bühne«*, zit. nach Faksimile in Gisela Günther, *Die Rezeption des dramatischen Werkes von Ödön von Horváth von den Anfängen bis 1977*,

Bd. 2: *Anmerkungen, Materialien, Bibliographie*, Diss. Göttingen 1978, s. 195.

36 o. m. f., »*Himmelwärts*«. *Freie Bühne in der Komödie*, in: Der Wiener Tag, 7. 12. 1937.

37 HA/B,42a.

38 HA/B,42b.

39 HA/W.

40 Wera Liessem am 28. 11. 1957 an den Hg.

41 Original HA/W.

42 Siehe S. 217-221, 230-239 und die entsprechenden Erläuterungen.

43 Csokor, S. 116.

44 r[ichard] g[ötz], »*Mit dem Kopf durch die Wand*«. *Scala*, in: Der Wiener Tag, 11. 12. 1935.

45 H. S., *Scala*, in: Wochenausgabe N. W. T., 14. 12. 1935.

46 e[mil] kl[äger], *Ein neues Stück von Oedön Horvath, (Scala.)*, in: Neue Freie Presse, Wien, 12. 12. 1935.

47 In: Prager Tagblatt, 18. 12. 1935, zit. nach: Alfred Polgar, *Kleine Schriften*, hg. v. Marcel Reich-Ranicki, Bd. 5, Reinbek bei Hamburg 1985, S. 556 f.

48 HA/B, 14b

49 Csokor, S. 119.

50 HA/B, 71.

51 HA/B, 52,

52 HA/B, 53.

53 Der Herausgeber dankt Herrn Alexander Fuhrmann, München, für zahlreiche Hinweise.

suhrkamp taschenbücher
Eine Auswahl